10|18
12, avenue d'Italie — Paris XIIIe

NORTHANGER ABBEY

PAR

JANE AUSTEN

Traduit de l'anglais
par Josette SALESSE-LAVERGNE

Note biographique
de Jacques ROUBAUD

1018

« Domaine étranger »
dirigé par Jean-Claude Zylberstein

CHRISTIAN BOURGOIS ÉDITEUR

Titre original :
Northanger Abbey

© Christian Bourgois Éditeur, 1980
ISBN 2-264-02380-5

Avertissement de l'auteur aux lecteurs de
Northanger Abbey

Ce petit livre fut achevé en 1803 et devait être publié cette même année. Je le déposai chez un éditeur qui en annonça la publication, et je ne suis jamais arrivée à savoir pourquoi l'affaire en resta là. Il semble tout à fait extraordinaire qu'un éditeur l'ait jugé digne d'être acheté mais indigne d'être publié. Cela ne peut cependant toucher le lecteur ou l'auteur que dans la mesure où certains aspects du roman sont devenus, il faut le remarquer, quelque peu désuets. Le public ne devra donc pas perdre de vue que j'ai terminé ce roman voici treize ans et que je l'ai commencé il y a bien plus longtemps encore, et que les endroits, les usages, la littérature, les mentalités ont depuis considérablement changé.

1816

I

Personne ayant jamais vu Catherine Morland dans son enfance ne l'eût supposée née pour être une héroïne. Sa situation dans l'existence, le caractère de son père et celui de sa mère, sa propre personne et son tempérament, tout s'opposait également à ce qu'elle en fût une un jour. Son père était clergyman sans être pour cela ni méprisé ni pauvre, et c'était un monsieur très respectable, bien qu'il eût pour nom celui de Richard[1]... Jamais il n'avait été beau. Il possédait, outre deux excellents bénéfices, une fortune personnelle non négligeable, et il n'était pas le moins du monde porté à séquestrer ses filles. La mère de Catherine était une femme dotée d'un gros sens pratique, d'un caractère aimable et, ce qui est plus remarquable, d'une bonne constitution. Elle avait eu trois fils avant la naissance de Catherine et au lieu de mourir en mettant cette dernière au monde, comme on pourrait s'y attendre, continua à vivre, et cela pour avoir encore six enfants, les voir grandir autour d'elle et jouir elle-même d'une excellente santé. On dit toujours d'une famille de dix enfants que c'est une belle famille, du moment

1. Ce prénom de Richard que Jane Austen semble reprocher à Mr. Morland serait une allusion à une plaisanterie entre Jane et sa sœur Cassandra au sujet d'un certain Richard Harvey.

qu'elle compte assez de têtes, bras et jambes pour chacun, mais les Morland avaient peu d'autres droits pour prétendre à ce titre, car ils étaient dans l'ensemble des plus quelconques, et Catherine fut pendant de nombreuses années aussi quelconque que n'importe lequel d'entre eux. Une silhouette maigre et gauche, un teint blafard et sans couleurs, des cheveux sombres et plats et des traits grossiers, voilà pour sa personne. Quant à son esprit, il ne semblait pas davantage annoncer sa qualité d'héroïne. Elle aimait tous les jeux de garçons et préférait nettement le cricket, non seulement aux poupées, mais aussi à ces distractions plus romanesques qui consistent pour un enfant à soigner un loir, à nourrir un canari ou à arroser un rosier. Elle ne nourrissait en vérité pas le moindre goût pour le jardinage et, s'il lui arrivait de cueillir des fleurs, c'était principalement pour avoir le plaisir de mal faire — du moins pouvait-on le supposer — puisque sa préférence allait invariablement à celles qu'il lui était interdit de cueillir. Telles étaient ses inclinations, et pour ses capacités, elles étaient tout aussi extraordinaires. Elle n'apprenait ni ne comprenait jamais rien qu'on ne lui eût auparavant enseigné, et encore pas toujours, car elle se montrait volontiers inattentive et parfois stupide. Sa mère eut besoin de trois mois pour lui apprendre seulement à répéter la *Prière du Mendiant*[1], après quoi sa sœur cadette Sally pouvait la dire mieux qu'elle ne le faisait. Non que Catherine se montrât toujours stupide, loin s'en faut : elle apprit la fable *le Lièvre et les Amis*[2] aussi vite que n'importe quelle petite fille en Angleterre. Sa mère désirait qu'elle apprît la musique et Catherine avait la certitude que cela lui plairait,

1. Le Révérend Thomas Moss, ecclésiastique du XVIIIᵉ siècle, est l'auteur de cette *Prière du Mendiant*.
2. Gay (1685-1732) écrivit cette fable du *Lièvre et les Amis*. Il était connu au XVIIIᵉ siècle pour ses *Fables* et pour une œuvre intitulée *The Beggar's Opera*.

puisqu'elle aimait beaucoup faire tinter les touches de la vieille épinette abandonnée. Ainsi commença-t-elle à huit ans. Elle étudia pendant un an et elle trouva cela insupportable. Mrs. Morland, qui n'exigeait pas de ses filles qu'elles fussent accomplies lorsque cela allait contre leurs capacités ou leurs goûts, lui permit d'abandonner. Le jour où l'on congédia le maître de musique fut l'un des plus beaux de la vie de Catherine. Elle ne s'intéressait pas davantage au dessin, encore que, dès qu'elle pouvait obtenir de sa mère une vieille lettre ou mettre la main sur un quelconque autre morceau de papier, elle fît son possible en la matière en dessinant des maisons et des arbres, des poules et des poussins qui avaient tous entre eux une ressemblance certaine. C'est son père qui lui enseignait l'écriture et le calcul, sa mère le français. Ses progrès n'avaient là rien de remarquable et elle esquivait les leçons toutes les fois qu'elle le pouvait. Quelle étrange, quelle énigmatique nature... car malgré tous ces symptômes de dépravation qu'elle présentait à dix ans, elle n'avait ni un méchant cœur ni un mauvais caractère. Elle était rarement obstinée, presque jamais querelleuse, et se montrait fort aimable avec les petits malgré quelques rares accès de tyrannie. Elle était en outre turbulente et sauvage, détestait la réclusion et la propreté, et n'aimait rien tant au monde que de rouler sur le gazon en pente qui se trouvait derrière la maison.

Telle était à dix ans Catherine Morland. A quinze ans, les apparences s'étaient améliorées. Elle commençait à friser ses cheveux et à brûler du désir d'aller au bal. Son teint embellissait. Ses traits s'adoucissaient de rondeurs et de couleurs, ses yeux gagnaient en vivacité et sa silhouette se faisait plus conséquente. Son penchant pour la saleté fit place au goût de la parure, et elle devint propre en même temps qu'elle devenait élégante. Elle avait parfois maintenant le plaisir d'entendre son père et sa mère constater ses progrès : « Catherine devient tout à fait

11

charmante, elle est presque jolie maintenant », étaient des paroles qu'il lui arrivait de saisir. Comme ces mots étaient doux à entendre ! Paraître *presque* jolie est, pour une jeune fille qui a paru dénuée de beauté pendant les quinze premières années de sa vie, un progrès qui lui procure des délices plus pures que celles que peut éprouver une jeune fille belle dès le berceau.

Mrs. Morland était une excellente femme, et elle désirait voir ses enfants se développer au maximum de leurs possibilités, mais son temps était à ce point occupé par la naissance et l'instruction des tout petits, que ses filles aînées en étaient inévitablement réduites à se tirer d'affaire toutes seules. Il n'y a donc rien d'étonnant à ce qu'à l'âge de quatorze ans Catherine, qui n'avait de par sa nature rien d'une héroïne, préférât le cricket, le baseball, l'équitation ou les courses à travers le pays aux livres, ou du moins aux livres instructifs. Elle n'avait en effet rien contre les livres en général, pourvu qu'on ne pût rien en retirer qui ressemblât à un savoir utile et pourvu qu'il n'y eût en eux qu'une histoire et point de réflexion. Cependant, de l'âge de quinze ans à celui de dix-sept, elle devait s'exercer à l'état d'héroïne. Elle lut tous ces ouvrages que doivent lire les héroïnes pour emplir leur mémoire de ces citations qui s'avèrent tellement utiles et tellement apaisantes dans les vicissitudes de leur existence mouvementée.

De Pope[1], elle apprit à censurer ceux qui

« Portent partout leurs moqueries sur l'infortune... »

De Gray[2], elle sut que

1. Les vers cités ici sont extraits de l'*Élégie à la mémoire d'une pauvre infortunée* de Pope (1688-1744).
2. Gray (1716-1771) est un auteur célèbre à l'époque. Les vers cités ici sont extraits de *Elegy Written in a Country Churchyard* (*Élégie composée dans un cimetière de campagne*). Il est à remarquer que la citation d'Austen est approximative. Elle écrit en effet :

Many a flower is born to blush unseen,
And waste its fragrance on the desert air,

« Mainte fleur est née pour rougir, invisible,
Et pour gaspiller sa fragrance dans un désert... »
De Thompson[1], que

« C'est une tâche délicieuse
Que d'apprendre à la jeune idée à percer... »

Shakespeare[2] lui fournit nombre d'informations. Elle apprit entre autres que

« Des bagatelles légères comme l'air
Sont aux yeux du jaloux une aussi puissante assurance
Que les preuves que livrent les Saintes Écritures... »

Que

« Le pauvre scarabée que nous écrasons
Souffre en son corps des transes aussi cruelles
Qu'un géant lorsqu'il meurt... »

Et qu'une jeune femme amoureuse est comme

« La Patience qui sur son monument
Sourit à la Souffrance... »

Jusqu'ici, sa culture était suffisante — et sur bien d'autres points, Catherine faisait des progrès vraiment extraordinaires. En effet, bien qu'elle fût incapable d'écrire des sonnets, elle se résolut à en lire, et, bien qu'elle n'eût apparemment pas la moindre chance de captiver tout un auditoire en jouant au piano quelque prélude de sa composition, parvint à écouter sans trop de fatigue la musique qu'exécutaient les autres. Sa plus grande insuffisance touchait à ses talents de dessinatrice.

alors que le texte exact de Gray est :
Full many a flower is born to blush unseen,
And waste its sweetness on the desert air.

1. Même chose pour cette citation extraite du poème *Printemps* de Thompson (1700-1748). *Printemps* fait partie des célèbres *Saisons* de Thompson. Ces inexactitudes de Jane Austen sont peut-être à mettre sur le compte du ton humoristique du passage.
2. Les vers de Shakespeare cités ici sont tirés respectivement de *Othello*, *Mesure pour mesure* et de *La Nuit des rois*.

Elle n'avait aucune notion de dessin, pas même assez pour risquer une esquisse du profil de son amant qui pût trahir ses sentiments. Elle se montrait là lamentablement dépourvue de la véritable élévation d'une héroïne. A ce moment-là cependant, elle ignorait encore sa propre indigence, car elle n'avait point d'amant dont faire le portrait. Elle avait atteint l'âge de dix-sept ans sans avoir rencontré un seul jeune homme aimable qui fût capable d'éveiller sa sensibilité, sans avoir inspiré la moindre passion véritable, et sans même avoir suscité la moindre admiration qui ne fût tiède ou éphémère. C'était étrange, en vérité ! Mais on peut généralement expliquer ces bizarreries lorsqu'on en recherche soigneusement les causes. Il n'y avait pas un seul lord dans le voisinage, non, et pas même un baronnet. Il n'était, parmi leurs relations, nulle famille qui eût élevé et entretenu un garçon trouvé par hasard devant la porte, nul jeune homme dont les origines fussent inconnues. Le père de Catherine n'avait point de pupille, et le squire de la paroisse point d'enfant.

Pourtant, lorsqu'une jeune demoiselle doit être un jour une héroïne, l'esprit contrariant de quarante familles des environs ne saurait s'opposer à son destin : quelque chose doit arriver et arrivera pour jeter sur sa route un héros.

Mr. Allen, qui possédait le principal des terres qui se trouvent autour de Fullerton, le village du Wiltshire[1] où vivaient les Morland, se vit conseiller un séjour à Bath dans l'intérêt d'une constitution sujette à la goutte, et son épouse, femme d'un caractère facile, qui aimait Miss Morland et savait probablement que si les aventures ne tombent pas sur une jeune fille dans son propre village, elle doit aller les chercher au loin, l'invita à les

1. Le Wiltshire : comté du sud de l'Angleterre dont la principale ville est Salisbury.

14

accompagner. Mr. et Mrs. Morland donnèrent leur consentement à ce projet, et Catherine exulta de bonheur.

II

Pour ajouter à ce qui a déjà été dit des talents personnels et intellectuels de Catherine Morland au moment où elle va être jetée au milieu de toutes les difficultés et de tous les dangers que suppose un séjour de six semaines à Bath, on peut préciser, pour donner au lecteur des renseignements plus sûrs et de peur que les pages suivantes n'échouent par ailleurs à donner une idée suffisante de sa nature profonde, que son cœur était affectueux, son caractère gai et ouvert, sans vanité ni affectation d'aucune sorte, que ses manières commençaient à se départir de leur gaucherie et de leur timidité enfantines, qu'elle était charmante et même jolie lorsqu'elle était à son avantage, et que son esprit était à peu près aussi ignorant et inculte que l'est généralement celui d'une jeune fille de dix-sept ans.

On supposera tout naturellement que, l'heure du départ approchant, Mrs. Morland connut toutes les affres de l'angoisse maternelle. Mille pressentiments alarmants sur les maux que cette terrible séparation ne manquerait pas d'apporter à sa bien-aimée Catherine devaient accabler son cœur de tristesse, et elle ne dut pas cesser de pleurer pendant le dernier ou les deux derniers jours de leur vie commune. Des conseils d'une nature la plus grave et la mieux appropriée aux circonstances durent bien entendu couler de ses sages lèvres pendant l'entretien d'adieu qu'elles eurent dans son cabinet. Des avertissements contre les violences de tels nobles et baronnets qui se complaisent à enlever de force les jeunes filles pour les emmener dans quelque ferme isolée soulagèrent certainement, en un pareil moment, son cœur débordant de tristesse. Qui ne le penserait ? Mais Mrs. Morland était si peu instruite sur les lords et les baronnets qu'elle n'avait pas la moindre idée de la nature malfaisante qui est en général la leur, et ne soupçonnait pas le moins du monde le danger que représentaient pour sa fille leurs machinations. Ses avertissements se limitèrent aux points suivants : « Je vous prie, Catherine, de toujours vous envelopper très chaudement la gorge lorsque vous reviendrez des Rooms le soir, et je voudrais que vous essayiez de tenir un compte des dépenses que vous ferez. Je vous donne ce petit livre à cet effet. »

Sally, ou plutôt Sarah (car quelle jeune fille de la plus élémentaire distinction peut atteindre l'âge de seize ans sans transformer autant que possible son prénom ?), devait, la situation l'exigeait, être à cette époque-là l'amie et la confidente de sa sœur. Par extraordinaire pourtant, elle n'insista pas pour que Catherine lui écrivît par chaque poste ; elle ne lui fit pas jurer non plus de lui faire parvenir une description de tous ses nouveaux amis ni de lui raconter le détail de toutes les conversations intéressantes qu'elle pourrait entendre à Bath.

En vérité, pour tout ce qui touchait à cet important voyage, les Morland agirent avec une modération et un calme plus conformes aux banals sentiments de la vie quotidienne qu'aux susceptibilités délicates, aux tendres émotions, que se doit de susciter la première séparation d'une héroïne d'avec sa famille. Son père, au lieu de lui ouvrir un compte illimité chez son banquier ou même de lui remettre un billet de cent livres, ne lui donna que dix guinées et promit de lui envoyer de l'argent quand elle en aurait besoin.

C'est sous ces auspices peu prometteurs que le départ eut lieu et que commença le voyage. Il se déroula tranquillement, comme il convient, et aucun incident ne vint menacer la sécurité des voyageurs. Ni voleurs ni tempête ne leur vinrent en aide, nul heureux accident ne leur permit de faire la connaissance du héros. Il ne leur arriva rien de plus alarmant que la peur qu'éprouva un instant Mrs. Allen d'avoir oublié ses socques dans une auberge. Ses craintes se révélèrent heureusement sans fondement.

Ils arrivèrent à Bath. Catherine était folle d'impatience et de joie. Ses regards se portaient ici, là, partout, tandis qu'on approchait des magnifiques environs de Bath et qu'ensuite on parcourait les rues qui menaient à l'hôtel. Elle était venue là pour être heureuse et déjà elle se sentait heureuse.

Ils s'installèrent bientôt dans des logements extrêmement confortables situés dans Pulteney Street.

Il faut à présent décrire un peu Mrs. Allen, pour que le lecteur puisse juger dans quelle mesure ses actions favoriseront par la suite le climat de désolation de cette œuvre, et comprendre comment elle risque de contribuer à réduire la pauvre Catherine à l'infortune et au désespoir que peut décrire le dernier tome d'un roman, si elle y contribuera par son imprudence, sa vulgarité ou sa jalousie, en interceptant ses lettres, en ruinant sa réputation ou en la chassant de chez elle.

Mrs. Allen appartenait à cette nombreuse catégorie de femmes dont la société ne peut éveiller d'autre émotion que la surprise à la pensée qu'il s'est trouvé au monde un homme capable de les aimer au point de les épouser. Elle n'avait ni beauté, ni esprit, ni talent, ni distinction. Un air de dame comme il faut, un grand calme, un bon caractère inerte et un tour d'esprit frivole, voilà tout ce qui pouvait expliquer qu'un homme aussi sensible et intelligent que Mr. Allen l'eût élue. Elle était, sous un seul rapport, admirablement faite pour introduire une jeune fille dans le monde. Elle était aussi friande d'aller partout et de tout voir que peut l'être la première jeune fille venue. La toilette était sa passion. Elle avait à être élégante un plaisir tout innocent, et notre héroïne ne put faire son entrée dans le monde qu'on n'eût passé trois ou quatre jours à se renseigner sur tout ce qui se portait à Bath, et que son chaperon ne fût pourvu d'une robe à la dernière mode. Catherine aussi fit quelques emplettes, et quand toutes ces questions furent enfin réglées, le grand soir arriva, qui devait la faire pénétrer dans les Upper Rooms[1]. Ses cheveux avaient été coupés et coiffés par la main la plus habile, elle s'était habillée avec beaucoup de soins, et Mrs. Allen et sa servante déclarèrent toutes deux qu'elle était aussi charmante que possible. Forte de tels encouragements, Catherine espérait au moins ne soulever aucune critique dans l'assistance. Quant à susciter de l'admiration, cela lui était fort agréable à l'occasion, mais elle n'y comptait point.

Mrs. Allen fut si longtemps à s'habiller qu'elles n'entrèrent que tard dans la salle de bal. La saison battait son plein, la salle était bondée, et les deux femmes s'y faufilèrent à grand-peine. Quant à Mr. Allen, il alla sur-le-champ dans la salle de jeu et les abandonna aux plaisirs de la foule. Veillant avec plus de soin à la sécurité de

---

1. Bath offrait à l'époque un certain nombre de lieux de réunions où les gens se retrouvaient suivant les heures de la journée. C'est à la célèbre Pump Room que l'on venait boire les eaux de Bath, mais elle était rapidement devenue un lieu de rendez-vous plus qu'une simple buvette.

Les Upper Rooms, ou New Rooms, étaient extrêmement fréquentées à cause des bals et réceptions que l'on y donnait plusieurs fois par semaine. Quant aux Lower Rooms, situées dans un bâtiment à part, on y donnait un bal chaque vendredi à l'époque où Jane Austen habitait Bath.

Jane Austen évoque dans *Northanger Abbey* bien d'autres lieux connus de Bath, tels l'Octogon Room, le Crescent ou Royal Crescent, promenade très prisée des touristes, et les nombreuses rues commerçantes où les élégantes passaient une partie de la journée.

Il ne faut pas oublier, bien entendu, que Jane Austen parle ici d'une ville qu'elle connaît bien puisqu'elle y a passé plus de cinq années de sa vie, contre son gré d'ailleurs.

sa robe neuve qu'au bien-être de sa protégée*, Mrs. Allen se fraya un chemin à travers la foule des hommes massés à l'entrée avec toute la célérité que permettait la plus élémentaire prudence. Catherine, cependant, demeurait tout près d'elle et s'accrochait trop solidement à son bras pour que les efforts réunis d'une assemblée en lutte pussent les arracher l'une à l'autre. Elle s'aperçut à son grand étonnement que pénétrer plus avant dans la salle n'était nullement un moyen de se libérer de la foule. La presse semblait plutôt s'accroître au fur et à mesure qu'elles avançaient, alors que la jeune fille s'était imaginé qu'une fois la porte franchie elles trouveraient aisément un siège et pourraient confortablement regarder les danseurs. C'était loin d'être le cas cependant, et bien qu'elles s'appliquassent avec une infatigable diligence à gagner le fond de la salle, leur situation demeurait inchangée. Elles ne distinguaient rien des danseurs que les plumes haut perchées de certaines des dames. Elles changèrent à nouveau de place — elles avaient en vue quelque chose de mieux — et se retrouvèrent finalement, grâce à des prodiges d'énergie et d'ingéniosité, dans le passage situé derrière les gradins supérieurs. La foule y était moins dense qu'en bas, et du haut de cet observatoire, Catherine avait une vue plongeante sur toute l'assemblée et sur les dangers qu'elle avait courus en la traversant. Elle avait sous les yeux un spectacle splendide, et elle commença, pour la première fois ce soir-là, à se sentir vraiment au bal. Elle brûlait de danser mais ne connaissait personne dans la salle. Mrs. Allen faisait tout ce qu'on peut faire en pareille circonstance, en disant régulièrement, avec une sérénité parfaite : « J'aimerais que vous puissiez danser, ma chère, j'aimerais que vous trouviez un cavalier. » Sa jeune amie lui fut un moment reconnaissante d'exprimer ce souhait, mais il

* En français dans le texte.

fut si souvent répété et se révéla si parfaitement vain que Catherine finit par se lasser et cessa de remercier Mrs. Allen.

Elles ne purent cependant pas jouir très longtemps de la tranquillité de la position élevée qu'elles avaient si laborieusement conquise. Tout le monde se mit bientôt en mouvement pour le thé, et elles durent, comme les autres, se frayer un chemin pour quitter leur retraite. Catherine commençait à éprouver un sentiment qui ressemblait à de la déception. Elle était lasse d'être constamment écrasée par des gens dont, en majorité, les visages n'offraient rien qui pût éveiller l'intérêt, et qui tous lui étaient si parfaitement inconnus, qu'elle ne pouvait compenser l'ennui de sa réclusion en échangeant le moindre mot avec un quelconque de ses compagnons de captivité. Lorsqu'elles arrivèrent enfin dans la salle où l'on servait le thé, elle ressentit plus vivement encore la gêne de n'avoir nul ami à rejoindre, nulle relation à revendiquer, nul gentleman dont réclamer les secours. Elles ne virent pas Mr. Allen, et après avoir vainement regardé autour d'elles dans l'espoir de trouver une place plus convenable, se trouvèrent dans l'obligation de s'asseoir au bout d'une table où un groupe nombreux était déjà installé, sans qu'elles eussent rien à faire là ou sans qu'elles eussent d'autre interlocuteur possible qu'elles-mêmes.

Mrs. Allen se félicita, dès qu'elles furent installées, d'avoir préservé sa robe de tout dommage :

— C'eût été vraiment affreux qu'elle fût déchirée, dit-elle, n'est-ce pas ? La mousseline en est si délicate. Pour ma part, je n'ai vu dans toute la salle rien qui me plût autant, je vous l'assure.

— Comme il est gênant, murmura Catherine, de ne pas avoir ici la moindre personne de connaissance.

— Oui, ma chère, répondit Mrs. Allen avec une sérénité parfaite, c'est vraiment extrêmement gênant.

— Que faire? Les messieurs et les dames qui sont à cette table semblent se demander ce que nous sommes venues faire là. Nous avons l'air de nous imposer.

— Oui, cela est vrai, c'est fort déplaisant. Je voudrais que nous connussions ici une foule de personnes.

— En connaître une seule me suffirait, ce serait quelqu'un, déjà, vers qui aller.

— Très juste, ma chère, et si nous connaissions quelqu'un, qui que ce fût, nous le rejoindrions immédiatement. Les Skinner étaient ici l'an dernier. Je voudrais qu'ils fussent ici maintenant.

— Ne ferions-nous pas mieux de partir? Il n'y a pas de thé pour nous, vous le voyez.

— Il n'y en a plus, en effet. C'est tout à fait intolérable... mais je pense que nous ferions mieux de rester, on est tellement bousculé dans cette foule. Comment est ma coiffure, ma chère? Quelqu'un m'a donné un coup qui l'aura dérangée, j'en ai peur.

— Non, vraiment, elle est parfaite. Mais, chère Mrs. Allen, êtes-vous vraiment sûre que vous ne connaissez personne dans cette foule de gens? Je suis convaincue que vous connaissez quelqu'un.

— Non, par ma foi. J'aimerais que ce fût le cas, je souhaiterais de tout mon cœur avoir ici des relations nombreuses, je pourrais ainsi vous trouver un cavalier. Je serais tellement ravie de vous voir danser. Voici venir une bien étrange femme. Comme elle est démodée... Regardez derrière vous...

Un moment après, l'un de leurs voisins vint leur proposer du thé. On accepta son offre avec reconnaissance, et il s'ensuivit une brève conversation entre le gentleman et les dames. Ce fut l'unique fois de la soirée où on leur adressa la parole, jusqu'au moment où elles furent découvertes et rejointes par Mr. Allen, une fois le bal terminé.

— Eh bien, Miss Morland, dit-il tout de suite, j'espère que ce bal vous a plu?

— Vraiment beaucoup, répondit-elle, tentant vainement de dissimuler un grand bâillement.

— J'aurais aimé qu'elle pût danser, dit Mrs. Allen, j'aurais aimé que nous pussions lui trouver un cavalier. J'ai déjà dit combien j'aurais été ravie que les Skinner fussent venus ici cet hiver plutôt que l'hiver dernier, et si les Parry étaient venus comme ils ont parlé une fois de le faire, elle aurait pu danser avec George Parry. Je suis tellement désolée qu'elle n'ait pas eu de cavalier.

— Nous ferons mieux un autre soir, je l'espère, dit Mr. Allen pour consoler Catherine.

La compagnie commença à se disperser quand les danses furent achevées, assez en tout cas pour que ceux qui restaient pussent circuler assez commodément. Arrivait maintenant pour une héroïne qui n'avait pas encore joué un rôle bien reluisant dans les événements de la soirée, le moment d'être remarquée et admirée. Chaque minute, en emportant un peu de la foule, offrait à ses charmes une meilleure occasion d'être reconnus. La voyaient à présent maints jeunes gens qui n'avaient pu l'approcher auparavant. Il n'y en eut pas un cependant, pour tressaillir, saisi d'un émerveillement enthousiaste à sa vue. Nul murmure exprimant une curiosité ardente ne fit le tour de la salle de bal, et personne ne concéda à Catherine le titre de divinité. Elle était pourtant en beauté, et si la société l'eût seulement vue trois ans plus tôt, on l'eût trouvée maintenant merveilleusement belle.

On la *regarda* cependant, et avec une certaine admiration. Tout près d'elle, en effet, deux messieurs déclarèrent que c'était une très jolie fille. Ces paroles eurent l'effet qu'elles ne pouvaient manquer de produire. Catherine trouva sur-le-champ la soirée plus agréable qu'elle ne l'avait fait jusque-là. Son humble vanité était satisfaite. Elle se sentit plus obligée envers les deux jeunes gens pour cette simple louange qu'une héroïne bon teint ne l'eût été pour quinze sonnets célébrant ses charmes, et elle se dirigea vers sa voiture bien disposée envers chacun et parfaitement satisfaite de la part d'attention que lui avait accordée la société.

III

Chaque matinée amenait à présent son cortège d'obligations régulières. Il fallait visiter les boutiques, aller voir quelque nouvelle partie de la ville et fréquenter la Pump Room où elles allaient parader chaque jour une heure durant, observant tout le monde et ne parlant jamais à personne. Mrs. Allen avait toujours le plus grand désir d'avoir à Bath des relations nombreuses, et elle le répétait chaque jour après avoir eu la preuve qu'elle n'y connaissait absolument personne.

Elles firent leur apparition aux Lower Rooms et la fortune y sourit à notre héroïne plus qu'elle ne l'avait fait jusque-là. Le maître de cérémonies lui donna pour cavalier un jeune homme tout à fait distingué qui se nommait Tilney. Il semblait avoir dans les vingt-quatre ou vingt-cinq ans, était assez grand, avait une mine charmante, un regard fort intelligent et plein de vivacité, et, s'il n'était point parfaitement beau, n'était du moins pas loin de l'être. C'était un jeune homme d'un abord distingué et Catherine s'estima très favorisée par la chance. Ils n'eurent guère le loisir de parler en dansant, mais quand ils se furent installés pour le thé, elle s'aperçut qu'il était aussi aimable qu'elle l'avait supposé. Il parlait avec beaucoup d'aisance et d'esprit, et il y avait dans ses manières une malice et une gaieté qui forçaient l'attention, bien que Catherine ne s'en rendît pas très bien compte. Après avoir bavardé quelque temps de tous ces sujets que le cadre où ils se trouvaient appelait tout naturellement, il s'adressa brusquement à elle avec un :

— Je me suis montré bien négligent jusqu'ici, Mademoiselle, en ce qui concerne les égards dont doit témoigner ici un cavalier. Je ne vous ai pas encore demandé depuis combien de temps vous êtes à Bath, si vous y étiez déjà venue, si vous êtes allée aux Upper Rooms, au théâtre, au concert, et si cette ville sait vous plaire. J'ai vraiment manqué à tous mes devoirs... Mais vous avez peut-être encore le temps de satisfaire ma curiosité sur tous ces points. Si c'est le cas, je commencerai tout de suite mon interrogatoire.

— Il est inutile de vous donner cette peine, Monsieur.

— Ce n'est pas une peine, je vous l'assure, Mademoiselle.

Puis, composant son visage et adoptant un sourire figé, adoucissant sa voix de manière affectée, il ajouta, prenant un air mièvre :

— Êtes-vous à Bath depuis longtemps, Mademoiselle ?

— Depuis une semaine environ, répondit Catherine en s'efforçant de ne pas rire.

— Vraiment ! fit-il avec un étonnement affecté.

— Pourquoi en seriez-vous surpris, Monsieur ?

— Pourquoi, en vérité ? dit-il sur un ton naturel. Mais il faut bien que votre réponse ait l'air de susciter en moi quelque émotion... et la surprise est plus facile à feindre et tout aussi indiquée qu'une autre. Poursuivons maintenant... N'étiez-vous jamais venue à Bath, Mademoiselle ?

— Non, jamais.

— Vraiment ! Avez-vous honoré les Upper Rooms de votre présence ?

— Oui, Monsieur, j'y suis allée lundi dernier.

— Êtes-vous allée au théâtre ?

— Oui, Monsieur, je suis allée au spectacle mardi.

— Au concert ?

— Oui, Monsieur, mercredi.

— Et Bath vous plaît-il beaucoup ?

24

— Oui, Bath me plaît énormément.

— Je dois à présent vous adresser un sourire minaudier, après quoi nous pourrons redevenir raisonnables.

Catherine détourna la tête, ignorant si elle pouvait se risquer à rire.

— Je vois ce que vous pensez de moi, dit-il gravement, je risque de faire piètre figure dans votre journal, demain.

— Mon journal !

— Oui, je sais exactement ce que vous allez dire : Vendredi soir, suis allée aux Lower Rooms. Portais ma robe de mousseline fleurie avec des passementeries bleues, mes chaussures noires toutes simples... étais fort à mon avantage. Ai cependant été bizarrement importunée par un monsieur étrange et absolument stupide qui a voulu me faire danser et dont la sottise m'a vraiment affligée.

— En vérité, je ne dirais point des choses pareilles.

— Dois-je vous dire ce qu'il faudrait écrire ?

— S'il vous plaît...

— J'ai dansé avec un jeune homme tout à fait charmant que m'a présenté Mr. King. J'ai beaucoup parlé avec lui, il semble extraordinairement intelligent. J'espère en apprendre davantage sur lui. C'est cela, Mademoiselle, que j'aimerais vous voir écrire.

— Mais il est possible que je ne tienne pas de journal.

— Il est possible aussi que vous ne soyez pas en ce moment assise dans cette pièce et que je ne sois pas non plus assis près de vous. Ce sont là deux points où le doute est également permis. Ne pas tenir un journal ! Comment sans cela vos cousines, qui sont si loin de vous, se rendraient-elles compte de la vie que vous menez à Bath ? Comment raconter convenablement les politesses et louanges qu'on vous octroie quotidiennement si vous ne les consignez pas chaque jour dans un journal ? Comment vous rappeler vos diverses robes et l'état particulier de votre humeur, comment décrire dans toute leur diversité les boucles de vos cheveux si vous ne pouvez pas constamment recourir à un journal ? Ma chère Mademoiselle, je ne suis pas aussi ignorant des habitudes des jeunes filles que vous voulez le croire. Cette délicieuse habitude de tenir un journal contribue grandement à former ce style aisé pour lequel on célèbre à si juste titre les dames. Tout le monde accorde que le talent d'écrire des lettres charmantes est spécifiquement féminin. La nature y est peut-être pour quelque chose, mais je suis persuadé qu'elle est sûrement puissamment aidée par la pratique du journal.

— Je me suis parfois demandé, dit Catherine, sceptique, si les dames écrivaient tellement mieux que les hommes... C'est-à-dire... Je ne pense pas que la supériorité en ce domaine soit toujours de notre côté.

— Autant que j'aie eu l'occasion d'en juger, il me semble que les femmes excellent dans le genre épistolaire, hormis sur trois points précis.

— Et quels sont-ils ?

— Une insuffisance générale de matière, une inattention systématique en ce qui concerne la ponctuation et une très fréquente ignorance de la grammaire.

— Par ma foi, il n'était pas besoin que je désavouasse votre compliment, l'opinion que vous avez de nous en ce domaine n'est pas flatteuse à l'excès.

— Je n'instituerai pas davantage en principe le fait que les femmes écrivent mieux que les hommes que celui qu'elles chantent mieux un duo ou dessinent mieux un paysage. En tout art qui a pour fondement le bon goût, l'éminence est fort bien partagée entre les deux sexes.

Ils furent interrompus par Mrs. Allen :

— Ma chère Catherine, dit-elle, enlevez cette épingle de ma manche, je crains qu'elle n'ait déjà déchiré l'étoffe. J'en serais tout à fait navrée car cette robe est l'une de mes préférées, bien qu'elle n'ait coûté que neuf shillings le yard.

— C'est exactement le prix que j'aurais imaginé, Madame, dit Mr. Tilney en examinant la mousseline.

— Vous entendez-vous en mousselines, Monsieur ?

— Oui, tout particulièrement. J'achète toujours mes cravates moi-même, et l'on s'accorde à dire que je suis un excellent juge en la matière. Ma sœur m'a souvent fait confiance pour le choix d'une robe. J'ai acheté un tissu pour elle l'autre jour, et toutes les dames qui l'ont vu ont déclaré que j'avais fait là une affaire prodigieuse. Je ne l'ai payé que cinq shillings le yard, et c'est une véritable mousseline indienne.

Le génie de Mr. Tilney impressionna au plus haut point Mrs. Allen.

— Les hommes prêtent en général si peu d'attention à ces choses, dit-elle. Je ne puis jamais obtenir de Mr. Allen qu'il distingue mes robes l'une de l'autre. Vous devez être d'un grand secours à votre sœur.

— Je l'espère, Madame.

— Et s'il vous plaît, Monsieur, que pensez-vous de la robe de Miss Morland ?

— Elle est très jolie, Madame, dit-il en examinant gravement la robe, mais je ne pense pas qu'elle se lavera bien. Je crains que la mousseline ne s'éraille.

— Comment pouvez-vous, dit Catherine en riant, être aussi...

Elle avait failli dire « étrange ».

— Je partage absolument votre opinion, répondit Mrs. Allen. Et c'est ce que j'ai dit à Miss Morland quand elle l'a achetée.

— Mais vous savez, Madame, que l'on peut toujours tirer parti de la mousseline d'une façon ou d'une autre. Miss Morland en tirera bien un foulard, un chapeau ou un voile. On ne peut jamais dire de la mousseline qu'on la gaspille. J'ai entendu ma sœur dire cela une quarantaine de fois quand elle avait eu l'extravagance d'en acheter plus qu'elle n'en avait besoin ou qu'elle l'avait mal coupée.

— Bath est un endroit charmant, Monsieur, on y trouve tant de beaux magasins ! A la campagne, nous sommes bien mal lotis... Ce n'est point qu'on ne trouve à Salisbury d'excellents magasins, mais c'est tellement loin ! Huit miles, c'est une longue route ! Mr. Allen dit qu'il y en a neuf, et mesurés, mais je suis sûre qu'il ne peut y en avoir plus de huit. C'est une telle corvée ! J'en reviens morte de fatigue. Ici, on n'a qu'à se donner la peine de sortir, et l'on peut acheter n'importe quoi en cinq minutes.

Mr. Tilney était assez poli pour paraître s'intéresser à ce qu'elle racontait, et elle le retint sur cette question des mousselines jusqu'à la reprise des danses. Catherine craignait, en écoutant leur conversation, qu'il ne s'amusât un peu trop des faiblesses des autres.

— A quoi pensez-vous, vous paraissez si grave ? demanda-t-il tandis qu'ils revenaient dans la salle de bal. Ce n'est pas à votre cavalier, j'espère, car à voir la manière dont vous hochez la tête, vos pensées ne doivent pas être très gaies.

Catherine rougit et lui dit :

— Je ne pensais à rien.

— Votre réponse est certes très rusée et extrêmement profonde, mais je préférerais m'entendre dire tout de suite que vous ne voulez pas me dire à quoi vous pensiez.

— Eh bien, en ce cas, je n'ai pas envie de vous le dire.

— Merci, car nous nous connaîtrons donc mieux d'ici peu de temps. Je serai autorisé à vous taquiner sur ce point chaque fois que nous nous rencontrerons, et rien au monde ne fait mieux progresser l'intimité.

Ils dansèrent encore, et, quand la soirée s'acheva, se quittèrent avec, chez la jeune fille du moins, un grand désir de poursuivre ces relations. Pensa-t-elle à lui, en buvant son vin chaud et en se préparant pour aller au lit, au point d'en rêver ensuite, on ne peut pas le certifier, mais j'espère que ce ne fut au moins que dans un état de demi-sommeil ou, au pire, dans un assoupissement matinal, car s'il est vrai, comme un écrivain célèbre l'a affirmé, qu'une jeune fille est impardonnable de tomber amoureuse avant que le monsieur n'ait déclaré sa flamme, il doit être fort inconvenant pour une demoiselle d'aller rêver d'un monsieur avant qu'on ne sache que ce monsieur a le premier rêvé d'elle. Jusqu'où Mr. Tilney était-il propre à faire un rêveur ou amant convenable, cette question n'avait point encore traversé l'esprit de Mr. Allen, mais il était convaincu, renseignements pris, qu'il n'y avait rien de répréhensible à ce que ce jeune homme fît partie des relations de sa jeune protégée. Tôt dans la soirée, en effet, Mr. Allen s'était efforcé de savoir qui était le cavalier de Catherine, et on lui avait assuré que Mr. Tilney était clergyman et qu'il appartenait à une très respectable famille du Gloucestershire[1].

IV

Le lendemain, Catherine se hâta vers la Pump Room avec plus d'impatience que d'ordinaire, sûre qu'elle était au fond d'elle-même d'y voir Mr. Tilney avant la fin de l'après-midi, et prête à l'y accueillir avec un beau sourire. Mais personne n'exigea d'elle le moindre sourire, Mr. Tilney ne parut point. Toutes les âmes de Bath, lui excepté, devaient se montrer dans la salle aux diverses heures fixées par la mode. Des foules de gens entraient et

1. Gloucestershire : comté situé à 150 km environ de Londres, au nord-ouest de la capitale. Ce comté, très fertile, était spécialisé à l'époque dans la production de fruits (voir les jardins du général Tilney) et de graines.

sortaient à chaque instant, montaient ou descendaient les escaliers, des gens dont nul ne se souciait et que nul ne désirait voir. Lui seul était absent.

— Quel délicieux endroit que Bath, dit Mrs. Allen tandis qu'elles s'asseyaient près de la grande horloge[1] après avoir paradé dans la salle jusqu'à l'épuisement. Comme il serait agréable d'y avoir quelque relation.

Elle avait si souvent exprimé ce désir en vain que Mrs. Allen n'avait point de raison particulière d'espérer qu'une situation plus agréable y répondît à présent. On nous dit cependant « qu'il ne faut jamais désespérer de rien, qu'une infatigable industrie permet toujours d'atteindre son objectif », et l'infatigable industrie avec laquelle Mrs. Allen avait chaque jour formulé le même vœu devait bien à la fin obtenir sa juste récompense. A peine, en effet, était-elle installée depuis dix minutes, qu'une dame du même âge qu'elle à peu près, qui était assise à côté d'elle et la regardait attentivement depuis un moment, lui adressait fort obligeamment la parole en ces termes :

— Je pense, Madame, que je ne puis me tromper... Il y a longtemps que je n'ai pas eu le plaisir de vous voir, mais ne vous appelez-vous pas Allen ?

Après que Mrs. Allen eut répondu à sa question avec beaucoup de bonne grâce, l'étrangère déclara que son nom était Thorpe et Mrs. Allen reconnut sur-le-champ une ancienne camarade d'école et amie intime qu'elle n'avait vue qu'une fois depuis leurs mariages respectifs. Encore était-ce nombre d'années auparavant. Elles manifestèrent à se revoir une grande joie, en personnes qui se sont fort bien accommodées de ne rien savoir l'une de l'autre pendant quinze ans. Elles se firent des compliments sur leur bonne mine, et après avoir remarqué

1. Tompion Clock était la célèbre horloge qui se trouvait à la Pump Room.

comme le temps avait passé depuis leur dernière rencontre, comme elles s'attendaient peu à se retrouver à Bath et quel plaisir c'était que de revoir un vieil ami, commencèrent à se poser des questions et à se donner des renseignements sur leurs familles, leurs sœurs et leurs cousines, parlant en même temps et bien plus empressées à donner des informations qu'à en recevoir. Chacune écoutait fort peu ce que l'autre lui racontait. Mrs. Thorpe avait cependant, en tant que narrateur, un avantage considérable sur Mrs. Allen : elle avait en effet une famille pleine d'enfants, et quand elle parla longuement des talents de ses fils et de la beauté de ses filles, quand elle exposa leurs différentes situations et espérances, lorsqu'elle dit que John était à Oxford, Edward chez « Merchant Taylor » et William sur la mer, et qu'ils étaient tous à leurs postes respectifs plus appréciés que ne l'avaient jamais été trois autres êtres humains, Mrs. Allen ne trouva en réponse nul renseignement analogue, nul triomphe analogue pour contraindre à l'attention l'oreille récalcitrante de son amie ; elle se vit obligée de rester là et de paraître s'intéresser à toutes ces effusions maternelles. Elle se consola cependant quand son œil perspicace découvrit que les passementeries de la pelisse de Mrs. Thorpe étaient fort loin d'être aussi belles que celles de la sienne.

— Voici mes chères filles qui arrivent, s'écria Mrs. Thorpe en montrant trois élégantes jeunes filles qui, bras dessus bras dessous, se dirigeaient maintenant vers elle. Ma chère Mrs. Allen, je brûle de vous les présenter ; elles seront ravies de vous rencontrer. La plus grande est Isabelle, mon aînée. N'est-ce pas une belle jeune fille ? Les autres sont également fort admirées, mais je crois qu'Isabelle est la plus belle.

Les demoiselles Thorpe furent présentées, et Miss Morland, que l'on avait oubliée un moment, le fut également. On parut très frappé à son nom, et après lui

avoir parlé avec beaucoup de civilité, l'aînée des demoiselles Thorpe fit remarquer à haute voix :

— C'est extraordinaire comme Miss Morland ressemble à son frère !

— C'est son portrait, en vérité ! s'écria la mère.

— Je l'aurais reconnue n'importe où pour sa sœur,
répétait chacun.

Catherine fut surprise un moment, mais Mrs. Thorpe
et ses filles avaient à peine commencé le récit de leur
rencontre avec Mr. James Morland qu'elle se rappelait
que son frère aîné s'était récemment intimement lié à un
jeune homme qui appartenait au même collège que lui et
se nommait Thorpe. James avait passé la dernière
semaine des vacances de Noël dans la famille de son
ami, près de Londres.

Ce point éclairci, les demoiselles Thorpe dirent mille
choses obligeantes sur leur désir de mieux connaître
Catherine ; elles souhaitaient qu'elle les considérât déjà
comme ses amies, eu égard à l'amitié qui liait leurs
frères, etc. Catherine écouta ces paroles avec plaisir et y
répondit dans les termes les plus charmants qu'elle put
trouver. Comme première preuve d'amitié, l'aînée des
sœurs l'invita bientôt à accepter son bras et à venir faire
un tour avec elle dans la salle. Catherine était ravie de
voir s'accroître ainsi le nombre de ses relations à Bath et
en parlant avec Miss Thorpe, elle oublia presque Mr. Tilney. L'amitié est certes le plus doux des baumes aux
plaies des amours déçues.

La conversation roula sur ces sujets dont la discussion
est en général si propre à sceller la naissante amitié de
deux jeunes filles, les toilettes, les bals, les flirts, les personnes qui sont ridicules... Miss Thorpe avait cependant
quatre ans de plus que Miss Morland en âge, et bien
quatre de plus pour sa connaissance du monde. C'était un
avantage très net pour discuter de ces sujets. Elle pouvait

comparer les bals de Bath à ceux de Turnbridge[1], les modes de Bath aux modes de Londres ; elle pouvait corriger les idées de sa nouvelle amie sur bien des points de bon goût vestimentaire, pouvait deviner un flirt entre un gentleman et une dame qui ne faisaient que se sourire, et remarquer une personne ridicule au beau milieu d'une foule dense. Ces talents reçurent de Catherine l'admiration qu'ils méritaient, car ils étaient à ses yeux entièrement nouveaux. Le respect qu'ils lui inspiraient naturellement eût risqué d'être trop grand pour l'autoriser à se montrer familière si les manières de Miss Thorpe et ses fréquents témoignages du plaisir qu'elle éprouvait à connaître Catherine n'eussent atténué tous les sentiments de crainte respectueuse de cette dernière pour ne plus laisser s'épanouir qu'une tendre affection. Cette amitié grandissante ne pouvait se contenter d'une demi-douzaine de tours de la Pump Room. Elle exigea, au moment de la séparation générale, que Miss Thorpe accompagnât Miss Morland à la porte même de la maison des Allen et que les jeunes filles se fissent leurs adieux en se donnant la poignée de main la plus affectueuse et la plus prolongée, après avoir appris, à leur grand soulagement, qu'elles se reverraient au théâtre le soir et diraient leurs prières dans la même chapelle le lendemain matin. Catherine monta ensuite les escaliers en courant et observa par la fenêtre du salon Miss Thorpe qui descendait la rue. Elle admira la grâce de sa démarche, l'élégance de sa silhouette et de sa mise, et se sentit reconnaissante, autant qu'il était possible, de la chance qui lui avait procuré une telle amie.

Mrs. Thorpe était une veuve et une veuve sans fortune. Elle avait un excellent caractère ; c'était une femme bonne et une mère indulgente. Sa fille aînée était pour sa

1. Turnbridge était au XVIIIe et au XIXe siècle une ville d'eaux très fréquentée.

part d'une grande beauté et les plus jeunes, en ayant la prétention d'être aussi belles que leur sœur, en imitant son air et en s'habillant dans le même style, étaient tout à fait charmantes.

Cette brève description de la famille Thorpe a pour but de remplacer l'inévitable, interminable et minutieux récit détaillé que Mrs. Thorpe ferait elle-même sur ses aventures passées, ses souffrances... récit que l'on devrait s'attendre à voir occuper les trois ou quatre chapitres suivants; on y verrait l'indignité des lords et des avoués occuper le devant de la scène et l'on y trouverait rapportées par le menu des conversations vieilles de vingt ans.

V

Ce soir-là, au théâtre, Catherine ne fut pas tant occupée à répondre aux signes de tête et aux sourires de Miss Thorpe, bien que cette tâche exigeât certes beaucoup de son temps, qu'elle en oubliât de chercher avec acharnement Mr. Tilney dans toutes les loges où ses regards pouvaient atteindre. Ses recherches se révélèrent vaines; Mr. Tilney n'appréciait pas plus le théâtre que la Pump Room. Elle espérait être plus heureuse le lendemain, et, quand elle vit une belle matinée ensoleillée répondre ce jour-là à ses vœux de beau temps, elle n'en douta plus. Un beau dimanche à Bath vide en effet toutes les maisons de leurs habitants et chacun profite de l'occasion pour se promener et pour parler à ses amis du temps charmant qu'il fait.

Le service divin achevé, les Thorpe et les Allen s'empressèrent de se rejoindre. Après être restés assez longtemps à la Pump Room pour s'apercevoir que la foule y était intolérable et qu'on n'y voyait point un visage aimable, découverte que tout le monde fait chaque dimanche de la saison, ils se hâtèrent d'aller au Crescent pour y respirer la pure atmosphère d'une société plus choisie. Catherine et Isabelle, se tenant par le bras, y goûtèrent encore les douceurs de leur amitié en une conversation sans contraintes. Elles parlèrent beaucoup, avec un grand plaisir, mais Catherine fut encore déçue dans son espoir de revoir son cavalier. On ne le rencontrait nulle part. Toutes les recherches s'avérèrent également inutiles, dans les lieux de promenade matinale ou aux réceptions du soir. Il demeura invisible aux Upper Rooms et aux Lower Rooms, aux bals en grande tenue et aux bals ordinaires. Il ne parut point parmi les promeneurs, les cavaliers ou les conducteurs de curricle[1] de la matinée, son nom ne figura point ce jour-là au registre de la Pump Room, toute la curiosité du monde se révélait impuissante. Il devait être parti de Bath. Il n'avait pourtant pas signalé à Catherine que son séjour serait si bref. Cette sorte de mystère, qui sied toujours si bien à un héros, rendit l'imaginative jeune fille plus bienveillante encore envers sa personne et ses manières, et accrut encore son ardent désir d'avoir sur le jeune homme de plus amples renseignements. Les Thorpe ne purent rien lui apprendre car elles n'étaient à Bath que depuis deux jours quand elles avaient rencontré Mrs. Allen. Catherine ne se priva pourtant pas d'aborder fréquemment ce sujet avec sa belle amie, et celle-ci l'encouragea autant qu'elle le put à continuer de penser à Mr. Tilney. L'impression qu'il avait produite sur l'imagination de Catherine ne souffrit donc pas d'un quelconque affaiblissement. Isabelle était sûre que ce devait être un charmant jeune homme, et tout aussi certaine qu'il ne pouvait manquer d'avoir été séduit par sa chère Catherine et reviendrait

---

1. Curricle : sorte de cabriolet à deux roues, tiré par deux chevaux. Cette voiture, très légère, a pour particularité d'être très haut perchée. C'était le véhicule préféré des jeunes élégants de l'époque.

donc d'ici très peu de temps. Il lui plaisait d'autant plus qu'il était clergyman ; elle avouait nourrir un préjugé très favorable envers cette profession... Quelque chose comme un soupir s'échappa de ses lèvres tandis qu'elle faisait cet aveu. Peut-être Catherine eut-elle tort de ne point lui demander les raisons de cette douce émotion. Mais elle n'était pas assez expérimentée dans les subtilités amoureuses ou les devoirs de l'amitié pour reconnaître les moments où les circonstances exigent de délicates railleries, ou ceux où l'on se doit de forcer une confidence.

Mrs. Allen était à présent parfaitement heureuse et pleinement satisfaite de sa vie à Bath. Elle avait trouvé des relations et avait le bonheur que ce fût dans la famille d'une vieille amie qu'elle estimait beaucoup. Comble de chance, ces amis n'étaient nullement aussi richement vêtus qu'elle. Elle ne disait plus l'éternel : « Je voudrais tant que nous eussions des relations à Bath. » Elle avait remplacé ce leitmotiv par un autre : « Comme je suis contente que nous ayons rencontré Mrs. Thorpe ! », et elle était aussi ardente à favoriser les relations entre les deux familles que pouvaient l'être sa jeune protégée et Isabelle elles-mêmes. Elle n'était pas contente de sa journée si elle n'en avait pas passé le plus clair auprès de Mrs. Thorpe, en ce qu'elles appelaient des conversations. Au cours de ces entretiens, cependant, elles n'échangeaient presque jamais la moindre opinion et discouraient rarement du même sujet, Mrs. Thorpe parlant essentiellement de ses enfants et Mrs. Allen de ses robes.

Les progrès de l'amitié de Catherine et d'Isabelle furent aussi rapides que ses prémices avaient été chaleureuses, et elles brûlèrent si bien les étapes d'une affection croissante qu'elles n'eurent bientôt plus besoin d'en donner la moindre preuve nouvelle à leurs amis ou à elles-mêmes. Elles s'appelaient par leurs prénoms, se tenaient toujours par le bras quand elles se promenaient ensemble, s'attachaient mutuellement la traîne de leur robe avant d'aller danser et refusaient de se séparer pendant le quadrille. Si une matinée pluvieuse les privait d'autres plaisirs, elles tenaient quand même à se voir au mépris de la pluie et de la boue, et s'enfermaient ensemble pour lire des romans. Des romans, oui, car je refuse d'obéir à cette coutume mesquine et peu politique qu'adoptent si souvent les auteurs et qui consiste à déconsidérer, par une censure des plus méprisantes, le genre d'œuvres même dont ils sont en train d'accroître le nombre. Ils rejoignent là leurs pires ennemis pour octroyer à de tels ouvrages les épithètes les plus cruelles et n'autorisent presque jamais leur héroïne à lire des romans. Si elle tombe par accident sur l'un de ces livres, elle en tournera à coup sûr les pages avec dégoût. Hélas ! Si l'héroïne d'un roman n'est point patronnée par l'héroïne d'un autre roman, de qui peut-elle attendre protection et considération ? Je ne saurais défendre une telle attitude. Laissons aux critiques le soin de dénigrer à loisir toute effusion d'imagination, laissons-leur le soin de parler, à propos de tout nouveau roman et en un style rebattu, de la camelote sur laquelle ahanent de nos jours les presses. Ne nous trahissons pas les uns les autres, nous sommes un corps insulté. Bien que nos productions aient offert aux lecteurs un plaisir plus grand, plus sincère que celles d'aucune autre corporation littéraire en ce monde, aucun genre, jamais, ne fut plus décrié. Quelle qu'en soit la cause, la vanité, l'ignorance ou la mode, nous avons presque autant d'ennemis que de lecteurs, et tandis que le neuf centième abréviateur de « l'histoire d'Angleterre » ou l'homme qui recueille et publie une douzaine de vers de Milton, de Pope ou de Prior, en y joignant un article du *Spectateur*[1] et un chapitre de

---

1. Le *Spectator*, dont le premier numéro avait paru le 1er mars 1711, était, on peut le constater ici, déjà devenu une espèce de « classique » à l'époque où Jane Austen écrivit *Northanger Abbey*. C'est le

Sterne[1], se voient couverts d'éloges par cent plumes, il semble presque correspondre à une volonté générale de décrier le talent et de mésestimer le travail du romancier, de dédaigner des œuvres qui n'ont pour les recommander que le génie, l'esprit et le bon goût. « Je ne suis pas lecteur de romans... Je jette rarement un coup d'œil sur un roman... N'allez pas vous imaginer que je lis souvent des romans... C'est vraiment très bien, pour un roman... » Tel est le langage courant. « Et que lisez-vous, Miss X. ? » — « Oh, ce n'est qu'un roman ! » répond la jeune fille tout en laissant tomber son livre avec une indifférence affectée et une honte passagère. Ce n'est que *Cecilia*, ou *Camilla*, ou *Belinda*[2]. En un mot, un ouvrage où se manifestent les plus grands talents de l'esprit, où la plus profonde connaissance de la nature humaine, la plus heureuse peinture de sa complexité, les plus vives effusions d'esprit et d'humour sont livrées au public dans un langage des plus choisis. Or, si la même jeune fille avait été occupée à lire un volume du *Spectateur* au lieu d'une œuvre de ce genre, on peut imaginer la fierté avec laquelle elle eût montré son livre et en aurait prononcé le titre, bien qu'il fût peu probable que l'absorbât la lecture d'une quelconque partie de cette volumineuse publication, dont ni le sujet ni le style ne peuvent manquer de déplaire à une jeune personne qui a du goût. Trop

célèbre Steele, qui avait d'ailleurs déjà créé en 1709 un journal appelé le *Tatler*, qui s'associa en 1711 à son ami Addison pour lancer le *Spectator*.

1. Sterne (1713-1768), auteur bien connu de *Tristram Shandy* et du *Voyage sentimental*.

2. *Cecilia* et *Camilla* sont deux romans de Fanny Burney (1752-1840), grands romans échevelés pleins d'aventures et de sentiments. Fanny Burney avait en Jane Austen une grande admiratrice, on le voit ici une fois de plus.

Quant à *Belinda*, c'est un roman de Maria Edgeworth qui connut un grand succès à l'époque.

souvent, la nature de ses articles tient en effet dans la description d'événements invraisemblables, de personnages artificiels et de sujets de conversation qui ne concernent plus personne de vivant. Leur langage, aussi, est trop souvent grossier pour donner une idée très flatteuse de l'époque qui a pu le tolérer.

VI

La conversation qui va être ici rapportée eut lieu entre les deux amies, à la Pump Room, un matin, une huitaine de jours après leur première rencontre. Elle devrait donner au lecteur une idée de la chaleureuse amitié qui les unissait, comme aussi de la délicatesse, de la discrétion, de l'originalité intellectuelle et du goût pour les livres que manifestaient les deux jeunes filles et qui prouvaient le caractère raisonnable de cette amitié.

Elles avaient rendez-vous. Isabelle, étant arrivée presque cinq minutes avant son amie, l'accueillit naturellement de la manière suivante :

— Chère âme, qu'est-ce qui a pu vous retarder de la sorte ? Je vous attends depuis un siècle au moins !

— Vraiment ? J'en suis absolument désolée, mais sincèrement, je pensais être tout à fait exacte... Il n'est qu'une heure juste. J'espère que vous n'êtes pas là depuis longtemps ?

— Oh, si, depuis au moins dix siècles ! Je suis sûre qu'il y a une demi-heure que je suis ici. Mais à présent, allons nous asseoir au fond de la salle et amusons-nous. J'ai mille choses à vous dire... en premier lieu, j'ai eu si peur qu'il ne plût aujourd'hui, au moment même où j'allais sortir ! Le temps paraissait si pluvieux... Oh, cela m'aurait vraiment désespérée ! Savez-vous que je viens de voir à l'instant dans une vitrine de Milsom Street le plus joli chapeau qu'il vous soit possible d'imaginer ? Il ressemble étonnamment au vôtre, sauf que les rubans en sont coquelicot* et non pas verts... J'en avais une envie folle. Mais, ma très chère Catherine, comment avez-vous occupé votre solitude pendant toute cette matinée ? Avez-vous continué *Udolphe*[1] ?

— Oui, je n'ai pas cessé de lire depuis mon réveil. J'en suis au voile noir.

— Vraiment ? Comme c'est délicieux ! Oh, je ne vous dirais pour rien au monde ce qui se cache derrière ce voile noir... Ne brûlez-vous pas de le savoir ?

— Oh, si, terriblement ! Qu'est-ce que ça peut bien être ? Mais ne me le dites pas. Je ne voudrais surtout pas qu'on allât me le dire. Je sais que cela ne peut être qu'un squelette, oui, je suis sûre que c'est le squelette de Laurentina. Oh, ce livre me ravit ! Je voudrais passer ma vie à le lire. Je vous assure que si je n'avais pas eu rendez-vous avec vous, je n'aurais pour rien au monde interrompu ma lecture.

— Chère âme, comme je vous suis obligée !... Et quand vous aurez terminé *Udolphe*, nous lirons *l'Italien* ensemble. Je vous ai fait une liste de dix ou douze livres du même genre.

— Vraiment ! Comme je suis heureuse ! Et quels sont-ils ?

---

* En français dans le texte.

1. C'est en 1794 qu'Ann Radcliffe a publié les *Mystères d'Udolphe*, où nous voyons une jeune fille, Emily, en butte aux infâmes machinations de Montoni, type même du traître de roman noir. Les allusions à *Udolphe* sont innombrables dans *Northanger Abbey*. On y évoque saint Aubert (que J. Austen déforme en saint Aubin) au chapitre II, Emily et le « bon héros » Valancourt au chapitre XIV, etc. L'image que Catherine Morland se fait de Northanger est bien entendu directement inspirée par le sombre et terrifiant château de Montoni et par nombre d'autres décors des romans noirs qui fleurissent à cette époque. C'est en 1797 qu'Ann Radcliffe publia *l'Italien*, un autre de ses romans les plus célèbres.

— Je vais vous lire tout de suite leurs titres, la liste est là, dans mon carnet... *le Château de Wolfenbach, Clermont, Mystérieux Avertissements, le Nécromant de la Forêt-Noire, la Cloche de minuit, l'Orphelin du Rhin*, et *Horribles Mystères*[1]. Cela nous occupera un certain temps.

— Oh, oui, c'est merveilleux... Mais sont-ils tous horribles, êtes-vous bien sûre qu'ils sont tous horribles ?

— Oui, absolument sûre, car l'une de mes amies intimes, une certaine Miss Andrews, une fille adorable, l'un des êtres les plus adorables du monde, a lu chacun d'entre eux. Je voudrais que vous connussiez Miss Andrews, elle vous enchanterait. Elle est en train de se confectionner au filet le manteau le plus adorable que vous puissiez imaginer. Je la trouve belle comme un ange, et j'en veux terriblement aux hommes qui ne l'admirent point. Je leur fais de violents reproches à ce sujet.

— Leur faire des reproches ? Vous leur faites des reproches parce qu'ils ne l'admirent point ?

— Oui, en effet. Il n'est rien que je ne sois prête à faire pour ceux qui sont vraiment mes amis. Je suis incapable de n'aimer les gens qu'à moitié, cela n'est pas dans ma nature. Mes attachements ont toujours une grande force. Cet hiver, à l'une de nos soirées, j'ai dit au capi-

---

1. Jane Austen nous offre là une liste des romans noirs les plus célèbres à l'époque : *le Château de Wolfenbach* et *Mystérieux Avertissements* de Mrs. Parsons, *Clermont*, de Regina Maria Roche, *le Nécromant de la Forêt-Noire* de Lawrence Flammenberg, *la Cloche de minuit*, *l'Orphelin du Rhin* de Mrs. Sleath, et *Horribles Mystères* de Grosse.

La plupart de ces romans sont oubliés de nos jours. Les « grands » du roman noir qui ont résisté au temps sont Walpole, Radcliffe, Lewis, Maturin, mais on remarquera que ce genre littéraire a marqué profondément toute la littérature anglaise. Jane Austen, qui ne témoigne d'aucun mépris facile pour des œuvres qui parfois peuvent faire sourire, semble avoir compris l'importance qu'elles avaient réellement.

taine Hunt que, dût-il m'importuner toute la soirée, je ne danserais pas avec lui à moins qu'il n'accordât que Miss Andrews était aussi belle qu'un ange. Les hommes nous croient incapables d'amitié véritable, et je suis bien décidée à leur prouver qu'ils se trompent. Si je devais maintenant entendre quelqu'un parler de vous en termes irrespectueux, je m'enflammerais sur l'instant... Mais c'est tout à fait impossible, car vous, vous êtes exactement le genre de jeune fille dont les hommes raffolent.

— Oh, chère Isabelle, s'écria Catherine en rougissant, comment pouvez-vous dire cela?

— Je vous connais très bien, vous avez tant de vie... C'est justement ce dont manque Miss Andrews, car je dois avouer qu'il y a en elle quelque chose d'étonnamment insipide. Oh! il faut que je vous dise, juste après vous avoir quittée, hier, j'ai remarqué un jeune homme qui vous regardait si passionnément... Je suis certaine qu'il est amoureux de vous.

Catherine rougit, nia de nouveau. Isabelle se mit à rire :

— C'est vrai, sur mon honneur, mais je vois bien ce qu'il en est. Vous restez indifférente à l'admiration de tous, sauf à celle d'un monsieur dont je tairai le nom... Non, je ne puis vous blâmer... (elle parlait plus gravement maintenant) vos sentiments sont aisément compréhensibles. Lorsque le cœur est vraiment attaché, on devient, je le sais très bien, insensible aux attentions des autres quels qu'ils soient. Tout devient si insipide, si ennuyeux, qui ne concerne point l'objet de notre affection... Je puis fort bien comprendre vos sentiments.

— Vous ne devriez pas me persuader que je pense autant à Mr. Tilney, je ne le reverrai peut-être jamais.

— Ne plus le revoir! Chère âme, ne dites pas cela, je suis sûre que cette seule pensée vous rendrait malheureuse.

— Non, vraiment. Je ne prétends pas qu'il ne m'ait

beaucoup plu, mais tant que j'aurai *Udolphe* à lire, je me sens incapable d'éprouver du chagrin à cause de quelqu'un. Oh, ce terrible voile noir ! Je suis sûre, ma chère Isabelle, qu'il cache le squelette de Laurentina...

— Je trouve si étrange que vous n'ayez pas déjà lu *Udolphe*... mais je suppose que Mrs. Morland répugne à vous voir lire des romans.

— Non, elle lit elle-même fort souvent *Sir Charles Grandison*[1], mais les livres nouveaux n'arrivent pas jusqu'à nous.

— *Sir Charles Grandison* ! C'est un livre affreusement ennuyeux, n'est-ce pas ? Je me souviens que Miss Andrews n'a jamais pu finir le premier tome.

— Cela ne ressemble pas du tout à *Udolphe*, mais je pense néanmoins que c'est un livre fort amusant.

— Vraiment ! Vous m'étonnez. J'aurais cru que c'était illisible. Mais, ma très chère Catherine, avez-vous décidé de la coiffure que vous porterez ce soir ? N'importe comment, je suis résolue à m'habiller exactement comme vous. Les hommes remarquent *cela* parfois, savez-vous.

— Cela n'a aucune importance, dit Catherine avec beaucoup d'innocence.

— Pas d'importance ? Oh, Seigneur ! Je me fais une loi de ne jamais songer à ce que disent les hommes. Ils sont souvent d'une telle impertinence si vous ne les traitez pas durement et si vous ne les obligez pas à garder leurs distances.

— Vraiment ? Eh bien, je ne l'avais pas remarqué. Ils agissent toujours très correctement avec moi.

1. *Sir Charles Grandison*, célèbre roman de Richardson, est l'une des œuvres préférées de Jane Austen. L'auteur de *Pamela* et de *Clarissa* est certes loin d'être un auteur austère, mais ses excentricités sont bien pâles en comparaison de celles du roman noir, et cela explique la réaction d'Isabelle.

— Oh, c'est un air qu'ils se donnent! Ce sont les êtres les plus vaniteux du monde et ils se croient tellement importants... A propos, bien que j'y aie pensé cent fois, j'ai toujours oublié de vous demander quel type d'homme vous préférez. Les aimez-vous mieux bruns ou blonds?

— Je ne sais pas trop, je n'y ai jamais beaucoup pensé. Quelque chose entre les deux, je pense, châtains, ni vraiment blonds ni très bruns.

— Fort bien, Catherine, c'est tout à fait lui... Je n'ai pas oublié la description que vous m'avez faite de Mr. Tilney; un teint mat, des yeux noirs, des cheveux plutôt sombres... Eh bien, j'ai des goûts différents. Je préfère les yeux clairs, et pour le teint, savez-vous, j'en préfère un fort pâle à n'importe quel autre. Il ne faudra pas me trahir si jamais vous rencontrez quelqu'un de vos amis qui corresponde à cette description.

— Vous trahir! Qu'entendez-vous par là?

— Non, ne m'accablez pas... Je crois que j'en ai trop dit. Laissons là ce sujet.

Catherine obéit, quelque peu étonnée. Après être restée un moment silencieuse, elle était sur le point d'en revenir à ce qui, à ce moment-là, l'intéressait plus que tout au monde, le squelette de Laurentina, quand son amie l'en empêcha en lui disant :

— Pour l'amour de Dieu, quittons cet endroit. Savez-vous qu'il y a deux odieux jeunes gens qui n'ont cessé de m'observer depuis une demi-heure? J'en suis vraiment affreusement gênée. Allons à l'entrée voir les gens qui arrivent, il sera difficile à ces deux impertinents de nous suivre jusque là-bas.

Elles y allèrent, et tandis qu'Isabelle examinait les noms inscrits sur le registre, Catherine se vit confier la tâche de surveiller les faits et gestes de ces inquiétants jeunes gens.

— Ils ne viennent pas par ici, n'est-ce pas? J'espère

qu'ils n'auront pas l'impertinence de nous suivre. Je vous en prie, s'ils arrivent, avertissez-moi. Je suis décidée à ne point lever les yeux de ce registre.

Quelques minutes après, Catherine lui assurait, avec un plaisir sincère, qu'elle n'avait plus besoin de se tourmenter. Les jeunes gens venaient de quitter la Pump Room...

— Et quelle direction ont-ils prise ? demanda Isabelle, se retournant en toute hâte. L'un des deux était un très beau jeune homme.

— Ils sont partis vers le cimetière.

— Bon ; je suis follement heureuse de m'être débarrassée d'eux. Et maintenant, que diriez-vous de m'accompagner à Edgar's Buildings pour aller voir mon nouveau chapeau ? Vous disiez que vous vouliez le voir.

Catherine y consentit volontiers.

— Seulement, ajouta-t-elle, nous risquons de rejoindre les deux jeunes gens.

— Oh, cela n'a aucune importance. Si nous pressons le pas, nous les dépasserons bientôt... je meurs d'envie de vous montrer mon chapeau.

— Mais si nous attendons seulement quelques minutes, nous ne courrons plus le risque de les rencontrer.

— Je ne leur ferai pas cet honneur, je vous l'assure. Je refuse de traiter les hommes avec tant de respect, c'est de cette façon qu'on les gâte.

Catherine n'avait nul argument à opposer à un raisonnement semblable... C'est ainsi que, pour montrer l'indépendance de Miss Thorpe et sa résolution d'humilier les hommes, elles partirent sur-le-champ et aussi vite que possible à la poursuite des deux jeunes gens.

VII

En trente secondes, les deux jeunes filles eurent traversé le parc et atteint le portail qui fait face à l'Union

Passage, mais elles s'y retrouvèrent bloquées. Quiconque connaît Bath se souviendra des difficultés que l'on rencontre lorsqu'on veut traverser Cheap Street à cet endroit-là. C'est en vérité une rue si déplaisante et si malheureusement reliée aux grandes routes de Londres et d'Oxford et au principal hôtel de la ville qu'il ne se passe pas un seul jour sans que des kyrielles de dames, quelque importante que soit leur occupation du moment et qu'elles soient en quête de pâtisseries, d'articles de mode ou même (comme c'est le cas ici) de jeunes gens, ne s'y voient arrêtées d'un côté de la rue ou de l'autre par des équipages, des cavaliers ou des charrettes. Isabelle subissait et déplorait ce fléau au moins trois fois par jour depuis qu'elle résidait à Bath, et elle était condamnée à le subir et à le déplorer une fois de plus car au moment où elles arrivaient en face de l'Union Passage et en vue des deux jeunes gens qui se frayaient un chemin dans la foule et suivaient le caniveau de cette passionnante ruelle, elles furent empêchées de traverser par un cabriolet qui s'approchait et que le cocher conduisait sur le pavé raboteux avec une véhémence propre à mettre en danger sa vie, celle de son compagnon et celle de son cheval.

— Oh, ces odieux cabriolets ! dit Isabelle en levant les yeux, comme je les déteste !

Cette haine, pourtant, toute juste qu'elle fût, fut de courte durée car la jeune fille, ayant mieux regardé l'équipage, s'exclama :

— C'est merveilleux ! Mr. Morland et mon frère !

— Dieu du ciel, c'est James ! s'écriait au même instant Catherine.

Lorsque les jeunes gens aperçurent les deux amies, le cheval fut arrêté net dans sa course, avec une violence telle qu'il faillit en chuter sur l'arrière-train. Thorpe et Morland sautèrent de la voiture et laissèrent l'équipage aux soins du domestique qui s'était vivement hissé sur le siège.

Catherine, qui ne s'attendait nullement à rencontrer son frère, l'accueillit avec de grands transports de joie. Il témoigna pour sa part d'une satisfaction égale, autant du moins que le lui permirent les yeux étincelants de Miss Thorpe qui ne cessaient de provoquer son attention. Il présenta rapidement ses hommages à celle-ci, avec un mélange de joie et d'embarras qui aurait dû apprendre à Catherine, si elle avait été plus experte à comprendre les sentiments d'autrui et moins absorbée par les siens, que son frère n'appréciait pas moins qu'elle la beauté de son amie.

John Thorpe qui, pendant ce temps, s'était occupé à donner des ordres au sujet des chevaux, les rejoignit bientôt. Il rendit sans plus tarder à Catherine les hommages qui lui étaient dus, et tandis qu'il s'était contenté de serrer rapidement et négligemment la main d'Isabelle, il accorda généreusement à Catherine une grande révérence et la moitié d'un bref salut. Thorpe était un solide jeune homme de taille moyenne qui, malgré un visage sans beauté et une silhouette sans grâce, paraissait craindre de paraître trop beau s'il ne s'habillait comme un palefrenier, et de trop ressembler à un gentleman s'il ne faisait preuve de liberté quand il eût fallu se montrer poli, et d'impudence quand il eût été simplement permis d'être libre. Il sortit sa montre.

— Combien de temps avons-nous mis pour venir de Tetbury, à votre avis, Miss Morland?

— J'ignore la distance.

Son frère lui dit qu'il y avait vingt-trois miles entre Tetbury et Bath.

— Vingt-trois miles! s'écria Thorpe. Vingt-cinq, comme un pouce!

Morland protesta, allégua l'autorité des guides routiers, des aubergistes et des bornes milliaires, mais son ami n'en tint aucun compte. Il avait, pour évaluer les distances, un critère beaucoup plus sûr:

— Je sais que ce ne peut être que vingt-cinq miles, dit-il, au temps que nous avons mis pour venir. Il est maintenant une heure et demie. Nous avons quitté la cour de l'auberge de Tetbury quand l'horloge sonnait onze heures, et je défie quiconque en Angleterre de faire faire à mon cheval moins de dix miles à l'heure sous le harnais. Cela nous donne exactement une distance de vingt-cinq miles.

— Vous oubliez une heure, dit Morland. Il n'était que dix heures quand nous sommes partis de Tetbury.

— Dix heures ! Il était onze heures, sur mon honneur ! J'ai compté chaque coup... Votre frère arriverait à me persuader que je n'ai plus toute ma tête, Miss Morland. Regardez seulement mon cheval... Avez-vous jamais vu, de toute votre vie, animal mieux fait pour la vitesse ? (Le domestique venait de monter en voiture et s'éloignait.) Un véritable pur-sang. Trois heures et demie, en vérité, pour parcourir vingt-trois miles !... Regardez cette bête et envisagez cette éventualité si vous le pouvez.

— Il paraît en effet avoir très chaud...

— Avoir chaud ! Il n'a pas bronché jusqu'à ce que nous arrivions à Walcot Church... Mais regardez cet avant-train, regardez ces reins. Voyez seulement comme il marche. Ce cheval *ne peut pas* parcourir moins de dix miles à l'heure. Liez-lui les pattes et il avancera encore... Que pensez-vous de mon cabriolet, Miss Morland ? Joli, n'est-ce pas ? Bien suspendu, une ligne très « mode »... Ça ne fait pas un mois que je l'ai. Il a été fabriqué pour un jeune homme de Christ Church, un mien ami, un excellent type. Il s'en est servi pendant quelques semaines puis il en a eu assez. Il se trouvait que je cherchais justement à ce moment-là quelque chose de léger dans ce genre, encore que je fusse sacrément décidé pour un curricle. Mais je l'ai rencontré sur Magdalen Bridge, le trimestre dernier, tandis qu'il entrait dans Oxford. « Ah, Thorpe ! me dit-il, vous n'auriez pas par hasard besoin d'une petite chose comme celle-là ? C'est fameux dans son genre, mais j'en suis affreusement fatigué. » « Oh, sacrebleu ! dis-je, je suis votre homme. Combien en demandez-vous ? » Et combien croyez-vous qu'il en voulait, Miss Morland ?

— Je ne saurais certes le deviner.

— Suspension-curricle, vous le voyez ; siège, coffre, boîte à épées, garde-boue, lanternes, moulures d'argent, tout cela, vous le voyez, complet. La ferrure aussi bonne que si elle était neuve, meilleure même, peut-être... Il m'en a demandé cinquante guinées. J'ai conclu le marché tout de suite. Je lui ai versé l'argent et la voiture était à moi.

— Je suis si peu au courant de ces choses, dit Catherine, que je ne saurais dire si c'était bon marché ou cher.

— Ni l'un ni l'autre. J'aurais pu l'avoir pour moins cher, je crois, mais je déteste barguigner et ce pauvre Freeman avait besoin d'argent tout de suite.

— Cela part d'un bon naturel, dit Catherine, conquise.

— Oh, zut !... Je déteste qu'on agisse de façon mesquine lorsqu'on a les moyens de rendre service à un ami.

Les jeunes gens demandèrent ensuite aux jeunes filles ce qu'elles avaient l'intention de faire, et, quand ils apprirent qu'elles se rendaient à Edgar's Buildings, décidèrent de les y accompagner pour aller présenter leurs respects à Mrs. Thorpe. James et Isabelle ouvraient la marche, et celle-ci semblait tellement satisfaite de son sort, éprouvait manifestement tant de plaisir à rendre cette petite promenade le plus agréable possible à celui qui bénéficiait de la double recommandation d'être l'ami de son frère et le frère de son amie, ses sentiments étaient si purs et si dénués de toute coquetterie, que, bien qu'ils eussent rejoint pour les dépasser ensuite les deux impertinents de la Pump Room dans Milsom Street, elle ne se retourna, tant elle était loin de chercher à attirer leur attention, que trois fois pour les regarder.

John Thorpe marchait bien entendu à hauteur de Catherine, et il reparla, après quelques minutes de silence, de son cabriolet.

— Remarquez bien, Miss Morland, que certains considéreraient que c'était bon marché, car on m'en a proposé, le lendemain même, dix guinées de plus. Jackson, d'Oriel, m'en a offert soixante guinées sans la moindre hésitation. Morland est d'ailleurs témoin.

— Oui, dit Morland qui avait surpris ces quelques mots, mais vous oubliez que votre cheval était compris dans la somme.

— Mon cheval, sacrebleu!... Je ne vendrais pas mon cheval pour cent guinées. Aimez-vous les voitures découvertes, Miss Morland?

— Oui, beaucoup. Je n'ai guère eu l'occasion de m'y promener, mais je les aime tout particulièrement.

— J'en suis enchanté. Je vous ferai faire un tour dans la mienne chaque jour.

— Merci, dit Catherine, un peu embarrassée car elle ne savait pas trop s'il était convenable d'accepter pareille offre.

— Je vous emmènerai à Landsdown Hill, demain.

— Je vous remercie, mais votre cheval n'aura-t-il pas besoin de repos?

— Du repos! Il n'a fait que vingt-trois miles aujourd'hui. Ridicule... Rien ne gâte davantage un cheval que le repos... Rien ne l'éreinte plus vite. Non, non, je vais exercer le mien à raison de quatre heures par jour tout le temps que je serai ici.

— Vraiment! dit Catherine très sérieusement. Cela fera donc quarante miles par jour.

— Quarante, oui, quarante... Pour ce que ça me fait! Bon, je vous emmène à Landsdown demain. Rappelez-vous, j'ai promis.

— Ce sera délicieux, s'écria Isabelle en se retournant. Ma très chère Catherine, je vous envie terriblement. Je crains, mon frère, que vous n'ayez pas assez de place pour trois personnes.

— Pour trois, vraiment! Ah ça, non! Je ne suis pas venu à Bath pour promener mes sœurs. Ce serait une bonne plaisanterie, ma foi... Morland n'a qu'à s'occuper de vous.

Ces paroles provoquèrent un échange de politesses entre les deux autres, mais Catherine n'entendit ni les détails de leur conversation ni son résultat. Son compagnon abandonna le ton fort animé qui avait été le sien pour ne plus prononcer que des phrases simples, brèves et décisives qui louaient ou condamnaient le visage des femmes qu'ils rencontraient. Catherine, après avoir écouté et acquiescé aussi longtemps que possible avec la civilité et la modestie intellectuelle que montrent les jeunes filles, surtout quand il s'agit de la beauté d'une autre femme, n'osa point exprimer d'opinion personnelle mais se risqua finalement à tenter de changer de sujet. Elle posa à Mr. Thorpe la question qui lui brûlait les lèvres depuis un moment :

— Avez-vous lu *Udolphe*, Mr. Thorpe ?

— *Udolphe* ! Par Dieu, non ! Je ne lis jamais de romans, j'ai mieux à faire.

Catherine, humiliée et honteuse, était sur le point de lui demander pardon pour cette question, mais il l'en empêcha en poursuivant :

— Les romans sont tous si pleins d'absurdités et de niaiseries. Depuis *Tom Jones*[1], il n'en est pas paru un seul à peu près passable, excepté *le Moine*[2]. J'ai lu ça, l'autre jour... Mais pour ce qui est du reste, ce ne sont que les pires stupidités du monde.

— Je pense que vous ne manqueriez pas d'aimer *Udolphe* si vous le lisiez. C'est tellement passionnant !

---

1. C'est en 1749 que Fielding avait publié son *Tom Jones*, roman d'aventures assez truculent.
2. Il s'agit ici du *Moine* de Lewis, roman noir publié en 1796. Artaud en a fait une adaptation-traduction à juste titre très célèbre.

— Non, ma foi, non! Si je lis un roman, ce sera un roman de Mrs. Radcliffe. Ils sont assez amusants, ils méritent qu'on les lise. Il y a en eux, au moins, une certaine drôlerie et un certain naturel.

— Mais c'est Mrs. Radcliffe qui a écrit *Udolphe*, dit Catherine, hésitant un peu de peur de le mortifier.

— Ce n'est pas vrai! Vraiment? Ah, oui... je m'en souviens à présent. Je pensais à cet autre livre idiot dont l'auteur est cette femme qui a fait tant parler d'elle... celle qui a épousé l'émigrant français[1].

— Je suppose que vous parlez du livre qui s'appelle *Camilla*?

— Oui, c'est bien ce titre. Tant de bruit pour si peu!... Un vieux monsieur qui joue à la bascule... J'ai pris le premier tome un jour, je l'ai parcouru, mais je me suis vite aperçu que cela n'irait pas. En vérité, j'avais deviné avant d'en lire un mot le genre de fadaises que ce devait être. Dès que j'ai su qu'elle avait épousé un immigré, j'ai eu la certitude que je ne pourrais jamais lire ce livre jusqu'au bout.

— Je ne l'ai pas lu.

— Vous n'avez rien perdu, croyez-moi. C'est la plus affreuse idiotie que vous puissiez imaginer. On n'y parle que d'un vieillard qui joue à la bascule et apprend le latin. Sur mon honneur, c'est tout.

Cette critique, dont la pauvre Catherine était malheureusement incapable d'apprécier la valeur, les amena jusqu'à la porte de Mrs. Thorpe. Là, les sentiments du lecteur si clairvoyant et si exempt de préjugés cédèrent le

---

1. Thorpe fait ici allusion à Fanny Burney qui avait épousé un immigrant français, le général d'Arblay.

Thorpe se ridiculise ici par cette stupide xénophobie, mais il est à remarquer qu'au chapitre XXV Jane Austen se moquera plus généralement de la méfiance instinctive qu'éprouvent les Anglais devant tout ce qui est étranger à leur civilisation, et ce par l'entremise même de ses héros, Henry et Catherine.

pas aux sentiments du fils obéissant et affectionné quand ils retrouvèrent Mrs. Thorpe qui les avait aperçus dans la ruelle, depuis l'étage.

— Ah, mère, comment allez-vous ? dit-il, lui donnant une cordiale poignée de main. Où avez-vous été pêcher ce chapeau ridicule, vous avez l'air d'une vieille sorcière avec ça. Voici Morland. Je viens passer quelques jours avec vous. Tâchez donc de nous trouver une paire de bons lits dans les environs.

Ce discours parut satisfaire les plus tendres vœux du cœur maternel, car Mrs. Thorpe accueillit son fils avec beaucoup d'affection et de joie. Thorpe accorda ensuite à ses deux jeunes sœurs une égale part de sa tendresse fraternelle. Il demanda en effet à chacune d'elles comment elle allait et fit remarquer qu'elles étaient toutes deux bien laides.

Ces façons ne plaisaient pas à Catherine, mais John était l'ami de James et le frère d'Isabelle, et elle cessa de le mal juger quand Isabelle lui affirma, au moment où elles se retiraient pour aller voir le chapeau neuf, que John la trouvait la plus charmante fille du monde, et lorsque John l'invita, avant qu'ils ne se séparent, à danser avec lui le soir même. Eût-elle été plus âgée ou plus vaine que de telles attaques eussent produit peu d'effet, mais lorsque la jeunesse et le manque de confiance en soi se trouvent réunis, résister au plaisir d'être appelée la plus charmante fille du monde et à celui d'être engagée comme cavalière si tôt dans la journée exige une rare fermeté intellectuelle. C'est pourquoi, quand Catherine et James s'en allèrent après avoir passé une heure avec les Thorpe pour aller ensemble chez Mr. Allen, et quand James demanda, sitôt la porte franchie : « Eh bien, Catherine, comment trouvez-vous mon ami Thorpe ? », Catherine, au lieu de répondre comme elle l'aurait probablement fait, si la flatterie et l'amitié ne s'étaient pas également trouvées mêlées à cette affaire : « Il ne me plaît pas du tout », répondit sans hésiter :

— Il me plaît beaucoup; il a l'air fort aimable.

— C'est le meilleur garçon qu'on puisse trouver ici-bas. Un peu bavard, mais je suppose que cela ne lui nuit pas auprès des dames. Et comment trouvez-vous les autres?

— Parfaits, vraiment parfaits... Isabelle, surtout.

— Je suis ravi de vous l'entendre dire. C'est exactement le genre de jeune fille que je souhaitais vous voir pour amie. Elle est si raisonnable, si parfaitement naturelle et aimable. J'ai toujours désiré que vous la connussiez. Elle semble vous aimer beaucoup. Elle m'a fait sur vous les plus grands éloges qui se puissent imaginer, et les éloges d'une jeune fille comme Miss Thorpe, même vous, Catherine — prenant sa main affectueusement —, pouvez en être fière.

— Je le suis en effet, répondit-elle. J'aime énormément Isabelle et je suis enchantée de voir qu'elle vous plaît aussi. Vous ne m'avez pas beaucoup parlé d'elle quand vous m'avez écrit après votre séjour chez eux.

— C'est que je pensais vous voir bientôt en personne. J'espère que vous passerez beaucoup de temps ensemble pendant votre séjour à Bath. C'est une jeune fille très aimable. Une intelligence tellement supérieure... Et comme toute sa famille l'adore! Elle est manifestement la favorite de chacun. Comme on doit l'admirer dans une ville comme Bath, n'est-ce pas?

— Oui, beaucoup en effet, je crois. Mr. Allen trouve que c'est la plus jolie fille de Bath.

— Je le crois volontiers, et je ne connais meilleur juge de la beauté que Mr. Allen. Inutile de vous demander si vous êtes heureuse ici, ma chère Catherine. Avec pour compagne et amie une Isabelle Thorpe, il serait impossible qu'il en fût autrement. Et les Allen, j'en suis certain, sont très gentils pour vous.

— Oh oui, très gentils! Je n'ai jamais été aussi heureuse et maintenant que vous êtes là, ce sera encore plus merveilleux. Comme vous êtes bon d'être venu de si loin pour me voir.

James accepta cet hommage de la gratitude de sa sœur et fit taire ses remords en lui disant, avec la plus grande sincérité :

— En vérité, Catherine, je vous aime très tendrement.

Ils échangèrent ensuite des questions et des informations concernant leurs frères et sœurs, la situation de certains, la croissance des autres et autres sujets familiaux, et ce jusqu'à Pulteney Street. Seul James fit une courte digression pour louer encore Miss Thorpe. A Pulteney Street, ils furent accueillis par Mr. et Mrs. Allen avec une extrême gentillesse. Le premier invita James à dîner et la seconde le somma de deviner le prix et d'évaluer les qualités d'un nouveau manchon et d'une palatine neuve. Une invitation préalable à Edgar's Buildings empêchait James d'accepter l'invitation de son ami. Il dut partir en toute hâte, aussitôt satisfaites les exigences de Mrs. Allen. On avait précisé l'heure où l'on devait se retrouver à l'Octogon Room et Catherine put donc s'abandonner toute au plaisir de se laisser emporter par sa folle imagination et de trembler de peur sur les pages d'*Udolphe*. Elle était loin de tous les soucis de ce monde, toilette ou dîner, et incapable d'apaiser les craintes de Mrs. Allen concernant le retard de la couturière. C'est tout juste si elle consacrait une minute sur soixante à la félicité d'être déjà engagée pour cette soirée.

VIII

Malgré *Udolphe* et la couturière, pourtant, ceux de Pulteney Street arrivèrent à l'heure exacte aux Upper Rooms. Les Thorpe et James Morland n'étaient là que depuis deux minutes, et quand Isabelle eut sacrifié au rite quotidien — accueillir son amie avec des manifestations de gaieté et d'affection impatiente, admirer la garniture de sa robe et lui envier ses boucles —, elles suivirent leurs chaperons, main dans la main dans la salle de bal, chuchotant quand il leur venait une idée et comblant les vides d'une pression de la main ou d'un regard plein de tendresse.

Les danses commencèrent quelques minutes après qu'elles se furent installées, et James, qui était engagé depuis au moins aussi longtemps que sa sœur, importuna fort Isabelle pour qu'elle se levât. John, cependant, était parti voir un ami dans la salle de jeu et Isabelle affirma que rien ne pourrait la décider à se joindre au quadrille avant que sa chère Catherine pût en faire autant.

— Je vous assure, dit-elle, que je n'irai danser pour rien au monde sans votre chère sœur car si je le faisais, nous serions certainement séparées pour toute la soirée.

Catherine lui fut reconnaissante de cette attention, et cette situation s'était prolongée quelques minutes encore quand Isabelle, qui venait d'avoir un aparté avec James, se tourna de nouveau vers son amie et lui dit très bas :

— Chère âme, je crains de devoir vous quitter. Votre frère est si follement impatient de commencer à danser. Je sais que vous ne m'en voudrez pas et je pense que John ne tardera plus.

Catherine, bien que légèrement déçue, était trop bonne pour s'opposer le moins du monde à la volonté d'Isabelle. Les autres se levèrent et Isabelle n'eut que le temps de presser la main de son amie et de lui dire : « Au revoir, très chère bien-aimée », avant de s'envoler avec son cavalier. Les jeunes demoiselles Thorpe étaient aussi en train de danser, et Catherine se retrouva à la merci de Mrs. Thorpe et de Mrs. Allen entre lesquelles elle était maintenant assise. Elle ne pouvait s'empêcher d'être vexée de ce que Thorpe n'arrivât point, car, outre son impatience de danser, elle comprenait très bien que, tout le monde ignorant la véritable dignité de sa situation, elle partageait avec une kyrielle d'autres jeunes filles qui étaient encore assises l'humiliation de ne pas avoir de cavalier. Être déshonorée aux yeux du Monde, revêtir l'apparence de l'infamie quand son cœur est tout pureté et ses actions toute innocence et quand l'inconduite d'un autre est la véritable cause de son avilissement, voilà l'un des événements qui sont le lot particulier d'une existence d'héroïne, et la force d'âme dont elle témoigne en un moment pareil clame très haut la noblesse de sa nature. Catherine, elle aussi, révéla toute sa force d'âme : elle souffrit, mais nul murmure ne s'échappa de ses lèvres.

Dix minutes plus tard, son sentiment d'humiliation cédait le pas à une émotion beaucoup plus agréable : elle apercevait en effet non Mr. Thorpe, mais Mr. Tilney qui se trouvait à moins de trois mètres d'elle. Il semblait se diriger vers elle mais ne l'avait pas vue. Le sourire et la rougeur que provoqua chez Catherine cette brusque réapparition s'évanouirent sans avoir eu le temps de ternir sa dignité d'héroïne. Mr. Tilney semblait plus beau et plus animé que jamais. Il parlait avec beaucoup d'intérêt à une élégante et charmante jeune fille qui lui tenait le bras et que Catherine reconnut sur-le-champ pour sa sœur. Elle négligeait là bien étourdiment une belle occasion de le croire à jamais perdu pour elle parce que déjà marié. N'écoutant que de simples probabilités, elle n'avait jamais songé que Mr. Tilney pût être marié. Il n'avait jamais agi, il n'avait jamais parlé comme les hommes mariés qu'elle avait coutume de voir. Il n'avait jamais mentionné une épouse mais avait avoué une sœur. Tout ceci amena Catherine à conclure sans la moindre hésitation que la jeune fille qui se trouvait maintenant à ses côtés était sa sœur. Au lieu d'être saisie d'une pâleur mortelle et de tomber, en proie à une crise de nerfs, sur le sein de Mrs. Allen, Catherine resta donc bien droite, en pleine possession de sa raison et les joues seulement un peu plus rouges que d'ordinaire.

Mr. Tilney et sa compagne, qui continuaient, bien que très lentement, à s'approcher de Catherine, étaient immédiatement précédés d'une dame que connaissait Mrs. Thorpe. La dame en question s'arrêta pour parler à cette dernière, et ils s'arrêtèrent aussi, comme s'ils lui obéissaient. Catherine s'efforça alors d'attirer l'attention de Mr. Tilney qui lui adressa bientôt un beau sourire qui prouvait qu'il l'avait reconnue. Elle le lui rendit avec joie et lui, s'approchant encore, se mit à lui parler ainsi qu'à Mrs. Allen. Cette dernière le reconnut et s'adressa très civilement à lui :

— Je suis ravie de vous revoir, Monsieur, vraiment ravie. Je craignais que vous n'eussiez quitté Bath.

Il la remercia de ses craintes et déclara être parti une semaine auparavant, le lendemain matin même du jour où il avait eu le plaisir de faire sa connaissance.

— Eh bien, Monsieur, je suppose que vous ne regrettez pas d'être revenu, car Bath est vraiment la ville rêvée pour les jeunes — et en fait, pour les autres aussi. Je dis toujours à Mr. Allen, lorsqu'il prétend en être fatigué, qu'il ne devrait certes pas se plaindre. C'est une ville tellement agréable qu'on s'y sent bien mieux que chez soi, à cette triste période de l'année. Je lui dis toujours qu'il a bien de la chance d'avoir été envoyé ici pour sa santé.

— J'espère, Madame, que Mr. Allen se verra obligé d'aimer cette ville lorsqu'il constatera tout le bien qu'elle lui fait.

— Merci, Monsieur. Je ne doute pas que cela se produira en effet. L'un de nos voisins, le docteur Skinner, est venu se soigner ici l'hiver dernier, et il est revenu en parfaite santé.

— Ceci ne peut que vous donner de vifs encouragements.

— En effet, Monsieur, et le docteur Skinner et sa famille sont restés ici trois mois. Aussi dis-je toujours à Mr. Allen qu'il ne faut point nous hâter de partir.

A ce moment-là, Mrs. Thorpe les interrompit pour demander quelque chose à Mrs. Allen. Elle désirait savoir si l'on pouvait se déplacer un peu afin que Mrs. Hughes et Miss Tilney pussent avoir un siège car elles avaient accepté de se joindre à leur groupe. On se poussa de bon cœur tandis que Mr. Tilney restait debout devant les dames. Après quelques minutes de réflexion, il invita Catherine à danser. Ce compliment, tout délicieux qu'il fût, mortifia beaucoup la jeune fille, et en lui opposant un refus, Catherine exprima si sincèrement la peine qu'elle en ressentait que Thorpe, qui les rejoignit juste après, aurait pu trouver excessifs les regrets de la jeune fille s'il était arrivé trente secondes plus tôt. La manière très désinvolte dont il constata ensuite l'avoir fait attendre ne réconcilia certes pas davantage Catherine avec son destin. Les détails qu'il lui donna quand ils allèrent danser, sur les chevaux et les chiens de l'ami qu'il venait de quitter, et sur une proposition d'échanger des terriers ne l'intéressèrent pas assez pour qu'elle ne regardât fréquemment vers cette partie de la salle où elle avait laissé Mr. Tilney. Quant à sa chère Isabelle, à qui elle brûlait tout particulièrement de montrer le jeune homme, elle demeurait introuvable. Elles ne faisaient pas partie du même groupe de danseurs. Catherine était ainsi séparée de tous ses amis et de toutes ses relations. Une mortification succédait à une autre, et elle tira de toute cette aventure l'utile leçon qu'être engagée trop tôt pour un bal n'accroît pas nécessairement la dignité ou le plaisir d'une jeune fille. Une petite tape sur son épaule la tira de ces réflexions morales, et en se retournant, elle aperçut Mrs. Hughes juste derrière elle, accompagnée de Miss Tilney et d'un monsieur.

— Je vous demande pardon, Miss Morland, pour la liberté que je prends, dit-elle, mais je ne sais comment mettre la main sur Miss Thorpe, et Mrs. Thorpe m'a dit avoir la certitude que vous ne verriez aucun inconvénient à tenir compagnie à cette jeune fille.

Mrs. Hughes n'aurait pu trouver dans la salle un être plus heureux de l'obliger que ne le fut Catherine. Les jeunes filles furent présentées. Miss Tilney prouva par ses paroles qu'elle appréciait à sa juste valeur la bonté de Catherine. Miss Morland, elle, avec la véritable délicatesse d'un cœur généreux, n'accordait que peu d'importance au service qu'elle rendait. Mrs. Hughes, ravie d'avoir si respectablement casé sa jeune protégée, s'en retourna vers ses amis.

Miss Tilney était bien faite de sa personne, avait un joli visage et des manières charmantes. Ses façons, bien qu'elles n'eussent point la prétentieuse hardiesse et le style décidé de celles de Miss Thorpe, avaient davantage de véritable élégance. Tout son comportement témoignait de son bon sens et de sa bonne éducation. Elle ne faisait preuve ni de timidité ni d'une franchise affectée. Elle semblait capable d'être jeune, attirante, et d'assister à un bal sans pour autant vouloir monopoliser l'attention de tous les hommes du voisinage ou sans nourrir d'excessifs sentiments de plaisir extatique ou d'humiliation indicible à propos de n'importe quelle vétille. Catherine fut tout de suite attirée par ses qualités apparentes et par sa parenté avec Mr. Tilney. Très désireuse de la connaître, elle lui parlait donc volontiers dès qu'elle trouvait quelque chose à dire et avait assez de courage et de temps pour le dire. La gêne, cependant, qui pave le chemin des amitiés récentes, l'absence fréquente de sujets de conversation firent qu'elles ne dépassèrent guère les prémices de l'intimité : elles se demandèrent réciproquement comment elles trouvaient Bath, si elles admiraient ses monuments et ses environs, si elles dessinaient, jouaient d'un instrument ou chantaient, si elles aimaient monter à cheval.

A peine avait-on fini de danser que Catherine se vit gentiment attrapée par le bras par sa fidèle Isabelle qui s'exclamait avec transport :

— Enfin, je vous retrouve! Chère âme, je vous cherche depuis une heure. Qu'est-ce qui a pu vous pousser à vous mêler à ce quadrille quand vous saviez que je faisais partie de l'autre? J'ai été affreusement malheureuse sans vous.

— Ma chère Isabelle, comment aurais-je pu vous rejoindre? Je ne suis même pas arrivée à voir où vous étiez.

— C'est ce que je n'ai pas cessé de dire à votre frère, mais il refusait de me croire. Allez la chercher, Mr. Morland, lui disais-je... Mais tout cela en vain, il n'a pas voulu bouger d'un pouce. N'est-ce pas, Mr. Morland? Mais vous, les hommes, êtes si affreusement paresseux! Je l'ai tellement querellé, ma chère Catherine... Oh, vous seriez vraiment étonnée de savoir à quel point. Vous savez que je ne fais jamais de cérémonie avec ces gens-là.

— Regardez cette jeune fille qui a des perles blanches dans les cheveux, chuchota Catherine, entraînant son amie un peu à l'écart, c'est la sœur de Mr. Tilney.

— Oh, Seigneur, que ne le disiez-vous! Laissez-moi la regarder un instant. Quelle délicieuse jeune fille! Je n'ai jamais vu une telle beauté. Mais où est donc son séducteur de frère? Est-il dans la salle? Si c'est le cas, montrez-le-moi tout de suite, je meurs d'envie de le voir. Il ne faut pas nous écouter, Mr. Morland, nous ne parlons pas de vous.

— Mais qu'est-ce que c'est que tous ces mystères? Que se passe-t-il?

— Là, j'en étais sûre! Vous, les hommes, êtes d'une incroyable curiosité! Et vous osez parler de la curiosité des femmes! Aucune importance... Enfin, soyez satisfait, vous ne saurez strictement rien.

— Et cela devrait me satisfaire, à votre avis?

— Vraiment, je vous assure que je n'ai jamais vu cela! Que vous importe ce dont nous parlons? Peut-être sommes-nous en train de parler de vous, et je vous conseillerais de ne pas écouter car vous risqueriez d'entendre des choses assez désagréables.

Toute à ce caquetage des plus banals, Isabelle semblait avoir complètement oublié le sujet de sa conversation avec Catherine, et cette dernière ne put s'empêcher de douter un peu de la folle envie qu'avait son amie de voir Mr. Tilney lorsqu'elle la vit cesser aussi brusquement d'en parler. Quand l'orchestre attaqua une nouvelle danse, James se montra fort désireux d'entraîner à nouveau sa belle cavalière. Celle-ci résista cependant :

— Je vous dis, Mr. Morland, s'écria-t-elle, que je ne ferais pour rien au monde une chose pareille. Comment pouvez-vous être aussi importun? Imaginez seulement, ma chère Catherine, ce que votre frère veut me faire faire... Il veut que je danse avec lui, bien que je lui aie dit que c'était une chose des plus inconvenantes et des plus contraires à toutes les règles. Nous serions la fable de la place, si nous ne changions point de partenaire.

— Sur mon honneur, dit James, dans ces réceptions publiques, c'est une chose qui se fait aussi souvent qu'elle ne se fait pas.

— Absurde! Comment pouvez-vous dire cela? Mais quand vous, les hommes, avez une idée en tête, rien ne saurait vous arrêter. Catherine chérie, aidez-moi, persuadez votre frère que cela est impossible. Dites-lui que vous seriez profondément choquée de me voir faire une chose pareille. Car vous seriez choquée, n'est-ce pas?

— Non, pas le moins du monde, mais si vous pensez que c'est mal, il vaut mieux que vous changiez de cavalier.

— Voilà, s'écria Isabelle, vous entendez ce que dit votre sœur... Néanmoins vous refusez d'y prêter la moindre attention. Bon, souvenez-vous que ce n'est point ma faute si nous mettons en émoi toutes les vieilles dames de Bath. Allons, ma très chère Catherine, à la grâce de Dieu, et restez près de moi.

Ils regagnèrent leurs places. John Thorpe était parti pendant tout ce temps et Catherine, toujours désireuse de donner à Mr. Tilney une occasion de renouveler l'agréable requête qui l'avait déjà tant flattée, se dirigea aussi vite que possible vers Mrs. Allen et Mrs. Thorpe, dans l'espoir de le trouver encore en leur compagnie. Lorsque cet espoir se révéla sans fondement, elle s'aperçut qu'il était bien peu raisonnable.

— Eh bien, ma chère, lui dit Mrs. Thorpe, impatiente d'entendre louer son fils, j'espère que vous avez trouvé votre cavalier très aimable?

— Extrêmement aimable, Madame.

— J'en suis ravie. John est charmant, n'est-ce pas?

— Avez-vous rencontré Mr. Tilney, ma chère? lui demanda Mrs. Allen.

— Non, où est-il?

— Il était avec nous il y a un instant et nous a déclaré qu'il était tellement fatigué d'errer çà et là qu'il était résolu à aller danser. J'ai donc pensé qu'il risquait de vous inviter s'il vous rencontrait.

— Où peut-il être? dit Catherine regardant partout.

Elle ne le cherchait guère depuis longtemps lorsqu'elle le vit accompagné d'une dame qu'il emmenait danser.

— Ah, il a trouvé une cavalière. J'espérais qu'il vous inviterait, vous, dit Mrs. Allen.

Après un bref silence, elle ajouta:

— C'est un jeune homme très aimable.

— En effet, Mrs. Allen, dit Mrs. Thorpe en souriant complaisamment. Je dois avouer, bien que je sois sa mère, qu'il n'est pas au monde un jeune homme plus aimable.

Cette étrange réponse eût pu déconcerter bien des gens, mais elle n'embarrassa pas le moins du monde Mrs. Allen, qui déclara tout bas à Catherine, après avoir réfléchi quelques minutes à peine:

— Je crois qu'elle pensait que je parlais de son fils.

Catherine était déçue et vexée. Elle semblait avoir manqué son objectif de si peu... Cette certitude ne l'incita pas à faire à John Thorpe une réponse des plus gracieuses quand il revint auprès d'elle peu après et lui dit :

— Eh bien, Miss Morland, je suppose que vous et moi allons retourner nous trémousser ensemble.

— Ah non ! Je vous suis infiniment reconnaissante mais nos deux danses sont terminées. D'autre part, je suis fatiguée et n'ai plus l'intention de danser.

— Vraiment ? En ce cas, allons faire un tour dans le bal et moquons-nous des gens. Suivez-moi, je vous montrerai les quatre personnes les plus grotesques de l'assistance, mes deux jeunes sœurs et leurs cavaliers. Cela fait une demi-heure que je m'amuse à leurs dépens.

Catherine s'excusa de nouveau, et il partit enfin, tout seul, se moquer de ses sœurs. Catherine trouva le reste de la soirée bien morne. Pendant le thé, Mr. Tilney avait négligé les amis de Catherine pour se joindre à ceux de sa cavalière. Miss Tilney, bien qu'elle fût à la même table que notre héroïne, n'était point assise près d'elle, et James et Isabelle étaient si occupés à converser ensemble que cette dernière n'eut pas le loisir d'accorder à son amie autre chose qu'un grand sourire, une pression de la main et un « Ma très chère Catherine ! ».

IX

Le chagrin qu'éprouva Catherine après les événements de cette soirée évolua de la manière suivante : il apparut tout d'abord sous la forme d'un sentiment général d'insatisfaction qui n'épargnait aucun de ses amis tant qu'elle fut aux Rooms. Lui succéda bientôt un insupportable ennui et un violent désir de rentrer chez elle. Lorsqu'elle arriva à Pulteney Street, cet ennui se transforma en une extraordinaire sensation de faim, et cette faim apaisée, en une folle envie d'aller au lit. Tel est le point extrême qu'atteignit sa détresse car lorsqu'elle fut couchée, elle tomba sans tarder dans un sommeil profond qui ne dura pas moins de neuf heures et dont elle se réveilla ressuscitée, d'excellente humeur, et pleine d'espoirs et de projets nouveaux. Son plus cher désir était de cultiver son amitié avec Miss Tilney et sa première résolution d'aller à sa recherche à la Pump Room dans ce but. Si l'on veut rencontrer un nouvel arrivé, le mieux est, en effet, d'aller à la Pump Room. D'autre part, Catherine avait déjà constaté que cet établissement se prêtait fort bien à la découverte des perfections féminines et à l'achèvement de l'amitié, et qu'il était admirablement propice aux entretiens confidentiels et aux grands secrets. Elle pouvait donc raisonnablement espérer se faire en ses murs une nouvelle amie. Ses projets ainsi arrêtés pour l'après-midi, elle s'installa avec son livre dès après le petit déjeuner, décidée à ne plus quitter sa place et son roman avant que l'horloge ne sonnât une heure. Par la force de l'habitude, elle n'était guère dérangée par les remarques et exclamations de Mrs. Allen qui, étant donné le vide de son esprit et son incapacité à penser, ne parlait jamais beaucoup mais ne pouvait jamais non plus rester tout à fait silencieuse. Ainsi, lorsqu'elle était assise à son ouvrage et qu'il lui arrivait de perdre son aiguille, de casser son fil, d'entendre un équipage passer dans la rue, ou de voir une tache sur sa robe, ne manquait-elle pas de le faire remarquer à voix haute, qu'il se trouvât ou non quelqu'un pour lui répondre. Vers midi et demi, un coup très violent frappé à la porte la fit se précipiter à la fenêtre, et elle avait à peine eu le temps d'informer Catherine qu'il y avait devant la porte deux voitures découvertes, que seul un domestique occupait la première, et que, dans la deuxième, son frère conduisait

Miss Thorpe, que John Thorpe montait les escaliers en courant et criait :

— Eh bien, Miss Morland, me voici ! Attendez-vous depuis longtemps ? Nous n'avons pas pu arriver plus tôt. Ce vieux diable de carrossier a mis une éternité à nous dégotter quelque chose de convenable, et l'on peut parier à dix mille contre un que cette voiture se brisera en mille morceaux avant que nous ne soyons au bout de la rue. Comment allez-vous, Mrs. Allen ? Fameux bal, hier soir, n'est-ce pas ? Venez, Miss Morland, dépêchez-vous, car les autres sont sacrément pressés de partir, il leur tarde de faire la culbute.

— Que voulez-vous dire ? dit Catherine. Où allez-vous tous ?

— Où nous allons ? Comment, vous n'avez pas oublié notre engagement ! N'avez-vous pas accepté de venir vous promener avec moi ce matin ? Quelle tête vous faites ! Nous allons à Claverton Down.

— Je me souviens que nous en avions vaguement parlé, dit Catherine en regardant Mrs. Allen pour lui demander son avis, mais en vérité je ne vous attendais pas.

— Vous ne m'attendiez pas ? C'est la meilleure ! Je suis pourtant sûr que si je n'étais pas venu, vous auriez fait un de ces tapages...

Le silencieux appel que Catherine ne cessa d'adresser à son amie pendant tout ce temps demeura parfaitement inutile ; Mrs. Allen n'avait pas l'habitude, en effet, de s'exprimer par des regards, et ignorait donc totalement qu'un autre pût le faire. La hâte qu'avait Catherine de revoir Miss Tilney n'était point si grande que l'idée d'une promenade en voiture ne pût la contrebalancer, et elle se vit donc obligée de s'exprimer plus clairement :

— Eh bien, Madame, qu'en dites-vous ? Pourrez-vous vous passer de moi pendant une heure ou deux ? Dois-je y aller ?

— Faites ce qu'il vous plaît, ma chère, répondit Mrs. Allen avec indifférence.

Catherine s'empressa de suivre son conseil et courut se préparer pour reparaître quelques minutes plus tard. Les autres avaient à peine eu le temps d'échanger quelques courtes phrases à sa louange, après que Mr. Thorpe se fut assuré de l'admiration de Mrs. Allen pour son cabriolet. Dès que leur amie leur eut adressé ses vœux de bonne promenade, Catherine et John dévalèrent les escaliers. Sitôt dehors, Catherine, n'écoutant que les devoirs de l'amitié, se précipita vers Isabelle.

— Très chère âme, s'écria celle-ci, vous avez mis au moins trois heures à vous préparer ! Je craignais que vous ne fussiez souffrante. Quel bal délicieux nous avons eu hier soir ! J'ai mille choses à vous raconter... Mais hâtez-vous de monter en voiture, je brûle de partir.

Catherine lui obéit et s'en alla, trop tard cependant pour ne pas entendre son amie qui disait très haut à James :

— Quelle fille adorable ! J'en raffole !

— N'ayez pas peur, Miss Morland, dit Thorpe en l'aidant à monter en voiture, si mon cheval danse un peu au début de notre promenade. Il fera très probablement une ruade ou deux et refusera peut-être ensuite d'avancer pendant un instant... Mais il ne tardera à comprendre qui est son maître. Il est plein de fougue, joueur autant qu'on peut l'être, mais nullement vicieux.

Catherine ne trouvait pas cette description très engageante, mais il était trop tard pour reculer et elle était trop jeune pour s'avouer effrayée. Se résignant donc à son sort et se fiant au dire du propriétaire du cheval qui se vantait de connaître parfaitement l'animal, elle s'installa tranquillement et Thorpe s'assit à côté d'elle. Une fois tous les détails réglés, le domestique qui se tenait devant le cheval reçut l'ordre, donné sur le ton le plus grave, de « tout lâcher »... et ils partirent le plus paisiblement du monde, sans que le cheval fît la moindre ruade ou cabriole. Catherine, ravie d'un dénouement aussi heureux, exprima tout le plaisir qu'elle en éprouvait avec une surprise reconnaissante. Son compagnon éclaircit sur-le-champ cette affaire en expliquant à la jeune fille que la sagesse du cheval tenait à la façon particulièrement judicieuse dont lui-même avait tenu les rênes au moment du départ, comme à l'adresse singulière qu'il avait montrée dans le maniement de son fouet. Catherine ne put s'empêcher de s'étonner qu'il jugeât nécessaire, malgré une si parfaite maîtrise de son cheval, de lui faire peur en lui racontant les tours dont cet animal était coutumier, mais elle se félicita surtout d'être entre les mains d'un cocher si habile. S'apercevant que le cheval gardait une allure toujours aussi paisible et ne témoignait pas du moindre goût pour une excessive vivacité, et (si l'on considère qu'il ne pouvait pas aller à moins de dix miles à l'heure) que l'allure à laquelle il trottait n'avait rien d'alarmant, Catherine s'abandonna toute au plaisir du bon air et de l'exercice par cette belle et douce journée de février avec l'intime certitude d'être en sécurité. Un silence de quelques minutes succéda à leur bref échange de paroles. Ce fut Thorpe qui le brisa le premier en disant brusquement :

— Le vieux Allen est riche comme un juif, n'est-ce pas ?

Catherine ne comprit pas, et il répéta sa question, ajoutant en guise d'explication :

— Oui, le vieux Allen, l'homme chez qui vous habitez.

— Ah, vous voulez dire Mr. Allen ! Oui, je le crois fort riche.

— Aucun enfant ?

— Non, aucun.

— Fameux pour ses proches héritiers. C'est *votre* parrain, n'est-ce pas ?

— Mon parrain ? Non.

— Mais vous êtes souvent avec eux.

— Oui, très souvent.

— Bon, c'est ce que je voulais dire. Il a l'air d'un bon vieux, et je crois qu'il ne s'est pas ennuyé dans son temps. Ce n'est pas pour rien qu'il a la goutte. Il boit encore sa bouteille tous les jours ?

— Sa bouteille par jour ! Non, qu'est-ce qui vous fait croire une chose pareille ? C'est un homme extrêmement sobre et j'espère qu'hier soir vous n'êtes pas allé vous imaginer qu'il était ivre ?

— Dieu vous garde ! Vous autres femmes croyez toujours que les hommes sont ivres. Vous ne supposez tout de même pas qu'une bouteille suffit pour abattre un homme ? Je suis certain, en tout cas, que si chacun buvait chaque jour sa bouteille, il n'y aurait pas en ce monde la moitié des malades qu'on y voit maintenant. Ce serait un fameux bienfait pour tous.

— Je ne puis le croire.

— Oh, Seigneur, cela signifierait le salut pour des milliers de gens. On ne consomme pas dans le royaume la centième partie du vin qu'on devrait consommer. Notre climat humide exige qu'on se soigne.

— J'ai pourtant entendu dire qu'il se buvait énormément de vin à Oxford.

— Oxford ! On ne boit plus à Oxford, je vous le certifie... Personne n'y boit vraiment. C'est tout juste si vous pourriez y rencontrer un homme qui dépasse ses quatre pintes, et encore c'est un maximum. Tenez, pour vous donner un exemple, on a trouvé extraordinaire que nous ayons bu, à la dernière réception que j'ai donnée chez moi, cinq pintes chacun en moyenne. On a regardé cela comme un événement. Certes mon vin est fameux, vous n'en trouverez guère qui le vaille à Oxford... L'explication est peut-être là. Je vous raconte cela pour vous donner une idée des quantités de vin que l'on peut boire à Oxford.

— Oui, cela m'en donne en effet une idée, dit Catherine avec chaleur, à savoir que vous buvez tous beaucoup plus de vin que je ne le pensais. Je suis certaine, cependant, que James ne boit pas autant.

Cette déclaration provoqua un concert de protestations dont rien n'était très intelligible, hormis les exclamations qui l'ornaient et qui se réduisaient essentiellement à des jurons. Au terme de cette discussion, Catherine se retrouva plutôt confortée dans sa certitude qu'il se buvait beaucoup de vin à Oxford et dans sa conviction que son frère, en comparaison, était fort heureusement sobre.

Thorpe revint ensuite aux mérites de son équipage, et Catherine se vit priée d'admirer la fougue et l'aisance avec lesquelles se mouvait le cheval ainsi que la douceur que son pas et la perfection des ressorts conféraient aux mouvements de la voiture. Catherine fit son possible pour partager l'enthousiasme de Thorpe, mais c'était là tout ce dont elle était capable. La science dont il témoignait en cette matière, son ignorance à elle, l'éloquence dont il faisait preuve, la timidité qui la caractérisait, tout cela interdisait à Catherine de prendre la moindre initiative ou de surenchérir sur les discours de Thorpe. Elle ne trouvait rien de personnel à dire sur cet équipage et se contentait de se faire l'écho de toutes les affirmations du jeune homme. Ils tombèrent finalement d'accord pour déclarer sans ambages que, dans l'ensemble et dans son genre, cet équipage était le plus parfait qu'on pût trouver en Angleterre, que sa voiture était la plus élégante, son cheval le plus résistant, son propriétaire le meilleur cocher.

— Vous ne pensez pas sérieusement, dit Catherine en se risquant bientôt à considérer cette question comme tout à fait réglée, et dans le but de changer de conversation, que le cabriolet de James va vraiment se briser?

— Se briser! Seigneur! Avez-vous jamais vu, de toute votre vie, engin plus pitoyable? Il n'est pas une pièce métallique qui ait été vérifiée, les roues sont usées de servir depuis plus de dix ans, quant à la caisse !... Sur mon âme, vous pourriez vous-même la mettre en pièces rien qu'en la touchant. C'est l'engin le plus diabolique que j'aie jamais vu. Grâce à Dieu, nous sommes mieux servis ! On me donnerait cinquante mille livres que je ne m'embarquerais pas là-dedans pour faire deux miles...

— Dieu du ciel ! s'écria Catherine, terrorisée, si tout cela est vrai, retournons, je vous en supplie. Ils vont certainement avoir un accident si nous continuons. Retournons, Mr. Thorpe. Arrêtez-vous et expliquez à mon frère combien cette voiture est dangereuse.

— Dangereuse ? Seigneur, mais quel danger ? Si la voiture se brise, ils feront une cabriole, c'est tout, et comme il y a beaucoup de boue... La chute serait magnifique ! Oh, malédiction ! La voiture est bien assez sûre si l'on sait la conduire. Entre de bonnes mains, une chose comme ça vous fait ses vingt ans avant d'être usée pour de bon. Dieu vous garde ! Pour cinq livres, je me charge de l'amener à York et de l'en ramener sans en perdre un clou.

Catherine écoutait, fort étonnée. Elle ne savait comment concilier deux versions si différentes d'un même fait. On ne lui avait pas appris à saisir les subtilités du bavardage, ni à se rendre compte du nombre d'assertions imbéciles et d'impudents mensonges auxquels amène l'excès de vanité. Ses parents étaient des gens simples et terre à terre qui cherchaient rarement à faire de l'esprit. Son père se contentait, au maximum, d'un jeu de mots et sa mère d'un proverbe. Ils n'avaient donc point l'habitude de raconter des mensonges pour accroître leur importance ou d'affirmer à un moment ce qu'ils contrediraient l'instant suivant. Catherine réfléchit un certain temps à tout cela, très perplexe, et elle se vit plus d'une fois sur le point d'exiger de Mr. Thorpe qu'il lui dévoilât plus clairement sa véritable opinion sur cette question de la voiture. Elle se retint de le faire car elle avait l'impression qu'il n'excellait pas à éclaircir les problèmes et à rendre évident ce qu'il avait tout d'abord rendu ambigu. A ce sentiment s'ajoutait la certitude qu'il ne souffrirait pas de voir sa sœur et son ami réellement exposés à un danger dont il pouvait aisément les garder, et elle conclut finalement qu'il devait savoir la voiture parfaitement sûre. Elle refusa donc de s'alarmer plus longtemps. Thorpe semblait pour sa part avoir complètement oublié cette affaire, et sa conversation, ou plutôt son bavardage, ne porta plus que sur sa propre personne et ses propres affaires. Il lui parla de chevaux qu'il avait eus pour rien et revendus des sommes incroyables, de courses dont son jugement infaillible avait prédit le vainqueur, de chasses où il avait tué plus d'oiseaux (bien qu'il n'eût pas eu un seul coup favorable) que tous ses compagnons réunis. Il lui décrivit des parties de chasse où sa prévoyance et son habileté dans la direction de la meute avaient réparé les erreurs des chasseurs les plus expérimentés, et où la hardiesse de sa monte, bien qu'elle n'eût pas mis sa propre vie en danger un seul instant, avait constamment entraîné les autres dans des difficultés inouïes, qui, conclut-il avec un grand calme, avaient brisé le cou à plus d'un.

Catherine était peu habituée à juger par elle-même et n'avait pas une idée bien claire de ce que doit être un homme, mais elle ne put s'empêcher tout à fait de douter, tandis qu'elle subissait les manifestations intempestives de sa vanité sans bornes, que Thorpe fût parfaitement aimable. C'était une conjecture hardie, puisque c'était le frère d'Isabelle et que James lui avait assuré que ses manières devaient le recommander auprès de toutes les dames, mais malgré tout cela, l'extrême ennui qu'elle éprouvait en sa compagnie, qui la submergea avant qu'une heure ne se fût écoulée depuis leur départ et ne cessa de croître jusqu'à leur retour à Pulteney Street, l'incita à négliger ces arguments en sa faveur et à douter du talent qu'il possédait de plaire à tout le monde.

Lorsqu'ils arrivèrent devant la porte des Allen, Isabelle conçut un indicible étonnement en constatant que la journée était trop avancée pour que l'on pût songer à accompagner Catherine. « Trois heures passées ! » C'était inconcevable, incroyable, impossible... Elle ne pourrait jamais croire sa propre montre, non plus que celle de son frère ou celle du domestique. Elle ne pourrait croire raisonnable ou vraie aucune affirmation concernant ce sujet, tant que Morland n'y aurait pas lui-même apporté sa garantie. Mais alors, douter un instant de plus eût été également inconcevable, incroyable, impossible. Elle put seulement protester mainte et mainte fois qu'elle n'avait de sa vie vu deux heures passer aussi vite, et elle pria Catherine de confirmer cette impression. Catherine était incapable de mentir, fût-ce pour plaire à son amie, mais Isabelle s'épargna la douleur de s'entendre contredire par son amie en n'attendant point sa réponse. Ses propres sentiments l'absorbaient tout entière, et elle était profondément malheureuse de se voir obligée de rentrer directement chez elle. Il y avait des siècles qu'elle n'avait eu le temps de converser avec sa chère Catherine, et bien qu'elle eût mille choses à lui dire, il semblait que jamais elles ne parviendraient à se voir. Elle fit donc ses adieux à son amie et partit, avec des sourires où se lisait le plus délicieux des chagrins et des yeux rieurs qui exprimaient l'abattement le plus profond.

Lorsque Catherine rentra, Mrs. Allen était tout juste de retour après une laborieuse journée d'oisiveté. Elle l'accueillit avec un :

— Eh bien, ma chère, vous voici.

Catherine n'avait ni l'envie ni le pouvoir de contester une semblable vérité.

— J'espère que vous avez fait une promenade agréable.

— Oui, Madame, je vous remercie. Nous ne pouvions avoir un plus beau temps.

— C'est ce que m'a dit Mrs. Thorpe ; elle était ravie que vous vous promeniez tous ensemble.

— Vous avez donc vu Mrs. Thorpe ?

— Oui, je suis allée à la Pump Room juste après votre départ et je l'y ai rencontrée. Nous avons longuement bavardé toutes les deux. Elle prétend qu'il n'y avait pas de veau au marché, ce matin. Il est si extraordinairement rare.

— Avez-vous rencontré quelque autre personne de connaissance ?

— Oui, nous sommes tombées d'accord pour aller faire un tour au Crescent, et nous y avons rencontré Mrs. Hughes, Mr. et Miss Tilney qui se promenaient ensemble.

— Vraiment ? Vous ont-ils parlé ?

— Oui, nous nous sommes promenés ensemble pendant une demi-heure. Ils ont l'air de bien charmantes personnes. Miss Tilney portait une ravissante robe de mousseline à pois, et j'imagine, d'après ce que j'ai pu apprendre, qu'elle s'habille toujours avec beaucoup d'élégance. Mrs. Hughes m'a raconté beaucoup de choses sur cette famille.

— Et que vous a-t-elle dit ?

— Oh, un tas de choses en vérité. Elle ne m'a guère parlé d'autre chose.

— Vous a-t-elle dit de quelle partie du Gloucester ils viennent ?

— Oui, mais je ne m'en souviens plus. Ce sont en tout cas des gens très bien et fort riches. Mrs. Tilney était une demoiselle Drummond. Elle et Mrs. Hughes étaient dans la même école et Miss Drummond possédait une immense fortune. Son père lui a donné vingt mille livres lorsqu'elle s'est mariée, et il lui a remis cinq cents livres pour acheter ses vêtements de mariée. Mrs. Hughes a vu ces vêtements lorsqu'on les a apportés du magasin.

— Mr. et Mrs. Tilney se trouvent-ils à Bath ?

— Oui, j'imagine, mais je n'en suis pas certaine. Réflexion faite, cependant, il me semble qu'ils sont morts tous les deux. La mère, au moins... Oui, je suis sûre que Mrs. Tilney est morte, parce que Mrs. Hughes m'a parlé d'une très belle parure de perles que Mr. Drummond avait offerte à sa fille le jour de son mariage et qui est à présent la propriété de Miss Tilney. On la lui a mise de côté lorsque sa mère est morte.

— Et Mr. Tilney, mon cavalier, est-il le seul garçon de la famille ?

— Je ne saurais être formelle sur ce point, ma chère... Il me semble qu'il l'est. De toute manière, Mrs. Hughes dit que c'est un très beau jeune homme et qu'il a probablement un grand avenir.

Catherine ne poussa pas plus loin son enquête. Elle en avait entendu assez pour comprendre que Mrs. Allen ne lui fournirait aucun renseignement intéressant et qu'il était vraiment regrettable qu'elle-même eût manqué cette rencontre avec Mr. et Miss Tilney. Si elle avait pu prévoir ce qui se passerait, rien n'aurait pu la persuader d'accompagner les autres. En l'occurrence, il ne lui restait qu'à déplorer sa malchance et qu'à songer à ce qu'elle avait perdu. Elle finit par s'avouer que la promenade ne lui avait pas du tout été agréable et que John Thorpe lui-même était un jeune homme des plus déplaisants.

X

Ce soir-là, les Allen, les Thorpe et les Morland se retrouvèrent tous au théâtre. Catherine et Isabelle étaient côte à côte et cette dernière eut donc l'occasion de dire à son amie quelques-unes de ces mille choses qu'elle avait accumulées au fond de son cœur pendant l'incommensurable période où elles s'étaient trouvées séparées.

— Oh, Seigneur, je vous retrouve enfin, ma Catherine adorée, dit-elle à Miss Morland quand celle-ci pénétra dans la loge et s'assit auprès d'elle. Dorénavant, Mr. Morland — lui aussi était assis à ses côtés —, je ne vous adresse plus la parole de la soirée entière et je vous prie de ne point essayer de me faire changer d'avis... Ma très douce Catherine, comment allez-vous depuis si longtemps?... Mais je n'ai pas besoin de vous le demander car vous êtes ravissante. Vous êtes coiffée plus divinement encore que d'ordinaire. Cruelle enfant, voulez-vous donc séduire tout le monde? Je vous assure que mon frère est déjà follement amoureux de vous. Quant à Mr. Tilney... Mais cela est une affaire réglée. Même *votre* modestie ne peut plus douter de son attachement. Son retour à Bath ne le dénonce que trop clairement. Oh, que ne donnerais-je pas pour le voir! Je suis vraiment folle d'impatience. Ma mère dit que c'est le plus délicieux jeune homme du monde. Elle l'a vu cet après-midi, vous savez... Vous devez absolument me le présenter. Est-il ici ce soir? Regardez bien, pour l'amour de Dieu, je vous assure que je ne vivrai pas tant que je ne l'aurai pas aperçu.

— Non, dit Catherine, il n'est pas là. Je ne le vois nulle part.

— Oh, c'est horrible! Ne ferai-je donc jamais sa connaissance? Comment trouvez-vous ma robe? Je trouve qu'elle n'est pas mal. Les manches sont entièrement de mon invention. Savez-vous que je suis terriblement fatiguée de Bath? Votre frère et moi sommes tombés d'accord ce matin pour dire que, bien qu'il soit extrêmement agréable d'y passer quelques semaines, nous n'y vivrions pas pour des millions. Nous nous sommes bientôt rendu compte que nos goûts étaient exactement les mêmes, car nous préférons à tout autre endroit la campagne. En vérité, nos opinions étaient si parfaitement identiques que cela en devenait parfaitement ridicule! Pas un seul point sur lequel nous ne soyons d'accord!... Je n'aurais pour rien au monde voulu que vous fussiez là. Vous êtes si malicieuse que vous eussiez fait à coup sûr quelque remarque amusante à ce sujet.

— Certainement pas.

— Oh, si, cela est certain. Je vous connais mieux que vous-même... Vous nous auriez dit que nous paraissions faits l'un pour l'autre, ou quelque autre bêtise de ce style qui m'eût affligée au-delà de tout. Mes joues en seraient devenues plus rouges que vos roses... Non, vraiment, je n'aurais pour rien au monde voulu que vous fussiez là.

— Vous êtes réellement fort injuste envers moi. Jamais je n'aurais risqué une remarque aussi inconvenante. Par ailleurs, je suis certaine que de pareilles idées ne me seraient jamais venues à l'esprit.

Isabelle eut un sourire incrédule et passa le reste de la soirée à parler avec James.

Le lendemain matin, Catherine était toujours aussi résolue à revoir Miss Tilney et, jusqu'à l'heure habituelle du départ pour la Pump Room, elle craignit qu'un empêchement ne survînt pour la deuxième fois. Il ne se produisit rien de tel cependant, nul visiteur ne vint retarder les Allen ou la jeune fille et tous trois partirent à l'heure pour la Pump Room. Les événements et la conversation y suivirent leur cours ordinaire. Après avoir bu un verre d'eau, Mr. Allen alla rejoindre quelques messieurs pour parler des affaires politiques du jour et comparer les comptes rendus des différents journaux. Les dames se promenèrent ensemble, observant tous les nouveaux visages et les nouveaux chapeaux. Les éléments féminins de la famille Thorpe, escortés de Mr. James Morland, apparurent dans la foule moins d'un quart d'heure après, et Catherine prit sans tarder sa place habituelle aux côtés de son amie. James, qui ne quittait plus maintenant son service auprès d'Isabelle, imita sa sœur. Ils se séparèrent du reste de la troupe et se promenèrent ainsi un certain temps. Au bout d'un moment, cependant, Catherine commença à douter des agréments d'une situation qui la limitait à la compagnie de son amie et de son frère, mais ne lui assurait qu'une part bien modeste de l'attention de chacun d'eux. Ils étaient constamment engagés dans quelque discussion sentimentale ou quelque amusante dispute, mais ils s'exprimaient si bas, mêlaient tant de rires à leur conversation, que Catherine, bien que l'un ou l'autre de ses compagnons la prît fréquemment à témoin, ne pouvait jamais donner le moindre avis, n'ayant pas saisi un seul mot du sujet de la discussion. Elle argua pour les quitter de la nécessité d'aller parler à Miss Tilney. Celle-ci venait juste d'arriver en compagnie de Mrs. Hughes, et Catherine s'empressa de la rejoindre. Elle était d'autant plus décidée à mieux connaître la jeune fille que, la veille, ses espoirs sur ce point avaient été déçus. Miss Tilney l'accueillit avec une grande civilité et lui rendit de bon cœur toutes ses gentillesses. Elles demeurèrent à converser ensemble tant que leurs amis restèrent à la Pump Room. Il est probable qu'elles ne firent pas la moindre observation ou ne dirent pas un mot qu'on n'eût déjà entendu des milliers de fois sous ce toit à chaque saison de Bath, mais il n'en est pas moins vrai que la simplicité, la sincérité et la totale absence de vanité personnelle qui caractérisaient leurs paroles devaient être en ce lieu une chose assez rare.

— Comme votre frère danse bien ! s'exclama naïvement Catherine vers la fin de l'après-midi.

Sur le coup, ces paroles surprirent et amusèrent sa compagne.

— Henry ! répondit-elle avec un sourire. Oui, il danse très bien en effet.

— Il a dû trouver bien étrange de m'entendre dire, l'autre soir, que j'étais engagée, alors qu'il me voyait assise, mais j'étais réellement engagée par Mr. Thorpe depuis l'après-midi.

Miss Tilney ne pouvait que s'incliner devant pareille explication.

— Vous n'imaginez pas, ajouta Catherine, combien j'ai été surprise de le revoir. J'étais certaine qu'il était définitivement parti.

— Lorsque Henry a eu le plaisir de faire votre connaissance, il était à Bath pour deux jours seulement. Il n'était venu ici que pour nous trouver un logement.

— Cela ne m'est pas venu à l'esprit, et bien entendu, en ne le voyant plus nulle part, j'ai pensé qu'il devait être parti. La jeune fille qui dansait avec lui lundi n'est-elle pas une certaine Miss Smith ?

— Oui, c'est une amie de Mrs. Hughes.

— Elle m'a paru ravie de danser. La trouvez-vous jolie ?

— Non, pas très jolie.

— Il ne vient jamais à la Pump Room, je suppose ?

— Si, parfois, mais aujourd'hui il est sorti à cheval avec mon père.

Mrs. Hughes les rejoignit alors et demanda à Miss Tilney si elle était prête à partir.

— J'espère que j'aurai le plaisir de vous revoir bientôt, dit Catherine. Serez-vous au cotillon, demain ?

— Peut-être y viendrons-nous. Oui, je pense que nous y viendrons certainement.

— J'en suis ravie car nous y serons tous.

Miss Tilney répondit très civilement à cette aimable parole, et elles se séparèrent, Miss Tilney relativement renseignée sur les sentiments de sa nouvelle amie et Catherine tout à fait inconsciente de s'être trahie de la sorte.

Miss Morland rentra chez elle parfaitement heureuse. Cette journée avait répondu à son attente et elle était impatiente d'être au lendemain soir, sûre que cette soirée lui apporterait beaucoup de bonheur. La robe qu'elle porterait à cette occasion, sa coiffure devinrent son principal souci. Il ne saurait être question de l'excuser de cela. La toilette est toujours une préoccupation frivole, et trop s'en soucier conduit souvent à en anéantir l'effet même que l'on se proposait d'obtenir. Catherine savait très bien tout cela. Sa grand-tante lui avait lu quelque chose là-dessus au précédent Noël. Elle souffrit cependant le mercredi soir d'une insomnie de dix minutes, se demandant si elle porterait sa robe de mousseline à pois ou sa robe de mousseline brodée. Seul le manque de temps l'empêcha d'acheter une robe neuve pour cette soirée. C'eût été commettre une faute, grave bien que commune, dont un homme plutôt qu'une femme, un frère plutôt qu'une grand-tante l'eût avertie, car seul un homme peut savoir à quel point un autre homme reste insensible au charme d'une robe neuve. Mainte dame se sentirait mortifiée si l'on parvenait à lui faire comprendre à quel point un cœur masculin se laisse peu impressionner par le luxe ou la nouveauté d'une toilette, à quel point le laisse froid la texture d'une mousseline et combien il est incapable d'aimer plus tendrement les pois que les fleurs, l'organdi que le jaconas. Une femme n'est élégante que pour sa satisfaction personnelle. Aucun homme ne l'en admirera davantage, aucune femme ne l'en aimera mieux. Qu'elle ait du goût, qu'elle soit à la mode, les messieurs s'en contenteront. Quant aux dames, elles accueilleront assez bien un peu de pauvreté et de maladresse... Aucune de ces graves réflexions, cependant, ne vint troubler la tranquillité de Catherine.

Le jeudi soir, elle entra dans les Rooms avec des sentiments fort différents de ceux qu'elle y avait apportés le lundi précédent. Elle exultait alors de ce que Thorpe l'eût invitée et avait maintenant pour principal souci d'échapper à sa vue de peur qu'il ne l'invitât de nouveau. Bien qu'elle ne pût, en effet, ni n'osât espérer que Mr. Tilney l'inviterait pour la troisième fois, ses vœux, ses espérances et ses projets n'avaient point d'autre objet. Toutes les jeunes filles partageront les sentiments qu'éprouve mon héroïne en cet instant critique, car toutes elles ont, à un moment ou à un autre, connu le même trouble. Toutes, elles ont couru — ou ont au moins cru courir — le danger auquel vous expose le fait d'être poursuivi par une personne que vous souhaitez éviter. Toutes, aussi, ont ardemment désiré les attentions d'un homme à qui elles voulaient plaire. Dès que les Thorpe eurent rejoint les Allen et Catherine, l'agonie de notre héroïne commença. Elle ne tenait plus en place dès que John Thorpe faisait un pas vers elle, se dérobait autant que possible à ses regards et feignait de ne point l'entendre quand il lui adressait la parole. Les cotillons étaient finis, les contredanses commençaient et elle n'apercevait toujours pas les Tilney.

— Ne vous inquiétez pas, ma chère Catherine, lui chuchota Isabelle, mais je vais bel et bien danser une fois de plus avec votre frère... Je déclare que c'est positivement scandaleux. Je lui ai bien dit qu'il devrait avoir honte... Vous et John devez absolument nous soutenir. Dépêchez-vous, chère âme, de venir nous rejoindre. John vient juste de partir mais il va revenir dans un instant.

Catherine n'eut pas le loisir de répondre et elle n'en avait d'ailleurs aucune envie. James et Isabelle s'en allèrent danser. John Thorpe était toujours en vue et elle se crut perdue. Pour ne pas avoir l'air de l'observer ou de l'attendre, elle garda ses yeux obstinément fixés sur son éventail. Il venait juste de lui traverser l'esprit qu'elle était stupide de croire pouvoir jamais rencontrer à temps les Tilney dans une foule pareille quand elle s'aperçut tout à coup que Mr. Tilney en personne lui adressait une nouvelle invitation à danser. On peut aisément imaginer la joie qui se lisait dans ses yeux tandis qu'elle écoutait sa requête et l'agréable émoi qui était le sien quand elle rejoignit le quadrille en sa compagnie. Échapper, et de si près, pensait-elle, à John Thorpe, être invitée par Mr. Tilney si vite après qu'il l'eut rencontrée comme s'il l'avait cherchée dans ce but... Il lui semblait que la vie ne pouvait offrir une félicité plus grande.

A peine étaient-ils parvenus, cependant, à trouver une place à peu près tranquille, que l'attention de Catherine était appelée par John Thorpe qui se trouvait derrière elle.

— Hé, hé, Miss Morland, lui dit-il, qu'est-ce que ça signifie ? Je croyais que nous devions danser ensemble, vous et moi.

— Je m'étonne que vous ayez cru cela car vous ne m'avez point invitée.

— C'est la meilleure, par Jupiter ! Je vous ai invitée à l'instant même où j'ai mis les pieds dans cette salle et j'allais vous inviter de nouveau, mais quand je me suis retourné, vous aviez disparu. C'est vraiment un sale tour que vous me jouez là ! Je suis venu dans le seul espoir de danser avec vous et j'ai la ferme conviction que vous étiez engagée envers moi dès lundi. Oui, je m'en souviens, je vous ai invitée quand vous attendiez votre manteau dans le vestibule et j'ai dit à tous mes amis que j'allais danser avec la plus jolie fille du bal. Quand ils vous verront avec un autre, ils vont sacrément se moquer de moi.

— Oh, non, ils ne me reconnaîtront jamais après la description que vous avez faite de moi.

— Par Dieu, s'ils ne vous reconnaissent pas, je jetterai ces lourdeaux dehors à coups de pied. Qui est ce type-là ?

Catherine satisfit sa curiosité.

— Mr. Tilney, répéta-t-il, hum, je ne le connais pas. Bel homme, très bien dans l'ensemble. Est-ce qu'il n'aurait pas besoin d'un cheval ? Il y a ici un de mes amis, Sam Fletcher, qui en a un à vendre. Il conviendrait à n'importe qui. C'est un fameux animal pour la route... Quarante guinées seulement. J'ai eu cinquante fois l'idée de l'acheter moi-même car j'ai pour principe de toujours acheter un bon cheval quand j'en rencontre un. Mais il ne répondait pas à mes besoins, il n'irait pas pour la campagne. Je donnerais n'importe quel prix d'un bon cheval de chasse. J'en ai trois, maintenant, les meilleurs qui aient jamais été montés. Je ne les céderais pas pour huit cents guinées. Fletcher et moi avons l'intention de nous trouver une maison dans le Leicestershire pour la saison prochaine. C'est si diablement inconfortable de vivre à l'auberge !

Ce furent les derniers mots dont il importuna Catherine, car, juste à ce moment-là, il fut irrésistiblement entraîné par une kyrielle de dames qui passaient. Le cavalier de Catherine s'approcha alors et lui dit :

— Ce gentleman m'aurait vraiment mis hors de moi s'il était resté avec vous trente secondes de plus. Il n'a pas à détourner de moi l'attention de ma cavalière. Nous avons passé vous et moi un contrat de mutuelle amabilité l'espace d'une soirée, et pendant tout ce temps, l'amabilité de chacun de nous appartient exclusivement à l'autre. Nul ne peut s'imposer à l'attention de l'un sans insulter les droits de l'autre. Je vois la contredanse comme un emblème du mariage. La fidélité et l'obligeance y sont également les devoirs principaux, et les hommes qui ne désirent ni danser ni se marier n'ont point à s'occuper des cavalières ou des femmes de leurs voisins.

— Mais ce sont là des choses si différentes...

— ... qu'on ne peut pas les comparer, pensez-vous.

— Certes. Les gens qui se marient ne peuvent plus jamais se séparer. Ils doivent au contraire sortir ensemble ou rester ensemble chez eux. Les gens qui dansent, eux, ne font que rester face à face pendant une demi-heure dans une grande salle.

— Ainsi, ce sont là vos définitions du mariage et de la danse. Vus sous ce jour, leur ressemblance n'est certes pas frappante, mais je pense pouvoir les considérer d'un autre point de vue. Vous m'accorderez que dans les deux cas l'homme a le pouvoir de choisir et la femme seulement celui de refuser ; que, dans les deux cas, il s'agit entre un homme et une femme d'un engagement qui se forme au profit de chacun, et qu'une fois les deux protagonistes engagés, ils s'appartiennent exclusivement l'un à l'autre jusqu'à la dissolution du contrat ; que c'est leur devoir à tous deux d'essayer de ne donner à l'autre — que cet autre soit « il » ou « elle » — aucune raison de souhaiter être ailleurs et leur plus grand intérêt d'empêcher leur imagination de s'égarer sur les perfections de leurs voisins ou d'aller penser qu'ils se fussent bien mieux trouvés avec n'importe quel autre partenaire. M'accorderez-vous cela ?

— Oui, certes. Tel que vous le présentez, tout cela sonne fort bien. Mais il n'en subsiste pas moins bien des différences entre le mariage et la danse. Je ne puis envisager ces deux institutions sous le même jour ni penser que les mêmes devoirs y soient attachés.

— Sur un point précis, on peut assurément trouver une différence. Dans le mariage, l'homme est censé pourvoir aux besoins de la femme et la femme rendre la maison agréable à son mari. Lui doit approvisionner le foyer, elle sourire. Dans la danse au contraire, les devoirs sont exactement inversés : l'amabilité et la soumission, voici ce que l'on attend du monsieur, tandis que la dame se doit de fournir l'éventail et l'eau de lavande. C'est là, je suppose, la différence qui vous frappait tellement entre les devoirs attachés à l'un et à l'autre et qui interdisait à votre avis toute comparaison entre eux.

— Non, vraiment, je n'avais point songé à cela.

— J'en suis fort embarrassé. Je dois cependant vous faire remarquer une chose. Cette disposition de votre esprit est plutôt inquiétante. Vous niez absolument toute similitude dans les obligations qui incombent à des époux et à des danseurs. Ne puis-je en conclure, par conséquent, que l'idée que vous vous faites des devoirs de l'état de danseur n'est pas aussi stricte que votre cavalier pourrait le désirer ? N'ai-je pas raison de craindre que si le gentleman qui vous parlait tout à l'heure revenait, ou si quelque autre gentleman s'adressait à vous, rien ne pourrait vous empêcher de converser avec lui aussi longtemps qu'il vous plairait ?

— Mr. Thorpe est tellement intime avec mon frère, que lorsqu'il me parle, je me dois de lui répondre, mais à part lui, il y a dans cette salle trois jeunes gens à peine que je connaisse un tant soit peu.

— Il n'y aurait donc que cela pour assurer ma sécurité ? Hélas, hélas...

— Rien, j'en suis sûre, ne peut mieux l'assurer. Si je ne connais personne, il m'est impossible de parler à qui que ce soit. D'autre part, je n'ai pas la moindre *envie* de parler à quelqu'un.

— Vous venez de me donner là une garantie des plus valables et c'est avec un grand courage que je poursuivrai maintenant. Trouvez-vous toujours Bath aussi agréable que la première fois que j'ai eu l'honneur de vous le demander ?

— Oui, toujours aussi agréable et même plus, en vérité.

— Encore plus ! Méfiez-vous, vous oublierez d'en être fatiguée au bon moment. Vous vous devez d'en être lasse au bout de six semaines.

— Je ne crois pas que je m'en fatiguerais même si j'y restais six mois.

— Bath est bien monotone à côté de Londres et tout le monde s'en aperçoit chaque année. J'accorde que Bath est relativement agréable lorsqu'on y passe six semaines, mais passé ce délai, c'est l'endroit le plus assommant du monde. C'est là ce que vous diront toutes sortes de gens qui viennent régulièrement chaque hiver, allongent leurs six semaines en dix ou douze et finissent par s'en aller parce qu'ils n'ont pas les moyens de rester plus long-temps.

— Très bien, il faut donc juger par soi-même. Ceux qui vont à Londres peuvent mépriser Bath, mais moi qui vis dans un petit village retiré à la campagne, je ne saurais trouver cet endroit plus monotone que celui où j'habite, car il y a ici quantité de distractions et une foule de choses à voir et à faire tout au long de la journée dont je ne puis absolument pas profiter là-bas.

— Vous n'aimez donc pas la campagne ?

— Oh si ! J'y ai toujours vécu et j'y ai toujours été très heureuse. Mais il est certain que la vie à la campagne est plus monotone que la vie à Bath. A la campagne, les jours se suivent et se ressemblent en tout point.

— Mais vous occupez votre temps d'une façon beaucoup plus raisonnable à la campagne.

— Vraiment ?

— Ce n'est pas le cas ?

— Je ne pense pas qu'il y ait une grande différence.

— Ici, vous êtes toute la journée en quête de seules distractions.

— A la maison aussi, seulement je n'en trouve pas autant qu'ici. A Bath, je me promène et je le fais aussi là-bas, mais je vois ici une foule de gens dans les rues alors que là-bas je puis seulement aller rendre visite à Mrs. Allen.

Mr. Tilney s'amusait beaucoup.

— Rendre visite à Mrs. Allen, répéta-t-il, quel affreux tableau de misère intellectuelle ! Cependant, lorsque vous retomberez au fond de ces abysses, vous aurez un sujet de conversation. Vous pourrez parler de Bath et de tout ce que vous y avez fait.

— Oh, oui, je ne serai plus jamais en peine de trouver quelque chose à dire à Mrs. Allen ou à n'importe qui d'autre. Je crois vraiment que je ne cesserai pas de parler de Bath quand je serai revenue à la maison. J'aime tellement cette ville ! Si seulement Papa, Maman et le reste de la famille pouvaient être ici, je serais trop heureuse ! L'arrivée de James (mon frère aîné) m'a vraiment enchantée, d'autant que les gens que nous avons rencontrés il y a peu de temps étaient déjà ses amis intimes. Oh, qui peut jamais se fatiguer de Bath ?

— Pas ceux, en tout cas, qui comme vous y apportent des sentiments aussi frais. Mais les papas, les mamans, les frères et les amis, tout cela est bien dépassé pour la plupart des gens qui fréquentent Bath, et le charme honnête des bals, des pièces de théâtre et du spectacle quotidien de la rue est mort pour ces gens-là.

Ils furent obligés de stopper là leur conversation, les exigences de la danse interdisant qu'on n'y prêtât qu'à demi attention.

Peu de temps après qu'ils furent arrivés au bout du quadrille, Catherine se rendit compte qu'un monsieur qui se trouvait parmi les spectateurs, juste derrière son cavalier, la dévorait des yeux. C'était un très bel homme d'allure autoritaire qui, bien qu'il ne fût plus dans la fleur de l'âge, en conservait toute la vigueur. Il gardait les yeux fixés sur elle, et elle le vit qui s'adressait bientôt à Mr. Tilney d'une manière familière. Gênée de l'attention qu'il lui portait et rougissant de la peur que ce fût en elle un défaut qui excitât son intérêt, elle détourna la tête. A ce moment-là, le gentleman s'éloigna et Mr. Tilney, revenant auprès de Catherine, lui dit :

— Je crois que vous devinez ce que l'on vient de me demander. Ce gentleman connaît à présent votre nom, vous avez donc le droit de connaître le sien. C'est le général Tilney, mon père.

Catherine répondit simplement : « Oh ! », mais c'était un « Oh ! » qui exprimait l'essentiel, à savoir l'intérêt qu'elle portait à ses paroles et sa totale confiance en leur véracité. C'est avec beaucoup de curiosité et d'admiration qu'elle suivait maintenant des yeux le général qui se frayait un chemin à travers la foule. Elle se dit en elle-même que c'était une bien belle famille.

En bavardant avec Miss Tilney avant la fin de la soirée, Catherine eut une autre raison d'être heureuse. Elle n'était jamais allée se promener à pied à la campagne depuis son arrivée à Bath. Miss Tilney, à qui tous les environs de Bath étaient familiers, parla d'eux en des termes qui rendirent Catherine fort impatiente de les connaître aussi. Dès qu'elle eut franchement exprimé sa crainte de ne trouver personne pour l'y accompagner, le frère et la sœur lui proposèrent d'aller faire une promenade un de ces prochains jours.

— Cela me plairait plus que tout au monde, s'écria-t-elle, n'attendons point, allons-y dès demain.

Ils se mirent vite d'accord là-dessus, Miss Tilney posant comme seule condition qu'il ne plût pas, ce dont Catherine était certaine. Ils viendraient prendre Catherine à Pulteney Street à midi.

— Souvenez-vous, midi, fut le mot d'adieu qu'elle adressa à ses nouveaux amis.

Quant à son autre amie, sa vieille amie, son amie officielle, Isabelle, dont elle avait expérimenté pendant quinze jours la fidélité et tous les mérites, elle ne la vit guère de toute cette soirée. Bien qu'elle brûlât de lui faire connaître son bonheur, elle se soumit gaiement au désir de Mr. Allen qui voulait rentrer tôt. Les pensées de Catherine dansaient dans sa tête comme elle, elle dansa dans la voiture tout au long du chemin qui la ramenait chez elle.

XI

Le lendemain matin, le temps était passable et le soleil faisait de vagues efforts pour percer. Catherine en tira l'augure le plus favorable à ses vœux. Elle accordait que, si tôt dans l'année, une matinée ensoleillée amène souvent de la pluie et qu'un temps nuageux laisse espérer une amélioration. Elle en appela à Mr. Allen pour qu'il la confortât dans cette idée, mais Mr. Allen étant privé de ses cieux habituels et de son baromètre refusa de lui assurer vraiment qu'il ferait soleil. Elle en appela donc à Mrs. Allen qui eut une réponse plus positive : Elle ne doutait pas le moins du monde qu'il ferait très beau ce jour-là si les nuages se dissipaient et si le soleil perçait.

Vers onze heures pourtant, quelques gouttes d'une pluie fine attirèrent l'attention de la vigilante Catherine et elle laissa échapper, du ton le plus abattu :

— Oh, ma chère, je crois vraiment qu'il va pleuvoir.

— C'est bien ce que je pensais, dit Mrs. Allen.

— Pas de promenade pour moi, aujourd'hui, soupira Catherine. Mais peut-être que ce ne sera rien et que le temps se lèvera avant midi.

— Oui, cela se peut, mais dans ce cas, ma chère, il y aura tant de boue...

— Oh, cela ne fait rien, je n'ai pas peur de la boue.

— Certes, répondit très calmement son amie, je sais que vous vous moquez de la boue.

Après un instant de silence :

— Il pleut de plus en plus, dit Catherine qui se tenait en observation devant une fenêtre.

— En effet, et s'il continue à pleuvoir, les rues seront bien mouillées.

— Je vois déjà quatre parapluies ouverts. Comme je hais la simple vue d'un parapluie !

— Ce sont en effet des objets bien désagréables à porter. N'importe quand, je préfère prendre une voiture.

— C'était une si belle matinée ! J'étais tellement persuadée qu'il ne pleuvrait point !

— C'est ce que n'importe qui aurait cru, en vérité. Il n'y aura pas grand monde à la Pump Room s'il pleut toute la matinée. J'espère que Mr. Allen mettra son grand manteau pour sortir, mais je crois qu'il n'en fera rien car il déteste plus que tout sortir avec un grand manteau. Je m'en étonne, cela doit être si agréable.

La pluie tombait toujours, serrée mais fine. Catherine allait toutes les cinq minutes à l'horloge et annonçait chaque fois qu'elle en revenait qu'elle abandonnerait tout espoir s'il pleuvait cinq minutes de plus. L'horloge sonna midi et il pleuvait encore.

— Vous ne pourrez pas aller faire votre promenade, ma chère.

— Je ne désespère pas encore tout à fait. Je n'abandonnerai pas avant midi et quart. C'est l'heure rêvée pour une éclaircie et j'ai la nette impression que le ciel est moins couvert. Voilà, il est maintenant midi vingt et je *vais* abandonner tout espoir. Oh, si nous pouvions avoir ici un temps comme il en faisait un à Udolphe, ou du moins en Toscane et dans le sud de la France, la nuit où mourut le pauvre Saint Aubin... Un si beau temps !

A midi et demi, alors que Catherine avait cessé de porter au temps cette attention passionnée et qu'elle n'attendait plus qu'il s'améliorât, le ciel commença spontanément à s'éclaircir. Un pâle rayon de soleil atteignit la jeune fille alors qu'elle ne s'y attendait pas. Elle jeta un coup d'œil autour d'elle : les nuages se dissipaient. Elle retourna bien vite à la fenêtre pour observer attentivement le ciel et encourager cette heureuse apparition du soleil. Dix minutes plus tard, elle avait la certitude que l'après-midi serait magnifique, et il s'avérait que Mrs. Allen avait eu raison de penser depuis le début que le temps s'éclaircirait. Catherine, cependant, pouvait-elle encore attendre ses amis, n'avait-il pas trop plu pour que Miss Tilney entreprît cette promenade ? La question restait entière.

Il y avait trop de boue pour que Mrs. Allen accompagnât son mari à la Pump Room. Il sortit donc seul, et

Catherine venait à peine de le regarder descendre la rue quand son attention fut appelée par le bruit que faisaient en s'approchant les deux mêmes voitures découvertes, avec à l'intérieur les trois mêmes personnes qui, quelques jours auparavant, l'avaient tellement surprise.

— Par exemple! Isabelle, mon frère et Mr. Thorpe! Ils viennent peut-être me chercher, mais je n'irai pas. Je ne puis vraiment pas y aller car vous savez que Miss Tilney peut encore arriver.

Mrs. Allen acquiesça. John Thorpe arriva bientôt, mais sa voix l'avait précédé auprès de ces dames. Depuis l'escalier en effet, il hurlait à Miss Morland de se dépêcher. En ouvrant la porte, il cria :

— Dépêchez-vous, dépêchez-vous. Mettez votre chapeau tout de suite, nous n'avons pas de temps à perdre, nous allons à Bristol... Comment allez-vous, Mrs. Allen?

— A Bristol! Mais n'est-ce pas fort loin? De toute façon, je ne puis vous accompagner aujourd'hui car je ne suis pas libre. J'attends des amis d'un instant à l'autre.

Thorpe combattit bien entendu cet argument avec véhémence. Il déclara que c'était absurde, il en appela à Mrs. Allen pour le secourir et les deux autres arrivèrent pour lui prêter main-forte.

— Ma Catherine adorée, n'est-ce pas merveilleux? Cette promenade sera un enchantement. C'est moi et votre frère qu'il faut remercier pour cette idée. Elle nous est venue au petit déjeuner, exactement en même temps, je crois, et nous serions partis depuis deux heures au moins s'il n'y avait eu cette pluie détestable. Mais cela ne fait rien, la lune nous éclairera et ce sera merveilleux. Oh, je suis en extase à l'idée d'un peu de bon air et de calme! C'est tellement plus agréable que d'aller aux Lower Rooms. Nous nous rendrons directement à Clifton et nous y dînerons. Le dîner terminé, s'il nous reste un peu de temps, nous irons à Kingsweston.

— Je doute que nous puissions faire tout cela, dit Morland.

— Quel oiseau de mauvais augure, s'écria Thorpe, nous pourrons faire dix fois plus de choses. Kingsweston, oui, et Blaize Castle aussi, et tout ce dont nous entendrons parler... Mais voici votre sœur qui prétend ne pas nous accompagner.

— Blaize Castle, s'écria Catherine, qu'est-ce que c'est?

— Le plus bel endroit d'Angleterre. Il vaut qu'on fasse, n'importe quand, cinquante miles pour le voir.

— Comment, c'est vraiment un château, un vieux château?

— Le plus vieux du royaume[1].

— Mais ressemble-t-il à ceux que l'on voit dans les livres?

— Oui, exactement.

— Sérieusement, il y a des tours, de grandes galeries?

— Par douzaines.

— Comme j'aimerais le voir! Mais je ne puis, je ne peux pas vous accompagner.

— Ne pas nous accompagner! Qu'entendez-vous par là, ma Catherine adorée?

— Je ne puis, parce que (baissant les yeux tout en parlant, de crainte de voir Isabelle sourire), parce que j'attends Miss Tilney et son frère pour aller à la campagne faire une promenade à pied. Ils avaient promis de venir me chercher à midi, à moins qu'il ne plût. Mais maintenant, il fait si beau que je crois qu'ils ne tarderont plus.

— Certainement pas, s'écria Thorpe, car je les ai aperçus au moment où nous tournions dans Broad Street. Ne conduit-il pas un phaéton tiré par de magnifiques alezans?

— Je n'en sais vraiment rien.

1. Thorpe ment ici de façon éhontée car Blaize Castle n'a rien d'un château très ancien.

92

— Mais moi je sais que oui. Je l'ai vu. Vous parlez bien du jeune homme avec qui vous dansiez hier soir, n'est-ce pas?

— Oui.

— Eh bien, je l'ai vu tout à l'heure tourner dans Landsdown Road. Il était avec une bien jolie fille.

— Vraiment?

— Oui, sur mon âme, je l'ai reconnu tout de suite. Il m'a même semblé que ses chevaux étaient très beaux.

— C'est fort étrange! Enfin, je suppose qu'ils auront pensé qu'il y avait trop de boue pour aller se promener à pied.

— Et ils ont bien pensé... Je n'ai jamais vu autant de boue qu'aujourd'hui. Marcher! Vous ne pourriez pas plus marcher que vous ne pouvez voler. Il n'y a jamais eu une boue pareille de tout l'hiver. On s'y enfonce partout jusqu'à la cheville.

Isabelle corrobora ses dires :

— Ma très chère Catherine, vous ne pouvez pas imaginer toute la boue qu'il y a. Venez! Il faut que vous veniez. Vous ne pouvez plus refuser de nous accompagner.

— J'aimerais beaucoup voir ce château... Mais est-ce qu'on peut le visiter entièrement? Pourrons-nous gravir chaque escalier, pénétrer dans chaque appartement?

— Oui, oui, dans chaque trou, dans chaque recoin.

— Mais s'ils n'étaient sortis que pour une heure, en attendant que les rues sèchent... S'ils revenaient?

— Tranquillisez-vous, cela ne risque pas d'arriver. J'ai entendu Tilney crier à un cavalier qui passait à côté de lui qu'ils pousseraient jusqu'à Wick Rocks.

— Dans ce cas, je veux bien. Dois-je y aller, Mrs. Allen?

— Faites ce qu'il vous plaît, ma chère.

— Mrs. Allen, il faut la convaincre de nous accompagner, fut le cri unanime.

Mrs. Allen ne resta pas insensible à leur prière.

— Eh bien, ma chère, dit-elle, je suppose que vous y allez...

Deux minutes plus tard, ils étaient tous partis.

Les sentiments de Catherine, lorsqu'elle monta en voiture, étaient très ambigus. Elle était partagée entre le regret d'être privée d'un grand plaisir et l'espoir d'en éprouver bientôt un autre, presque égal quoique fort différent. Elle ne pouvait pas s'empêcher de penser que les Tilney n'avaient pas très bien agi envers elle en oubliant si vite leur engagement et en omettant de lui envoyer un mot d'excuse. L'heure de leur promenade n'était dépassée que d'une heure, et, malgré tout ce qu'on lui avait raconté sur l'extraordinaire quantité de boue qui s'était accumulée pendant ce temps-là, elle ne pouvait s'empêcher de penser, d'après ses observations personnelles, qu'ils eussent pu venir sans problèmes. Elle était fort chagrinée de se voir traiter avec une telle légèreté. D'un autre côté, le plaisir d'explorer un édifice tout pareil à Udolphe — car c'est ainsi que son imagination lui représentait Blaize Castle — contrebalançait si bien ses malheurs qu'il pouvait l'en consoler presque entièrement.

Ils dévalèrent Pulteney Street et traversèrent Laura Place sans échanger un mot. Thorpe parlait à son cheval et Catherine méditait tour à tour sur les promesses rompues et sur les voûtes brisées, sur les phaétons et sur les fausses tapisseries, sur les Tilney et sur les trappes... Cependant, comme ils entraient dans Argyle Buildings, la voix de son compagnon la tira de ses méditations.

— Qui est cette jeune fille qui vous regarde si fixement ? lui demandait-il.

— Qui ? Où ?

— Sur le trottoir de droite... Elle doit être hors de vue, maintenant.

Catherine regarda autour d'elle et vit Miss Tilney qui descendait lentement la rue, appuyée au bras de son frère. Elle les vit se retourner tous les deux pour la regarder.

— Arrêtez, arrêtez, c'est Miss Tilney, c'est elle! Comment avez-vous pu me dire qu'ils étaient partis? Arrêtez, arrêtez, je descends à l'instant et je les accompagne.

C'est en vain qu'elle parlait ainsi, Thorpe ne fit que cingler ses chevaux pour forcer le trot. Les Tilney avaient cessé de la suivre des yeux et ils disparurent un instant plus tard au coin de Laura Place. Pour Catherine, elle se retrouvait bientôt engagée à vive allure dans Market Place. Elle essayait toujours et essaya encore tout au long de la rue suivante de faire arrêter Thorpe :

— Je vous en prie, je vous en prie, arrêtez, Mr. Thorpe. Je ne puis continuer, je ne veux pas continuer, il faut que je retourne voir Miss Tilney.

Mais Thorpe se contentait de rire, de faire claquer son fouet, d'exciter son cheval... Il poursuivait sa route. Si furieuse et si malheureuse qu'elle fût, Catherine ne pouvait descendre de voiture et fut donc obligée d'abandonner la partie et de se soumettre. Ses reproches, cependant, ne se firent pas attendre :

— Comment avez-vous pu m'abuser de la sorte, Mr. Thorpe? Comment avez-vous pu me dire que vous les aviez vus monter Landsdown Road? Il me déplaît affreusement qu'une telle chose soit arrivée. Ils doivent trouver ma conduite tellement étrange, tellement grossière! Passer à côté d'eux sans leur adresser la parole! Vous n'imaginez pas combien je suis malheureuse! Je ne saurais éprouver le moindre plaisir à Clifton ou n'importe où ailleurs. Je préférais mille fois rebrousser chemin et aller les rejoindre. Comment avez-vous pu prétendre les avoir vus dans un phaéton?

Thorpe se défendit énergiquement et déclara n'avoir jamais vu deux hommes qui se ressemblaient à ce point. Il n'admit que très difficilement que ce n'était pas Tilney qu'il avait aperçu.

Leur promenade, même après qu'ils eurent abandonné ce sujet, était bien compromise. Catherine n'avait plus l'indulgence dont elle avait fait preuve lors de leur première excursion. Elle écoutait son compagnon à contre-cœur et ne lui répondait que brièvement. Blaize Castle demeurait sa seule consolation. Il n'y avait que la visite du château qu'elle envisageât encore avec plaisir. Plutôt que de voir échouer ses projets de promenade et plutôt que d'être mal jugée par les Tilney, elle eût pourtant volontiers renoncé à tout le plaisir qu'elle tirerait certainement des murs du vieil édifice, plaisir de cheminer dans des appartements sublimes où l'on peut admirer les vestiges d'un ameublement somptueux même si ces chambres sont depuis bien longtemps désertées, plaisir de se voir arrêtée, dans de longs souterrains étroits et sinueux, par une porte basse qui grince sur ses gonds. Peut-être même verraient-ils leur lampe, la seule lampe qu'ils avaient, s'éteindre au souffle soudain de quelque coup de vent et se retrouveraient-ils dans une obscurité totale... En attendant, la promenade se poursuivait sans le moindre incident. Ils arrivaient en vue de Keynsham quand Morland, qui se trouvait derrière eux, poussa un cri qui força son ami à s'arrêter pour s'informer de ce qui se passait. Les autres se rapprochèrent alors suffisamment pour que l'on pût converser de voiture à voiture. Morland dit à son camarade :

— Nous ferions mieux de rebrousser chemin, Thorpe, il est trop tard pour pousser plus avant aujourd'hui. Votre sœur est du même avis que moi. Nous avons mis exactement une heure et demie pour venir de Pulteney Street, c'est-à-dire pour parcourir un peu plus de sept miles. Je crois qu'il en reste au moins huit avant d'arriver, nous n'aurons jamais le temps, nous sommes partis beaucoup trop tard. Nous ferions mieux de remettre cette promenade à un autre jour et de nous en retourner pour l'instant.

— Cela m'est égal, répondit Thorpe assez fâché.

Ils tournèrent bride sans plus tarder et reprirent le chemin de Bath.

— Si votre frère n'était pas nanti de cette sacrée carne, dit-il peu après, nous aurions très bien pu arriver à bon port. Mon cheval aurait mis une heure pour arriver à Clifton s'il avait été seul, et je me suis brisé les bras à le maintenir à l'allure de cette maudite rosse poussive. Morland est idiot de ne pas s'acheter un cheval et un cabriolet.

— Non, il n'est pas idiot, répondit vivement Catherine, car je suis certaine qu'il ne pourrait pas se permettre de les acheter.

— Et pourquoi ne peut-il pas se le permettre?

— Parce qu'il n'a pas l'argent nécessaire.

— Et à qui la faute?

— A personne, que je sache.

Thorpe dit ensuite, de cette manière tonitruante et incohérente à laquelle il avait souvent recours, que c'était une fichue chose que l'avarice, et que si les gens qui roulaient sur l'or ne pouvaient pas se permettre d'acheter, on se demandait bien qui pouvait le faire. Catherine n'essaya pas de comprendre ce qu'il disait. Déçue dans ce qui devait la consoler de sa première déception, elle était de moins en moins disposée à se montrer aimable ou à regarder son compagnon comme tel. Ils retournèrent donc à Pulteney Street sans qu'elle prononçât vingt paroles.

Lorsqu'elle rentra chez elle, le portier lui dit qu'un monsieur et une dame étaient venus la voir et l'avaient demandée quelques minutes après son départ. En apprenant que Catherine était sortie avec Mr. Thorpe, la dame avait demandé si l'on n'avait pas laissé un message pour elle. Quand le portier lui avait répondu que non, elle avait cherché une carte mais avait déclaré n'en avoir pas sur elle et s'en était allée. Méditant sur ces nouvelles qui lui déchiraient le cœur, Catherine monta lentement l'escalier. Sur le palier, elle rencontra Mr. Allen qui, en apprenant la raison de leur prompt retour, lui dit :

— Je suis ravi que votre frère ait fait preuve d'un tel bon sens. Je suis ravi que vous soyez revenus. C'était là un projet étrange et tout à fait extravagant.

Ils passèrent la soirée chez les Thorpe. Catherine était agitée, déprimée, mais Isabelle semblait trouver qu'une partie de commerce où elle partageait, en s'associant à lui, le sort de Mr. Morland valait bien la tranquillité et le bon air que l'on peut trouver dans une auberge de Clifton. Elle exprima également à maintes reprises la satisfaction qu'elle éprouvait à n'être pas allée aux Lower Rooms ce soir-là :

— Comme je plains les malheureux qui s'y trouvent en ce moment, comme je suis heureuse de ne point partager leur sort... Je me demande s'il y aura du monde au bal ! On n'a pas encore commencé à danser. Je ne voudrais pour rien au monde être là-bas. C'est tellement merveilleux de s'accorder de temps à autre une soirée de solitude. Je crois que le bal ne sera pas très réussi. Je sais que les Mitchell n'y seront pas. Je plains réellement les gens qui y assistent. Mais je crois, Mr. Morland, que vous désireriez fort vous y trouver, n'est-ce pas ? Mais je vous en prie, personne ici ne vous empêche d'y aller. Je crois que nous pourrions très bien nous passer de vous... Mais vous, les hommes, vous vous croyez tant d'importance !

Catherine aurait presque pu accuser Isabelle de manquer de sollicitude envers elle et tous ses chagrins, tant elle semblait peu s'y attarder et tant les consolations qu'elle lui prodiguait étaient médiocres.

— Ne soyez pas triste, très chère âme, murmura-t-elle, vous allez me briser le cœur. Tout cela, certes, est affreux, mais les Tilney seuls sont coupables. Pourquoi n'étaient-ils pas à l'heure ? Il y avait de la boue, c'est vrai, mais qu'est-ce que cela pouvait faire? Je suis sûre que James et moi n'y aurions pas fait attention. Rien ne m'importe plus quand un ami est en cause. C'est là ma nature, et James est comme moi. Ses sentiments ont une force extraordinaire. Seigneur, la main que vous avez! Je n'ai jamais été plus heureuse. Je préfère cent fois vous voir un jeu pareil plutôt que l'avoir moi-même!

Et maintenant je puis renvoyer Catherine à son lit d'insomnie, c'est là le sort d'une véritable héroïne. Son oreiller sera parsemé d'épines et humide de larmes et elle devra s'estimer heureuse si au cours des trois mois qui vont suivre elle passe une bonne nuit de repos...

XII

— Mrs. Allen, dit Catherine le lendemain matin, verriez-vous un inconvénient à ce que je rende visite à Miss Tilney aujourd'hui? Je ne serai pas tranquille tant que je ne lui aurai pas tout expliqué.

— Allez-y, je vous en prie, ma chère. Seulement, mettez une robe blanche, Miss Tilney porte toujours du blanc.

Catherine obéit volontiers à son amie. Une fois convenablement équipée, elle fut plus impatiente que jamais de se rendre à la Pump Room pour s'y procurer l'adresse du général Tilney. Il lui semblait bien en effet qu'il habitait dans Milsom Street, mais elle n'était pas sûre du numéro de la maison. Les vacillantes convictions de Mrs. Allen ne servirent qu'à rendre ce point plus obscur encore. A la Pump Room, on lui donna le numéro exact et on la dirigea sur Milsom Street. Elle s'empressa donc, le cœur battant, d'aller rendre visite à Miss Tilney pour lui expliquer sa conduite et se faire pardonner. Elle traversa le cimetière à vive allure, détournant résolument les yeux pour ne pas être obligée de voir son Isabelle bien-aimée et sa chère famille qui, elle avait des raisons de le croire, se trouvaient dans un magasin tout proche. Elle atteignit sans encombre la maison des Tilney, vérifia bien le numéro, frappa et s'enquit de Miss Tilney. Le domestique croyait que Miss Tilney était chez elle mais il n'en était pas absolument certain. Aurait-elle l'obligeance de lui dire son nom ? Catherine lui remit sa carte. Le domestique revint peu après et lui dit, avec un air qui était loin de confirmer ses paroles, qu'il s'était trompé et que Miss Tilney était sortie. Catherine, rouge de confusion, quitta la maison. Elle était presque sûre que Miss Tilney était effectivement chez elle et qu'elle se jugeait trop offensée pour la recevoir. En redescendant la rue, Catherine ne put s'empêcher de jeter un coup d'œil aux fenêtres du salon, s'attendant à y voir Miss Tilney, mais personne n'y apparut. Arrivée au bout de la rue, pourtant, elle se retourna une fois de plus et vit, non point à une fenêtre mais devant la porte, Miss Tilney qui sortait de chez elle. Elle était accompagnée d'un monsieur en qui Catherine crut reconnaître son père. Ils tournèrent tous deux vers Edgar's Buildings. Catherine, profondément humiliée, continua son chemin. Elle aurait pu à juste titre s'offenser d'une impolitesse qui révélait tant de colère mais elle réprima son ressentiment. Elle se rappelait en effet son ignorance des usages : elle ne savait comment les lois de la politesse mondaine pouvaient juger l'offense dont elle s'était rendue elle-même coupable. N'avait-elle pas commis une faute qu'on ne pardonne point ? A quelles insolentes rigueurs sa conduite ne l'exposait-elle pas comme un juste retour des choses ?

Abattue, humiliée, elle songea même à ne point suivre ses amis au théâtre ce soir-là. Il faut pourtant avouer qu'elle changea vite d'avis, car elle reconnut n'avoir, premièrement, aucune excuse valable pour rester à la maison, et désirer, deuxièmement, voir la pièce qu'on devait jouer. Ils allèrent donc tous au théâtre. Aucun Tilney n'y parut pour l'accabler ou la charmer. Elle craignit qu'on ne pût faire figurer au rang des nombreuses perfections de ses amis le goût des pièces de théâtre. Peut-être était-ce dû à leur habitude des spectacles plus raffinés qu'offrent les scènes londoniennes qui, elle le savait par Isabelle, rendent « insupportable » tout autre jeu que celui qu'on peut y admirer. Pour elle, la pièce répondit parfaitement à son attente. La comédie la tenait à ce point en haleine que personne n'aurait pu soupçonner, à la voir pendant les quatre premiers actes, qu'elle eût le moindre chagrin. Au début du cinquième acte pourtant, elle aperçut Mr. Tilney et son père qui rejoignaient des amis dans la loge opposée à la sienne, et elle fut brusquement ramenée à toutes ses angoisses et à sa détresse. La pièce ne pouvait plus désormais exciter sa naïve gaieté ou retenir son attention. Elle regardait maintenant presque constamment la loge qui lui faisait face et elle passa ainsi deux scènes entières à fixer Henry Tilney sans parvenir à attirer une seule fois son regard. On ne pouvait plus soupçonner le jeune homme d'indifférence à l'égard du théâtre car, pendant ces deux scènes, son attention ne s'était pas détournée un seul instant de la pièce. Il finit pourtant par se tourner vers Catherine et il la salua — mais de quel salut ! Il ne lui accorda pas un sourire et ne la regarda que le temps nécessaire. Sur-le-champ, il se retourna vers la scène. Catherine fut submergée par le chagrin. Pour un peu, elle se fût précipitée dans la loge où il se trouvait pour le forcer à écouter ses explications. Elle était en proie à des sentiments plus naturels que romanesques. Au lieu de considérer que sa propre dignité était insultée par cette condamnation hâtive, au lieu de décider fièrement, forte de son innocence, de punir cet homme qui avait pu en douter, au lieu de lui imposer la gêne de solliciter une explication et de ne l'éclairer sur le passé qu'en fuyant sa présence ou au lieu de flirter avec un autre homme, elle assumait toute la honte de son inconduite, ou du moins de son apparente inconduite, et ne brûlait que du désir d'avoir l'occasion d'en expliquer les raisons.

La pièce s'acheva. Le rideau tomba. On ne voyait plus Henry Tilney dans sa loge mais son père s'y trouvait encore. Peut-être Henry était-il en train de venir dans la loge de Catherine ? C'était le cas et il apparut quelques minutes après. Se frayant un chemin à travers la foule qui s'éclaircissait maintenant, il arriva et s'adressa à Mrs. Allen et à son amie sur un ton calme et poli. Catherine ne sut pas témoigner du même calme quand elle lui répondit :

— Oh, Mr. Tilney, j'étais tellement impatiente de vous voir pour vous présenter mes excuses. Vous avez dû me trouver si grossière, mais en vérité, cela n'était point de ma faute. N'est-ce pas, Mrs. Allen ? Est-ce qu'ils ne m'ont pas dit que Mr. Tilney et sa sœur étaient partis en phaéton ? Que pouvais-je faire ? Mais j'aurais mille fois préféré aller me promener avec vous, n'est-ce pas, Mrs. Allen ?

— Ma chère, vous dérangez ma robe, répondit Mrs. Allen.

Bien que rien ne vînt les cautionner, les serments de Catherine ne se révélèrent pas inutiles. Ils amenèrent un sourire plus cordial et plus sincère sur le visage de Mr. Tilney et le jeune homme répondit, n'affectant plus qu'une légère réserve :

— De toute façon, nous vous sommes fort obligés, ma sœur et moi, de nous avoir souhaité une bonne promenade après que nous vous avons dépassée dans Argyle Street. Vous avez été bien aimable de vous retourner pour le faire.

— Mais je ne vous ai jamais souhaité une bonne promenade ! Jamais je n'ai eu une pareille idée. Au contraire, je suppliais ardemment Mr. Thorpe d'arrêter la voiture. Je l'en ai prié dès que je vous ai vus, n'est-ce pas, Mrs. Allen ? Oh... vous n'étiez pas là. Mais c'est vrai, je l'ai fait, et si seulement Mr. Thorpe avait consenti à s'arrêter, j'aurais sauté de la voiture pour vous courir après.

Est-il au monde un seul Henry capable de résister à une telle déclaration ? Henry Tilney, en tout cas, n'y résista pas. C'est avec un sourire plus tendre qu'il lui parla du chagrin de sa sœur, de ses regrets et de sa confiance dans la parole de Catherine.

— Oh ! ne dites pas que Miss Tilney n'était pas en colère, s'écria Catherine, je sais bien qu'elle l'était, elle n'a pas voulu me recevoir ce matin quand je suis allée lui rendre visite. Je l'ai vue sortir juste après que j'eus quitté la maison. J'en ai été blessée mais non point outragée. Peut-être ignoriez-vous ma visite ?

— J'étais absent à ce moment-là mais j'en ai entendu parler par Eleanor et elle souhaite depuis lors vous rencontrer pour vous expliquer les raisons d'une impolitesse pareille... Mais peut-être puis-je le faire aussi bien qu'elle. C'est seulement que mon père... Il se préparait à sortir avec Eleanor juste à ce moment-là. Il était fort pressé par le temps et n'a pas voulu retarder sa promenade... Il a fait dire qu'elle était absente. C'est toute l'affaire, je vous l'assure. Eleanor en a conçu un chagrin immense et voulait vous faire ses excuses le plus tôt possible.

Catherine fut extrêmement soulagée d'apprendre cela. Il restait cependant un point sur lequel elle n'était pas tout à fait tranquillisée, et c'est ce qui l'incita à poser à Mr. Tilney la question suivante, parfaitement naïve en elle-même mais relativement embarrassante pour le monsieur :

— Mais, Mr. Tilney, pourquoi vous êtes-vous montré moins généreux que votre sœur ? Si elle avait tellement confiance en mes intentions et si elle a cru qu'il ne pouvait s'agir que d'un malentendu, pourquoi vous être, vous, si vite froissé ?

— Froissé, moi ?

— Mais oui, je l'ai bien vu au regard que vous m'avez lancé quand vous êtes entré dans cette loge.

— Moi, fâché ? mais de quel droit ?

— En voyant votre air, personne n'aurait douté que vous n'en ayez le droit.

Il répondit en lui demandant de lui faire une place et en ne parlant plus que de la pièce.

Il resta là un moment et fut trop aimable avec Catherine pour qu'elle ne fût pas désolée quand elle le vit partir. Avant de se séparer cependant, ils décidèrent que la promenade projetée aurait lieu dès que possible, et mis à part le chagrin que la jeune fille éprouva à voir Mr. Tilney quitter sa loge, elle fut l'un des êtres les plus heureux du monde.

Pendant qu'elle s'entretenait avec Henry, elle avait remarqué avec une certaine surprise que John Thorpe, qui ne restait jamais en place dix minutes d'affilée, était engagé dans une discussion avec le général Tilney, et elle fut plus que surprise lorsqu'elle se rendit compte qu'elle était l'objet même de leur attention et de leur conversation. Que pouvaient-ils bien avoir à se dire sur elle ? Elle craignait de déplaire au général Tilney. Qu'il l'eût empêchée de voir sa fille pour ne pas retarder sa promenade de quelques minutes le laissait entendre.

— Comment se fait-il que Mr. Thorpe connaisse votre père ? demanda-t-elle avec une certaine inquiétude à son compagnon en lui montrant les deux hommes.

Henry n'en savait rien. Son père, comme tous les militaires, connaissait une foule de gens.

Lorsque le spectacle fut achevé, Thorpe vint offrir ses services à Mrs. Allen et à Catherine. Il accabla immédiatement la jeune fille de ses galanteries, et tandis qu'on attendait dans le vestibule l'arrivée d'une voiture, il prévint les questions qui brûlaient les lèvres de Catherine en lui demandant, d'un air important, si elle l'avait vu discuter avec le général Tilney.

— C'est un beau vieux bonhomme, sur mon âme ! Énergique, actif. Il paraît aussi jeune que son fils. J'ai beaucoup de respect pour lui, je vous l'assure. Un monsieur très bien, le meilleur type du monde...

— Mais d'où vient que vous le connaissiez ?

— Comment je le connais ? Il est peu de gens de Londres que je ne connaisse. Je l'ai jadis rencontré au Bedford et je l'ai reconnu aujourd'hui quand il est entré dans la salle de billard. C'est un de nos meilleurs joueurs, à propos. Nous avons fait une partie ensemble. J'avais presque peur, au début. A un moment, il me battait par cinq à quatre, et si je n'avais pas fait le plus beau coup qu'on ait peut-être jamais vu sur cette terre... J'ai pris sa bille exactement... mais je ne peux pas vous expliquer sans un billard... Finalement je l'ai bel et bien battu. Très beau type, riche comme un juif. J'aimerais dîner avec lui, je crois qu'il donne de fameux dîners. Mais de quoi avons-nous parlé, à votre avis ? De vous, oui, par Dieu, de vous. Le général vous tient pour la plus jolie fille de Bath.

— Oh, c'est absurde ! Comment pouvez-vous dire une chose pareille ?

— Et qu'est-ce que j'ai répondu, selon vous ? (Baissant la voix :) Bien dit, général, je suis tout à fait de votre avis !

Catherine, à qui l'admiration de Thorpe faisait beaucoup moins de plaisir que celle du général, ne fut pas fâchée que Mrs. Allen l'appelât à ce moment-là pour partir. Thorpe voulut cependant l'accompagner jusqu'à sa voiture et continua, jusqu'au moment où elle y fut montée, à lui débiter de délicates flatteries de ce genre, bien qu'elle tentât d'y mettre un terme.

Elle trouvait merveilleux que le général Tilney, loin de

la mépriser, l'admirât à ce point. Elle songeait avec joie qu'il n'y avait dans cette famille plus personne qu'elle pût craindre de rencontrer. Cette soirée l'avait davantage, bien davantage servie qu'elle aurait jamais pu l'espérer.

XIII

On a maintenant passé en revue le lundi, le mardi, le mercredi, le jeudi, le vendredi et le samedi. On a séparément exposé les événements de chacune de ces journées, les espoirs et les craintes, les mortifications et les plaisirs qu'elles ont pu apporter. Il ne nous reste plus à présent qu'à décrire les transes du dimanche et la semaine sera close. Le projet d'aller à Clifton avait été reporté mais non point oublié. Il resurgit cet après-midi-là pendant la promenade au Crescent. Isabelle et James avaient eu un entretien privé au cours duquel la jeune fille s'était ardemment employée à l'exécution de ce projet et où le jeune homme avait mis tout son cœur à lui faire plaisir. Ils étaient donc convenus que, pourvu que le temps fût beau, l'excursion aurait lieu le lendemain matin. Il leur faudrait partir très tôt pour qu'ils pussent être rentrés à une heure convenable. L'affaire ainsi réglée et l'approbation de Thorpe obtenue, il ne restait plus qu'à prévenir Catherine. Elle les avait abandonnés quelques minutes pour aller parler à Miss Tilney. Dans l'intervalle, on avait parfait le projet et on lui demanda son accord dès qu'elle fut de retour. Au lieu d'acquiescer joyeusement comme Isabelle s'y attendait, Catherine prit un air grave, se déclara désolée et leur dit qu'elle ne pourrait pas les accompagner. L'engagement qui aurait dû l'empêcher, la première fois, d'entreprendre cette excursion, rendait à présent impossible qu'elle se joignît à eux. Elle venait juste de décider avec Miss Tilney que la promenade prévue aurait lieu le lendemain. C'était fermement décidé et elle ne se dédirait sous aucun prétexte. Mais il *fallait* qu'elle se dédît, elle *devait* absolument se dédire, s'écrièrent ardemment les deux Thorpe. Ils devaient aller à Clifton le lendemain et n'iraient pas sans elle. Repousser d'un jour une simple promenade à pied n'avait guère d'importance et, pour eux, ils ne voulaient pas entendre parler d'un refus. Catherine était bien embarrassée mais ne se soumit pas :

— N'insistez pas, Isabelle, je me suis engagée envers Miss Tilney et je ne puis venir.

Cette protestation ne servit à rien, elle fut de nouveau assaillie des mêmes arguments. Il fallait qu'elle vînt, elle devait venir, et ils ne voulaient pas entendre parler d'un refus.

— Il vous serait si facile de raconter à Miss Tilney que vous venez juste de vous rappeler un engagement antérieur et de la prier de remettre votre promenade à mardi.

— Non, cela ne me serait pas facile. Je ne saurais faire une chose pareille. Je n'ai pas le moindre engagement antérieur.

Isabelle n'en devint que de plus en plus pressante. Elle s'adressait à elle de la façon la plus tendre, l'appelant des noms les plus caressants. Elle était sûre que sa très chère, son adorable Catherine ne voudrait point opposer un refus à une amie qui la chérissait si tendrement quand sa requête était aussi insignifiante. Elle savait bien que sa bien-aimée Catherine avait un cœur sensible, une nature douce et qu'elle se laissait aisément convaincre par ceux qu'elle affectionnait. Mais tout ceci fut inutile. Catherine savait qu'elle avait raison. Une supplication aussi tendre et aussi flatteuse l'émut certes beaucoup, mais elle ne permit pas qu'elle l'influençât. Isabelle essaya donc une autre méthode. Elle lui reprocha d'avoir plus d'affection pour Miss Tilney, bien qu'elle la connût depuis si peu de temps, que pour ses vieux amis, d'être, en un mot, devenue froide et indifférente envers elle.

— Je ne puis m'empêcher d'éprouver de la jalousie, Catherine, lorsque je me vois dédaignée pour des étrangers, moi qui vous aime si passionnément. Une fois que j'ai accordé mon affection à quelqu'un, rien ne saurait plus me faire changer. Mais je crois mes sentiments plus forts que ceux des autres. Je les crois trop forts pour ma propre tranquillité, et me voir supplantée dans votre amitié par des étrangers me blesse jusqu'au tréfonds de l'âme, je dois l'avouer. Ces Tilney ont vraiment l'air de vouloir tout avaler...

Catherine jugea ces reproches aussi étranges que déplaisants. Était-ce bien d'une amie d'exposer ainsi ses sentiments à l'attention des autres ? Isabelle lui sembla mesquine et égoïste, inattentive à tout ce qui n'était pas sa propre satisfaction. Ces tristes pensées lui vinrent à l'esprit mais elle garda le silence. Pendant ce temps, Isabelle se tamponnait les yeux avec un mouchoir. Morland, désespéré devant un pareil spectacle, ne put s'empêcher d'intervenir :

— Non, Catherine, vous ne sauriez résister plus longtemps. Le sacrifice n'est pas si grand après tout, et obliger une telle amie... Je vous jugerai vraiment mal si vous persistez dans votre refus.

C'était la première fois que son frère se déclarait ouvertement contre elle. Soucieuse d'éviter son courroux, elle proposa donc un compromis. Si seulement ils consentaient à reporter l'excursion à mardi, et ils pouvaient aisément le faire puisque cela ne dépendait que de leur volonté, elle les accompagnerait et chacun serait satisfait. On lui opposa immédiatement un non retentissant. Cela ne pouvait se faire, car Thorpe ignorait s'il ne serait pas obligé de se rendre à Londres le mardi. Catherine était vraiment navrée, mais elle ne pouvait faire mieux. Un court silence s'ensuivit, qu'Isabelle brisa. Elle déclara, sur un ton de froid ressentiment :

— Très bien, c'en est donc fini de notre excursion. Si Catherine ne vient pas, il n'est pas question que j'y aille. Je ne puis me retrouver la seule femme, je ne voudrais pour rien au monde commettre une inconvenance pareille.

— Catherine, il faut venir, dit James.

— Mais pourquoi Mr. Thorpe n'emmènerait-il pas une autre de ses sœurs ? Je suis sûre que toutes deux seraient ravies de participer à cette promenade.

— Merci bien, s'écria Thorpe, je ne suis pas venu à Bath pour promener mes sœurs et passer pour un idiot. Non, si vous ne venez pas, que je sois damné si j'y vais. Je n'ai envie de faire cette promenade que pour avoir le bonheur de vous conduire.

— C'est là un compliment qui ne me fait aucun plaisir, répondit la jeune fille, mais ses paroles furent perdues pour Thorpe qui s'en était allé précipitamment.

Les trois autres continuèrent leur promenade. Catherine trouvait l'ambiance des plus désagréables. Tantôt on ne disait mot, tantôt elle se voyait de nouveau assaillie de supplications ou reproches. Isabelle et Catherine se tenaient toujours par le bras bien que leurs cœurs fussent en guerre. A certains moments Catherine s'attendrissait, à d'autres elle se sentait irritée, mais toujours elle était malheureuse et demeurait ferme.

— Je ne vous croyais pas aussi obstinée, Catherine, lui dit James. Vous n'étiez point autrefois si difficile à convaincre. Vous étiez la plus gentille, la plus aimable de mes sœurs.

— J'espère l'être restée, répondit-elle très émue, mais vraiment, je ne puis venir. Si je suis dans l'erreur, je fais du moins ce que je crois juste.

— Je soupçonne, dit Isabelle très bas, que le combat n'est pas très douloureux.

Le cœur de Catherine se gonfla de chagrin, elle retira son bras et Isabelle ne s'y opposa pas. Dix minutes s'écoulèrent ainsi, jusqu'au moment où Thorpe les rejoignit, l'air tout content :

— Eh bien, dit-il, j'ai arrangé cette affaire et nous pourrons tous aller nous promener demain avec la conscience tranquille. Je suis allé voir Miss Tilney et je lui ai présenté vos excuses.

— Vous n'avez pas fait cela ! s'écria Catherine.

— Si fait, sur mon âme, je la quitte à l'instant. Je lui ai dit que, vous souvenant d'un engagement antérieur qui vous obligeait à nous accompagner à Clifton demain, vous m'aviez envoyé lui dire que vous ne pourriez avoir le plaisir de vous promener avec elle avant mardi. Elle a répondu que c'était fort bien et que mardi lui convenait tout autant. Voici donc la fin de tous nos problèmes. Une fameuse idée que j'ai eue là, non ?

Isabelle fut de nouveau tout sourire et bonne humeur. James, lui aussi, paraissait avoir recouvré tout son bonheur.

— Une merveilleuse idée, en effet ! Maintenant, ma très douce Catherine, nous n'avons plus de soucis à nous faire. Vous êtes honorablement dégagée de vos obligations, et nous allons faire une promenade délicieuse.

— Cela ne sera pas, dit Catherine, je ne puis tolérer une chose pareille. Il me faut courir sur-le-champ après Miss Tilney pour lui dire la vérité.

Isabelle, cependant, la retenait par une main et Thorpe par l'autre. Ce fut un concert de reproches. Même James était vraiment fâché : quand tout était arrangé, quand Miss Tilney déclarait elle-même que mardi lui convenait aussi bien, il était vraiment ridicule et absurde de s'obstiner...

— Je m'en moque ! Mr. Thorpe n'avait pas à inventer un tel message. Si j'avais cru bon de reporter ma promenade, j'aurais parlé moi-même à Miss Tilney. C'est simplement là agir d'une façon encore plus grossière. Et puis comment savoir ce que Mr. Thorpe a dit ou a fait ? Peut-être s'est-il encore trompé. Mardi, j'ai commis par sa faute une grossièreté. Laissez-moi m'en aller, Mr. Thorpe. Isabelle, ne me retenez pas !

Thorpe déclara qu'il serait vain de courir après les Tilney, car ils tournaient le coin de Brock Street quand il les avait rencontrés et devaient être maintenant rentrés chez eux.

— Je les rattraperai donc, dit Catherine, je les rattraperai où qu'ils soient. Il est inutile de discuter plus longtemps. Si l'on n'a pas pu me convaincre de faire ce que je croyais mal, je ne consentirai certes jamais à me laisser duper.

Elle les quitta sur ces mots et partit en toute hâte. Thorpe aurait bien voulu se lancer à sa poursuite, mais Morland le retint :

— Laissez-la partir, laissez-la partir si elle veut partir.

— Elle est têtue comme...

Thorpe n'acheva pas sa comparaison car elle n'eût sans doute pas été des plus flatteuses.

Catherine s'éloignait, fort agitée, aussi vite que la foule le lui permettait, craignant d'être poursuivie et cependant bien décidée à persévérer. Tout en marchant, elle réfléchissait à ce qui venait de se passer. Il lui était pénible de décevoir ses amis et de leur déplaire, à son frère surtout, mais elle ne pouvait se repentir de leur avoir résisté. Abstraction faite de sa propre inclination, faillir pour la deuxième fois à son engagement envers Miss Tilney, reprendre une parole librement donnée cinq minutes à peine plus tôt, et ce sous un faux prétexte, n'eût pu être qu'une mauvaise action. Elle ne leur avait pas résisté par simple égoïsme, elle n'avait point principalement écouté ses désirs. Ceux-ci eussent été satisfaits dans une certaine mesure par cette excursion et par la visite de Blaize Castle, non, elle avait surtout été attentive à ce qu'elle devait aux autres et à l'opinion qu'ils pouvaient avoir d'elle.

La certitude d'avoir raison ne suffisait pas cependant à lui faire recouvrer tout son calme. Elle ne serait pas tranquille tant qu'elle n'aurait pas parlé à Miss Tilney. Forçant l'allure dès qu'elle eut échappé à la foule du Crescent, elle parcourut le reste du chemin en courant presque jusqu'au moment où elle atteignit Milsom Street. Elle avait marché si vite que, malgré l'avantage qu'avaient les Tilney sur elle, ils venaient juste de rentrer quand elle arriva en vue de la maison. Le domestique n'avait même pas eu le temps de fermer la porte et elle lui dit, sans plus de cérémonies, qu'elle devait parler d'urgence à Miss Tilney ; le suivant en courant, elle le précéda bientôt dans l'escalier et, ouvrant alors la première porte qui se présentait et qui se trouva être la bonne, fit irruption dans le salon où se tenaient le général Tilney, son fils et sa fille. Très agitée, le souffle coupé, elle s'empressa de donner des explications dont le seul défaut était qu'elles n'expliquaient rien du tout.

— Je suis venue en toute hâte. Tout cela n'est qu'un malentendu. Jamais je n'ai promis d'y aller... Je leur ai dit dès le début que je n'irais pas... Je suis partie en courant pour tout vous expliquer... Je n'ai pas pris garde à ce que vous pourriez penser de moi, je ne pouvais pas attendre jusqu'au retour du domestique.

Cette affaire pourtant, bien que le discours de Catherine n'en élucidât point parfaitement le mystère, cessa bientôt d'être une énigme. Catherine apprit que John Thorpe avait bel et bien délivré le fameux message et Miss Tilney n'hésita pas à avouer la surprise qu'elle en avait conçue. Catherine, bien qu'elle s'adressât instinctivement autant au frère qu'à la sœur pour se justifier, n'arriva pas à savoir si Henry Tilney lui en avait encore cette fois voulu plus que sa sœur. Quels que fussent les sentiments de chacun avant son arrivée, les ardentes déclarations de la jeune fille éclairèrent bientôt chaque regard et chaque parole de toute l'amitié qu'elle pouvait désirer.

Quand cette affaire fut réglée, Miss Tilney présenta Catherine à son père, et il l'accueillit avec une telle civilité et un tel empressement qu'elle se souvint de ce que Thorpe lui avait dit et se prit à penser avec un certain plaisir qu'on pouvait parfois se fier à ce qu'il racontait. Le général s'inquiétait tellement de la jeune fille que, sans réaliser l'extrême violence de son irruption dans la maison, il témoignait d'une grande colère à l'égard du domestique qui l'avait obligée à ouvrir toute seule la porte du salon.

— A quoi songeait donc William ?

Il se ferait un point d'honneur de se renseigner plus avant sur cette affaire. Si Catherine n'avait pas le plus chaleureusement du monde plaidé l'innocence du domestique, William eût à jamais perdu les faveurs de son maître, sinon sa place même, par la faute de la jeune fille.

Après avoir passé un quart d'heure en leur compagnie, elle se leva pour prendre congé et elle eut alors la très agréable surprise d'entendre le général Tilney la prier d'accorder à sa fille l'honneur de dîner avec eux et de passer le reste de la journée en leur compagnie. Catherine était très obligée, mais cela lui était absolument impossible, Mr. et Mrs. Allen attendant son retour d'un instant à l'autre. Le général déclara n'avoir rien à ajouter à cela. On ne pouvait que s'incliner devant les droits de Mr. et Mrs. Allen. Il espérait néanmoins qu'une autre fois, quand on pourrait les informer à temps, ils accepteraient de se priver de sa compagnie pour faire plaisir à son amie. Certes, Catherine était persuadée qu'ils ne s'opposeraient pas à ce qu'elle vînt dîner et ce serait pour elle un plaisir immense. Le général lui-même l'escorta jusqu'à la porte d'entrée, lui prodiguant toutes sortes de galanteries tandis qu'ils descendaient l'escalier, admirant l'élasticité de son pas qui répondait parfaitement à sa manière de danser, et la gratifiant, quand il la quitta, de l'une des plus gracieuses révérences qu'elle eût jamais vues.

Catherine, ravie du tour qu'avaient pris les événements, se dirigea gaiement vers Pulteney Street. Elle marchait, se disait-elle après tous les compliments du général, avec une grande élasticité. Jamais elle n'avait songé à cela auparavant. Elle atteignit la maison sans avoir rencontré personne du camp des offensés. Maintenant que sa victoire était totale, qu'elle avait eu gain de cause et qu'elle était sûre d'aller se promener, elle commençait (car son trouble subsistait) à se demander si elle avait eu tout à fait raison. Il est toujours noble de se sacrifier, et si elle avait cédé à leurs supplications, elle se fût épargné l'affligeante impression d'avoir mécontenté une amie, irrité un frère et ruiné un projet qui devait faire leur bonheur à tous deux. Pour calmer ses esprits et s'assurer, grâce à l'opinion d'une personne impartiale, du bien-fondé de sa conduite, elle saisit la première occasion pour parler devant Mr. Allen du vague projet qu'avaient son frère et les Thorpe d'aller se promener le lendemain. Mr. Allen en profita sans tarder :

— Très bien, dit-il, pensez-vous les accompagner ?

— Non, je venais juste de m'engager avec les Tilney pour une promenade à pied quand ils m'en ont parlé. Il m'était donc impossible de les accompagner, n'est-ce pas ?

— Certes, et je suis ravi que vous n'y songiez pas. Toutes ces excursions ne sont pas très convenables. Des jeunes gens et des jeunes filles courant les routes en voiture découverte, cela va bien de temps à autre, mais aller ensemble dans des auberges et des lieux publics, ce n'est vraiment pas correct. Je m'étonne que Mrs. Thorpe le tolère. Je suis décidément ravi que vous ne songiez pas à les accompagner. Je suis sûr que cela ne plairait pas à Mrs. Morland. Mrs. Allen, ne partagez-vous pas ma façon de penser ? Ne trouvez-vous pas ce genre d'excursion des plus répréhensibles ?

— Si, extrêmement répréhensibles en vérité. Les voitures découvertes sont très désagréables, on n'y peut pas demeurer cinq minutes sans y salir sa robe. Vous êtes éclaboussé en montant et en descendant et le vent vous y met vos cheveux et votre chapeau dans tous les sens. Pour ma part, je déteste les voitures découvertes.

— Je le sais, mais là n'est pas la question. Ne trouvez-vous pas d'un effet déplorable que des jeunes filles se laissent si souvent emmener en promenade par des jeunes gens qui ne sont même pas parents avec elles ?

— Si, mon ami, d'un déplorable effet en vérité. Je ne puis supporter de voir cela.

— Chère Madame, s'écria Catherine, pourquoi ne pas me l'avoir dit plus tôt ? Si j'avais su que cela fût inconvenant, je n'aurais certes jamais accompagné Mr. Thorpe, mais j'ai toujours espéré que si vous pensiez que j'agissais mal vous me le diriez.

— Et je le ferai, ma chère, vous pouvez y compter. Comme je l'ai dit à Mrs. Morland en partant, je ferai toujours pour vous tout ce qu'il est en mon pouvoir de faire... Mais il ne faut pas être trop tatillon. Les jeunes gens seront toujours les jeunes gens, comme le dit si bien votre mère elle-même. Vous savez bien que lorsque nous sommes arrivés j'ai tenté de vous empêcher d'acheter cette mousseline à fleurs, mais vous n'avez pas voulu m'écouter. Les jeunes n'aiment pas qu'on les contrarie.

— Mais le cas qui nous occupe avait vraiment beaucoup d'importance, et je crois que vous n'auriez pas eu de peine à me convaincre.

— Au point où en sont arrivées les choses, dit Mr. Allen, le mal n'est pas encore bien grand. Je vous conseillerai simplement, ma chère, de ne plus sortir avec Mr. Thorpe.

— C'est exactement ce que j'allais dire, ajouta sa femme.

Catherine, rassurée sur son propre cas, conçut une certaine inquiétude pour Isabelle. Après avoir réfléchi quelques instants elle demanda s'il ne serait pas de sa part aimable et convenable d'écrire à Miss Thorpe pour lui expliquer qu'elle risquait de commettre sans le savoir une inconvenance. Elle se disait en effet que sans cela Isabelle risquait d'aller à Clifton le lendemain malgré ce qui s'était passé. Mr. Allen la dissuada cependant de le faire :

— Vous feriez mieux de la laisser libre, ma chère, elle est assez grande pour savoir ce qu'elle a à faire, et si ce n'est pas le cas, elle a une mère pour la conseiller. Mrs. Thorpe est trop indulgente, cela ne fait aucun doute. Cependant, vous feriez mieux de ne pas intervenir. Miss Thorpe et James jugent bon d'aller faire cette promenade et vous ne feriez qu'éveiller leur rancune.

Catherine se soumit. Bien qu'elle fût désolée à la pensée qu'Isabelle risquait de mal agir, elle se sentait soulagée que Mr. Allen approuvât sa propre conduite et se réjouissait sincèrement que les conseils de son amie l'eussent gardée de commettre elle-même une faute. Elle était vraiment ravie maintenant d'être délivrée de cette excursion à Clifton. Qu'auraient pensé les Tilney, en effet, si elle avait manqué à sa parole pour commettre une mauvaise action, si elle avait violé certaines règles de bienséance dans l'unique but d'en violer d'autres ?

XIV

Le lendemain matin, il faisait beau et Catherine n'était pas loin de s'attendre à une nouvelle offensive du clan des ennemis. Elle ne craignait rien cependant, ayant Mr. Allen pour la soutenir, mais elle préférait s'épargner une lutte dont la victoire elle-même ne pouvait être que douloureuse. Elle se réjouit donc de tout cœur de ne pas entendre parler des Thorpe. Les Tilney vinrent la chercher à l'heure prévue. Il ne surgit pas la moindre difficulté, le moindre souvenir importun, la moindre invitation que l'on n'attendait point, la moindre intrusion indiscrète pour déranger leurs projets, et mon héroïne — ce n'est certes pas normal — put remplir son engagement bien qu'elle l'eût conclu avec le héros en personne. Ils décidèrent d'aller se promener vers Beechen Cliff. La verdure et les taillis suspendus de cette noble colline en font un but de promenade qui impressionne toujours les gens nouvellement arrivés à Bath.

— Je n'ai jamais pu regarder cette colline, dit Catherine tandis qu'ils se promenaient le long de la rivière, sans songer au sud de la France.

— Vous connaissez la France ? dit Henry légèrement surpris.

— Oh, non, je parle seulement de ce que j'en ai lu. Cette colline me rappelle le pays que traversent Émilie et son père dans *les Mystères d'Udolphe*... Mais je suppose que vous ne lisez jamais de romans ?

— Et pourquoi n'en lirais-je pas ?

— Parce que ce ne sont pas des livres assez sérieux pour vous. Les messieurs lisent des ouvrages plus graves.

— La personne, homme ou femme, qui n'éprouve pas de plaisir à la lecture d'un bon roman ne peut qu'être d'une bêtise intolérable. J'ai lu toutes les œuvres de Mrs. Radcliffe, et la plupart m'ont procuré un immense plaisir. Quand j'ai commencé *les Mystères d'Udolphe*, je n'ai pas pu m'arrêter. Je me rappelle l'avoir lu en deux jours, et j'en avais les cheveux qui se dressaient sur la tête.

— Oui, ajouta Miss Tilney, et je me souviens que vous aviez entrepris de me lire à haute voix, mais j'ai été obligée de m'absenter cinq minutes pour répondre à un billet, et au lieu de m'attendre vous avez emporté le livre à Hermitage Walk... J'ai été contrainte d'attendre que vous l'eussiez terminé.

— Merci, Eleanor, voici un témoignage dont on ne peut douter. Vous voyez, Miss Morland, à quel point vos soupçons étaient injustes. J'ai, ce jour-là, dans mon ardeur à poursuivre ma lecture, refusé d'attendre ma sœur cinq petites minutes. J'ai rompu ma promesse de lui lire ce roman à haute voix, je l'ai abandonnée à un moment passionnant pour m'enfuir avec un roman qui, vous le remarquerez, était à elle et à elle seule. Je suis fier de moi quand j'y pense, et je crois que cela me vaudra vos faveurs.

— Je suis vraiment ravie de vous entendre dire cela, et je n'aurai désormais plus jamais honte d'aimer moi-même *Udolphe*. Mais auparavant je croyais vraiment que les jeunes gens méprisaient les romans.

— C'est ce mépris qui est étonnant. On peut réellement concevoir de l'étonnement devant un tel mépris car les jeunes gens lisent pratiquement autant de romans que les femmes. J'en ai moi-même lu des centaines. N'allez pas vous imaginer que vous pourriez vous mesurer avec moi dans la science des Julias et des Louisias. Si nous entrons dans les détails et que nous nous engageons dans l'interminable enquête des « Avez-vous lu ceci ? » et des « Avez-vous lu cela ? », je vous laisserai loin derrière moi... Comment dire ? je cherche une comparaison adéquate... aussi loin que votre amie Émilie laissa le pauvre Valencourt quand elle accompagna sa tante en Italie. Songez à toute l'avance que j'ai sur vous. J'ai commencé mes études à Oxford quand vous n'étiez encore qu'une brave petite fille qui peinait sur sa première tapisserie !

— Pas si brave que cela, je le crains... Mais voyons, ne trouvez-vous pas qu'*Udolphe* est vraiment le plus beau roman du monde ?

— Le plus beau... Je suppose que vous entendez par là le plus joli à regarder. Cela dépend de la reliure...

— Henry, dit Miss Tilney, vous êtes un impertinent ! Miss Morland, il vous traite exactement comme il traite sa sœur. Il est constamment en train de me reprendre pour quelque incorrection de langage, et il prend en ce moment la même liberté avec vous. Le terme de « beau » tel que vous venez de l'employer ne lui plaît pas, et vous feriez mieux d'en trouver bien vite un autre. Il va sans cela nous accabler avec des Johnson et des Blair[1] tout le reste de notre promenade.

— Je ne voulais certes pas m'exprimer de façon incorrecte, s'écria Catherine, mais c'est vraiment un beau roman, et je ne vois pas pourquoi je ne devrais pas le dire.

— Très juste, dit Henry, et nous avons une bien belle journée, et nous faisons une belle promenade, et vous êtes deux jeunes filles très belles. Oh, ce mot est vraiment très beau ! Il convient à n'importe quoi. Peut-être l'utilisait-on à l'origine pour parler de joliesse, de correction, de délicatesse ou de raffinement. Les gens étaient beaux par leur habillement, leurs sentiments, leurs goûts... Mais de nos jours, ce mot sert à exprimer n'importe quel éloge sur n'importe quel sujet.

— ... Alors qu'en fait, s'écria sa sœur, on ne devrait l'utiliser que pour vous... Encore ne serait-ce pas un éloge, car vous êtes plus beau que sage. Venez, Miss Morland, laissons-le méditer sur nos incorrections de langage tandis que nous louerons *Udolphe* dans les termes qui nous plairont. C'est une œuvre passionnante... Aimez-vous ce genre de livres ?

— A vrai dire, je ne prise guère les autres genres littéraires.

— Vraiment ?

— C'est-à-dire... je lis bien des poèmes, des pièces de

1. Johnson est demeuré célèbre pour son édition de Shakespeare (1765) et pour son *Dictionnaire* (1755).
Hugh Blair, lui, est un grammairien et rhétoricien connu du XVIIIe siècle.

théâtre et des choses de ce genre, je ne déteste pas les récits de voyages, mais pour l'histoire, la vraie, la grande Histoire, je n'arrive pas à m'y intéresser. Et vous ?

— Oh si, j'aime beaucoup l'Histoire.

— Je voudrais bien l'aimer aussi. J'en ai lu un peu, parce qu'il le fallait, mais ce que l'on raconte dans ces ouvrages ne fait que m'irriter ou m'ennuyer. Les querelles des papes et des rois, les guerres ou les épidémies de peste à chaque page, les hommes qui ne sont bons à rien, presque jamais de femmes... Tout cela est bien fatigant. Pourtant je me dis souvent qu'il est étrange que ces récits soient aussi fastidieux car ils doivent être en grande partie inventés. Les discours que l'on fait prononcer aux héros, leurs pensées, leurs desseins doivent être le plus souvent inventés... Or c'est précisément l'invention qui me ravit tellement dans les autres livres.

— Vous pensez donc, dit Miss Tilney, que les historiens ne sont pas toujours très heureux dans leurs élans de fantaisie ? Ils inventeraient sans être capables d'éveiller le moindre intérêt... J'aime l'Histoire, quant à moi, et je me contente de prendre le faux avec le vrai. Pour se renseigner sur les faits essentiels, ils ont dans les ouvrages historiques antérieurs et dans les archives des sources d'informations aussi fiables, je crois, que le spectacle que nous pouvons avoir d'événements contemporains. Quant aux embellissements dont vous me parliez, ce ne sont que des embellissements et je les apprécie comme tels. Si un discours est bien tourné, je le lirai avec plaisir quel qu'en soit l'auteur. Je le lirai même certainement avec plus de plaisir s'il est l'œuvre de Mr. Hume ou de Mr. Robertson[1] que si c'est le discours même que prononça Caractacus, Agricola ou Alfred le Grand.

1. Hume, l'un des historiens qui ont transformé au XVIIIᵉ siècle la conception que l'on pouvait avoir de l'Histoire, est célèbre pour son *Histoire de l'Angleterre*. Robertson, lui, publia en 1759 une *Histoire de l'Écosse* qui assura sa notoriété.

— Vous aimez donc l'Histoire ! Mr. Allen et mon père aussi. Deux de mes frères l'aiment bien. Il est remarquable qu'elle compte autant d'adeptes dans le petit cercle d'amis qui est le mien. A ce compte-là, je ne saurais plus longtemps mépriser les historiens. Je suis ravie que des gens aiment lire des livres d'Histoire. Je voyais comme un sort bien cruel celui de ces hommes qui s'épuisent à remplir des volumes sur lesquels personne, croyais-je, n'irait jamais jeter un regard sans y être forcé et qui travaillent pour le tourment des petits garçons et des petites filles. Je sais bien que tout cela est juste et nécessaire, mais je me suis souvent étonnée du courage de ceux qui pouvaient se livrer à une activité pareille.

— Que l'on tourmente petits garçons et petites filles, dit Henry, personne connaissant un peu la nature humaine ne saurait le nier, mais je dois vous faire remarquer, pour défendre nos historiens les plus distingués, qu'on ne leur rendrait pas justice en supposant qu'ils n'ont pas un objectif plus noble. Par leurs méthodes et par leur style, ils sont parfaitement aptes à tourmenter des lecteurs plus raisonnables et plus âgés. J'utilise le verbe « tourmenter » à la place du verbe « instruire » comme j'ai remarqué que vous le faisiez. Je suppose qu'on admet à présent qu'ils sont tous deux synonymes.

— Vous me trouvez sotte d'appeler l'instruction une torture, mais si vous aviez vu aussi souvent que moi de pauvres petits enfants en train d'apprendre leurs lettres et s'essayer ensuite à épeler, si vous aviez jamais vu à quel point ils restent stupides d'une matinée employée de la sorte et à quel point ma mère en sort épuisée, si vous aviez jamais vu tout cela comme moi j'ai pu le voir chaque jour chez moi, vous m'accorderiez sûrement que l'on peut parfois employer indifféremment le verbe instruire ou le verbe tourmenter.

— C'est bien possible, mais on ne peut pas rendre les

historiens responsables de la difficulté que présente l'apprentissage de la lecture, et même vous, qui ne paraissez pas une fanatique du travail rigoureux et intense, serez peut-être obligée d'admettre que nous pouvons bien accepter d'être tourmentés deux ou trois ans de notre vie si cela nous permet ensuite de lire pendant tout le reste de notre existence. Songez que si l'on n'enseignait point à lire aux enfants, Mrs. Radcliffe aurait écrit en vain, ou n'aurait peut-être même jamais écrit du tout.

Catherine acquiesça et conclut par un très chaleureux panégyrique des mérites de cette dame. Les Tilney abordèrent bientôt un autre sujet, mais Catherine n'avait pas un mot à dire en ce domaine : ils contemplaient en effet le paysage avec le regard de gens habitués à dessiner et discutaient avec passion de la manière dont on pourrait l'utiliser dans un tableau. Catherine se sentait perdue, elle ignorait tout du dessin, tout de cet art. Elle écoutait ses amis avec une attention qui ne lui profitait guère car ils s'exprimaient en des termes qui ne lui parlaient pas. Le peu qu'elle parvint à saisir lui parut cependant contredire les quelques notions qu'on avait pu lui inculquer en ce domaine. Il semblait qu'une jolie vue n'eût plus à être obligatoirement prise depuis le sommet d'une haute colline et qu'un beau ciel clair ne fût plus simplement la marque d'une journée de beau temps. Elle avait sincèrement honte de son ignorance. C'était une honte absurde. Lorsqu'on désire plaire à quelqu'un, il faudrait toujours être ignorant. Trop d'instruction équivaut à une incapacité totale à flatter la vanité des autres, ce qu'une personne intelligente souhaitera toujours éviter. Une femme surtout, si elle a le malheur de savoir quoi que ce soit, devra le dissimuler aussi bien que possible.

La plume géniale de l'une de mes sœurs romancières a déjà mis en évidence tous les avantages d'une sottise naturelle chez une jolie fille. Elle a fort bien traité ce sujet, et j'ajouterai simplement, pour rendre justice aux hommes, que si, en majorité et pour les moins intéressants d'entre eux, ils considèrent que la bêtise rehausse grandement les charmes personnels d'une femme, il en est cependant certains qui ont trop de raison et d'instruction eux-mêmes pour désirer chez une femme plus que de la simple ignorance. Catherine n'était cependant pas consciente de ses avantages personnels. Elle ignorait qu'une jeune fille charmante, dotée d'un cœur affectueux et d'un esprit parfaitement inculte, ne saurait manquer d'attirer un jeune homme intelligent, à moins que les circonstances ne soient vraiment contre elle. Dans le cas qui nous occupe, Catherine confessa son ignorance et la déplora. Elle aurait donné n'importe quoi pour savoir dessiner. On lui fit sur-le-champ un cours sur le pittoresque. Les explications de Mr. Tilney étaient si claires qu'elle commença bientôt à percevoir la beauté de tout ce qu'il admirait, et elle témoigna d'une attention si passionnée qu'il eut bientôt le plaisir de lui reconnaître un extrême bon goût naturel. Il lui parla de premiers plans, d'arrière-plans, de seconds plans, de points de vue et de perspectives, d'éclairages et d'ombres. Catherine se montrait une élève dont on pouvait espérer beaucoup, au point qu'en arrivant au sommet de Beechen Cliff, elle rejeta de son propre chef toute la ville de Bath comme indigne de figurer dans un paysage. Ravi des progrès qu'elle faisait mais craignant de la fatiguer par trop d'érudition à la fois, Henry laissa le sujet s'épuiser. Il passa, par une transition facile, des pièces de fragments rocheux et du chêne foudroyé qu'il s'était plu à placer près du sommet, aux chênes en général, aux forêts, à leurs clôtures, aux terres en friche, aux royaumes, aux gouvernements... et il se retrouva bientôt en train de parler de politique. De la politique au silence, le pas fut vite franchi. C'est Catherine qui rompit ce silence général qui avait succédé à la longue dissertation d'Henry sur les affaires de la nation, en murmurant d'une voix solennelle :

— J'ai entendu dire qu'à Londres quelque chose de vraiment affreux allait bientôt être porté à la connaissance du public.

Miss Tilney, à qui ces paroles s'adressaient en premier lieu, sursauta et répondit très vite :

— Vraiment ? Et de quelle nature sont ces événements ?

— Je l'ignore, ainsi que l'auteur du crime. J'ai cependant entendu dire que cela dépasserait en horreur tout ce que l'on a pu voir jusque-là.

— Seigneur ! Où avez-vous été mise au fait d'une chose pareille ?

— On le racontait à l'une de mes amies intimes dans une lettre qu'elle a reçue hier de Londres. On s'attend à ce que ce soit abominable. Pour moi, je crois à un meurtre ou à un événement de ce genre.

— Vous en parlez avec un calme étonnant ! Mais j'espère que le récit que l'on a fait à votre amie était exagéré. Si de tels projets sont connus d'avance, le gouvernement ne manquera pas, par ailleurs, de prendre les mesures nécessaires pour en empêcher la réalisation.

— Le gouvernement, dit Henry en réprimant un sourire, ne désire, pas plus qu'il ne l'ose, intervenir dans ce domaine. Un meurtre doit avoir lieu, et le gouvernement se soucie peu du nombre des victimes.

Les jeunes filles ouvrirent de grands yeux. Il rit, puis ajouta :

— Eh bien, vous aiderai-je à vous comprendre réciproquement ou vous laisserai-je trouver vous-mêmes la solution de cette énigme ? Non, je ferai preuve de noblesse, je vais me comporter véritablement en homme, par la générosité de mon cœur autant que par la clarté de mon esprit. Je ne supporte pas ceux de mes pareils qui dédaignent de condescendre parfois à se faire comprendre des femmes. Peut-être l'intelligence de ces dernières n'est-elle ni très solide, ni très subtile, ni très vigoureuse, ni très pénétrante... Peut-être les dames manquent-elles de sens de l'observation, de discernement, de raison, d'ardeur, de génie et d'esprit...

— N'écoutez pas ce qu'il raconte, Miss Morland. Ayez plutôt la bonté de satisfaire ma curiosité en ce qui concerne cette terrible émeute.

— Une émeute ? Quelle émeute ?

— Ma chère Eleanor, l'émeute n'existe que dans votre tête. La confusion devient scandaleuse. Miss Morland n'a parlé de rien d'autre que d'une nouvelle publication qui doit sortir sous peu en trois volumes *in-douze* de deux cent soixante-six pages chacun, et dont le premier s'orne d'un frontispice qui représente deux pierres tombales et une lanterne... Comprenez-vous ? Miss Morland, ma sotte de sœur a mal compris les explications très claires que vous lui avez fournies. Vous avez parlé d'horreurs auxquelles on s'attendait à Londres... Au lieu de comprendre à l'instant, comme n'importe quel être raisonnable l'eût fait, que des termes semblables ne pouvaient qu'évoquer l'univers des bibliothèques circulantes, elle a aussitôt imaginé une foule de trois mille hommes massés devant St. George's Fields, la banque attaquée, la Tour menacée, les rues de Londres transformées en ruisseaux de sang, un détachement des 12e Dragons légers (l'espoir de la nation...) appelé de Northampton pour réprimer l'insurrection, et le galant capitaine Frederick Tilney arraché de son cheval par une brique lancée d'une fenêtre au moment même où il allait charger à la tête de ses hommes. Pardonnez sa sottise. Les craintes de la sœur ont ajouté à la faiblesse de la femme, mais en général, je vous l'assure, elle n'est nullement stupide.

Catherine avait l'air grave.

— Et maintenant, Henry, que vous nous avez permis de nous comprendre, dit Miss Tilney, vous pourriez aussi éclairer Miss Morland sur votre propre personnage, à moins que vous n'ayez l'intention de lui laisser croire que vous traitez votre sœur avec une intolérable grossièreté et que votre opinion sur les femmes est celle d'une brute. Miss Morland n'est pas accoutumée à vos façons étranges...

— Je serais ravi de les lui faire mieux connaître.

— Je n'en doute pas, mais cela ne règle pas le problème qui nous occupe présentement.

— Que dois-je faire ?

— Vous savez bien ce que vous devez faire. Il faut agir en galant homme et expliquer votre caractère à Miss Morland, il faut lui dire que vous avez une haute opinion de l'intelligence des femmes.

— Miss Morland, j'ai la plus haute opinion de l'intelligence des femmes, de toutes les femmes... et de celles, surtout, quelles qu'elles soient, en compagnie de qui je me trouve.

— Cela ne suffit pas. Soyez plus sérieux.

— Miss Morland, nul n'a de l'intelligence des femmes une plus haute opinion que moi... D'après moi, la nature leur en a tant prodigué qu'elles ne jugent jamais nécessaire d'en employer plus de la moitié.

— Nous n'en tirerons rien pour l'instant, Miss Morland, il n'est pas d'humeur à être sérieux... Mais, je vous l'assure, il ne faut pas l'écouter quand il lui arrive de se montrer injuste pour les femmes ou désagréable à mon endroit.

Catherine n'avait pas de mal à croire Henry incapable de mal agir. Certes, ses façons pouvaient parfois surprendre, mais ses intentions étaient toujours manifestement bonnes. Catherine était presque autant disposée à admirer en lui ce qu'elle ne comprenait pas que ce qu'elle comprenait. Cette promenade était absolument délicieuse, et sa conclusion aussi, bien qu'elle vînt trop tôt, fut délicieuse. Ses amis escortèrent Catherine jusque chez elle et Miss Tilney, avant de prendre congé, s'adressa respectueusement à Mrs. Allen autant qu'à Catherine pour solliciter le plaisir d'avoir son amie à dîner le surlendemain. Catherine ne rencontra d'autre difficulté que celle de dissimuler la joie excessive qu'elle éprouvait.

Cet après-midi s'était déroulé si agréablement que Catherine en avait oublié l'amitié et les liens naturels. Durant toute cette promenade, elle n'avait pas eu une pensée pour Isabelle ou pour James. Toute sa sollicitude lui revint pourtant quand les Tilney furent partis, mais cela ne s'avéra guère utile d'un certain temps. Mrs. Allen n'avait pas le moindre renseignement à fournir à Catherine pour apaiser ses inquiétudes car elle n'avait eu aucune nouvelle des Thorpe. Vers la fin de l'après-midi cependant, Catherine, qui avait absolument besoin d'un mètre de ruban qu'il lui fallait acheter sur l'heure, sortit et rencontra dans Bond Street la seconde des demoiselles Thorpe qui se dirigeait vers Edgar's Buildings. Elle était accompagnée de deux des plus adorables jeunes filles du monde, ses très chères amies du jour. Elle apprit bientôt à Catherine que l'excursion à Clifton avait eu lieu.

— Ils sont partis ce matin à huit heures, dit Miss Anne, et je ne leur envie certes pas cette promenade. Je crois que nous avons bien de la chance, vous et moi, d'avoir échappé à ce piège. Ce doit être la promenade la plus ennuyeuse du monde, car il n'y a pas une âme à Clifton à cette époque de l'année. Belle est partie avec votre frère et John a emmené Maria.

Catherine dit tout le plaisir qu'elle éprouvait à l'apprendre.

— Oh, oui, répondit Anne, Maria les a suivis. Elle était folle de joie, elle pensait que ce serait magnifique. Je ne puis dire que je partage ses goûts... Pour ma part, j'étais dès le début résolue à ne pas les accompagner, même s'ils m'en priaient.

Catherine en doutait quelque peu et elle ne put s'empêcher de lui répondre :

— J'aurais aimé que vous pussiez y aller aussi. Il est regrettable que vous n'ayez pas pu y aller tous.

— Merci, mais cela m'était vraiment complètement indifférent. En fait, je n'avais aucune envie d'y aller... C'est justement ce que j'étais en train de dire à Emily et à Sophia quand nous nous sommes rencontrées.

Catherine restait sceptique, mais elle était heureuse qu'Anne eût pour la consoler l'amitié d'une Emily et d'une Sophia. Elle lui dit au revoir sans trop de gêne et rentra chez elle. Elle était ravie que l'excursion n'eût pas été empêchée par son refus d'y participer et elle souhaitait sincèrement qu'elle eût été trop agréable pour que James ou Isabelle lui tinssent encore rigueur de sa résistance.

XV

Le lendemain, de très bonne heure, Catherine reçut d'Isabelle un petit mot plein de paroles de paix et de tendresse. On y sollicitait sa présence immédiate pour une affaire de la plus haute importance. Catherine s'empressa donc, heureuse, confiante et dévorée de curiosité, d'aller à Edgar's Buildings. Les deux jeunes demoiselles Thorpe se trouvaient seules au salon, et Catherine profita de ce qu'Anne était allée chercher sa sœur aînée pour demander à Maria des détails sur l'excursion de la veille. Maria brûlait du désir d'en parler. Cette promenade avait vraiment été merveilleuse, dit-elle, personne ne pouvait imaginer combien elle avait été agréable, elle avait été plus merveilleuse que cela ne peut se concevoir... Pendant les cinq premières minutes ses informations se limitèrent à ce type de commentaire. Elle donna ensuite des détails plus circonstanciés : Ils étaient allés directement à l'hôtel d'York, y avaient mangé une soupe et commandé un dîner qui devait être prêt de bonne heure, étaient ensuite descendus à la Pump Room, y avaient goûté l'eau et dépensé quelques shillings à acheter des bourses et des spaths. Après cela, ils avaient mangé des glaces dans une pâtisserie, et, pressés par le temps, s'étaient dépêchés d'aller à l'hôtel avaler leur dîner en toute hâte afin d'éviter de rentrer à la nuit. Le voyage de retour avait été merveilleux... même si la lune était absente, même s'il avait un peu plu et même si le cheval de Mr. Morland avait eu du mal à rentrer tant il était épuisé.

Catherine écouta ce récit avec beaucoup de satisfaction. Il semblait qu'il n'avait pas été question de Blaize Castle, et pour tout le reste, elle n'avait aucun regret. Maria termina son compte rendu en plaignant tendrement sa sœur Anne qui devait avoir été affreusement malheureuse de se voir exclue de cette excursion.

— Elle ne me le pardonnera jamais, j'en suis certaine, mais vraiment, que pouvais-je faire ? John a voulu que je l'accompagne. Il a catégoriquement refusé de l'emmener, lui trouvant la cheville trop maigre... Je crois qu'elle mettra au moins un mois à s'en remettre... Mais je suis décidée à ne point me fâcher. Ce n'est pas une pareille broutille qui pourrait me mettre en colère, quant à moi.

Isabelle entra à ce moment-là, d'un pas si vif et avec un air tellement important qu'elle monopolisa aussitôt toute l'attention de Catherine. Maria se vit renvoyée sans cérémonie et Isabelle, embrassant Catherine, commença en ces termes :

— Oui, ma chère Catherine, c'est vrai, votre pénétration ne vous a point trompée. Quelle perspicacité que la vôtre ! Vous devinez tout.

La seule réponse de Catherine fut un regard d'ignorance étonnée.

— Non, ma bien-aimée, ma très douce amie, calmez-vous, poursuivit Isabelle. Je suis follement agitée, vous le voyez... Asseyons-nous et causons tranquillement. Eh bien, vous avez donc tout deviné dès que vous avez reçu mon billet? Petite rusée! Oh, ma chère, chère Catherine, vous êtes la seule à connaître mon cœur et à pouvoir juger du bonheur que j'éprouve à cette minute. Votre frère est le plus charmant des hommes. Je souhaiterais seulement être plus digne de lui... Mais que diront vos excellents parents? Quand je songe à eux, je suis tellement agitée!

Catherine commençait à comprendre. La vérité jaillit comme une flèche dans son esprit, et elle s'écria, rougissant tout naturellement devant une émotion si nouvelle pour elle:

— Seigneur, ma chère Isabelle, que voulez-vous dire? Se peut-il, se peut-il vraiment que vous soyez amoureuse de James?

Elle parvint bientôt à concevoir qu'une conjecture aussi hardie pût être exacte, mais pour les faits eux-mêmes, ils lui demeuraient assez mystérieux. Cette tendresse inquiète qu'on l'accusait d'avoir constamment épiée dans chacun des regards ou actes d'Isabelle avait enfin reçu une réponse lors de l'excursion de la veille. Isabelle avait eu le bonheur d'entendre James lui confesser un amour égal au sien. Le cœur et la foi de Miss Thorpe appartenaient également au jeune homme. Catherine n'avait jamais entendu nouvelle plus passionnante, plus étonnante, plus heureuse. Son frère et son amie fiancés! Novice en ce domaine, elle avait l'impression que ce qu'elle venait d'apprendre avait une inconcevable importance et regardait ces fiançailles comme l'un de ces grands événements après lesquels la vie reprend difficilement son cours normal. Elle était incapable de traduire la force de sentiments dont la nature, cependant, suffit à satisfaire Isabelle. Chacune des deux amies se réjouissait de gagner en l'autre une telle sœur, et ces ravissantes jeunes filles, en un premier élan de bonheur, mêlèrent leurs baisers et leurs larmes de joie.

Catherine était sincèrement ravie du mariage qui allait avoir lieu, mais il faut avouer qu'Isabelle la dépassait largement en tendres anticipations :

— Vous me serez si infiniment plus chère, Catherine, que Maria ou Anne... J'ai l'impression que je serai encore plus attachée à ma chère famille Morland qu'à ma propre famille.

Tant d'amitié dépassait l'entendement de Catherine.

— Vous ressemblez tellement à votre frère, poursuivit Isabelle, que j'ai été folle de vous dès le premier regard... Mais c'est toujours la même chose avec moi, le premier instant décide de tout. Dès le tout premier jour du séjour de Morland chez nous, dès la toute première seconde où je l'ai vu, j'ai su que mon cœur lui appartenait irrévocablement. Je me souviens que je portais ma robe jaune et que j'avais les cheveux relevés en nattes... Lorsque je suis entrée au salon et que John me l'a présenté, je me suis dit que je n'avais jamais rencontré un homme aussi beau.

Catherine ne dit rien mais reconnut là la puissance de l'amour, car si elle aimait excessivement son frère et faisait preuve d'une grande partialité à son égard, elle ne l'avait cependant jamais trouvé beau.

— Je me souviens aussi que Miss Andrews prenait le thé avec nous ce soir-là et qu'elle portait sa robe de taffetas puce... Elle était si divinement en beauté que j'ai pensé que votre frère tomberait certainement amoureux d'elle. Je n'ai pas pu fermer l'œil de la nuit à cette pensée. Oh ! Catherine, le nombre de nuits d'insomnie que j'ai passées par la faute de votre frère ! Je ne voudrais pas vous voir souffrir la moitié de ce que j'ai souffert... Je suis devenue affreusement maigre, je le sais... Mais je ne vous affligerai pas en vous décrivant toutes mes angoisses, vous en avez eu un aperçu suffisant. Je sens que je n'ai pas cessé de me trahir. J'ai été tellement imprudente en vous parlant de ma prédilection pour l'Église ! Mais je n'ai jamais douté qu'avec vous mon secret ne fût en sûreté.

Catherine était persuadée qu'en effet rien n'avait jamais été plus en sûreté. Honteuse, cependant, d'une ignorance aussi inattendue, elle n'osa plus contester les paroles de son amie, non plus que nier avoir montré une profonde perspicacité et une tendre sympathie comme Isabelle semblait décidée à le croire. Elle apprit que son frère s'apprêtait à partir en toute hâte à Fullerton pour mettre ses parents au courant de ses projets et solliciter leur consentement. C'était là une source d'agitation réelle pour Isabelle. Catherine essaya de la convaincre, comme elle en était elle-même convaincue, que son père et sa mère ne s'opposeraient jamais aux désirs de leur fils.

— Il est impossible à des parents, dit-elle, d'être plus aimables et plus soucieux du bonheur de leurs enfants. Je ne doute absolument pas qu'ils ne donnent immédiatement leur consentement à votre mariage.

— Morland dit exactement la même chose, répondit Isabelle, et je n'ose pourtant pas y croire. Ma dot sera tellement modeste ! Ils n'accepteront jamais ! Votre frère pourrait épouser n'importe qui.

Catherine discerna là encore la force de l'amour.

— Vraiment, Isabelle, vous êtes trop modeste ! La différence de fortune ne saurait avoir la moindre importance.

— Oh, ma douce Catherine, je sais bien qu'avec le cœur généreux qui est le vôtre vous n'y accordez aucune importance, mais tout le monde ne fait pas preuve d'un tel désintéressement. Pour moi, je préférerais certes que nos situations fussent inversées. Si je disposais de millions, si je possédais le monde tout entier, je ne choisirais point un autre homme que votre frère.

Cette charmante pensée, qui se recommandait autant par son bon sens que par son originalité, rappela très agréablement à Catherine toutes ses chères héroïnes ; elle se dit que son amie n'avait jamais paru plus adorable qu'au moment où elle avait murmuré ces paroles.

— Je suis certaine qu'ils donneront leur consentement, ne cessait-elle de répéter, je suis certaine que vous allez leur plaire à la folie.

— Pour ma part, lui dit Isabelle, j'ai si peu de besoins que je me contenterais du revenu le plus modeste. Lorsque les gens sont réellement attachés l'un à l'autre, la pauvreté elle-même prend des allures d'opulence. Je déteste la magnificence. Je ne m'établirais pour rien au monde à Londres. Une chaumière dans quelque village isolé, ce serait vraiment l'idéal. Il y a de charmantes petites villas autour de Richmond.

— Richmond ! s'écria Catherine. Il faut vous installer près de Fullerton... Il faut absolument que vous habitiez près de nous !

— Je serais certes bien malheureuse d'être éloignée de vous. Il me suffirait, pour être heureuse, de vivre près de vous... Mais il est absurde de parler de tout cela ! Je ne dois plus songer à ces choses avant de connaître la réponse de votre père. Morland prétend que s'il envoie une lettre de Salisbury ce soir, nous pouvons l'avoir dès demain. Demain... Je sais que je n'aurai jamais le courage d'ouvrir cette lettre, je suis sûre que ce sera ma mort.

Une rêverie succéda à ces certitudes et lorsque Isabelle reprit la parole, ce fut pour décider de l'étoffe dont serait faite sa robe de mariée.

C'est le jeune amant en personne qui vint mettre un terme à cette discussion. Il venait exhaler un soupir d'adieu avant de partir pour le Wiltshire. Catherine avait bien envie de le féliciter mais elle ne savait que dire et son éloquence se réfugia toute dans ses yeux. Ils surent faire étinceler les huit parties du discours de la manière la plus expressive, et James n'eut point de mal à en tirer la synthèse qui s'imposait. Impatient de voir, dans la maison de ses parents, la réalisation de tous ses espoirs, il ne prolongea pas ses adieux, et ceux-ci eussent été plus brefs encore si sa belle amie n'avait maintes fois retenu le jeune homme pour lui enjoindre de partir sur-le-champ. Par deux fois il était presque arrivé à la porte quand Isabelle, dans son impatience à le faire partir, l'avait rappelé auprès d'elle :

— Vraiment, Morland, il faut que je vous chasse. Songez au chemin qu'il vous faut parcourir ! Je ne puis tolérer que vous vous attardiez de la sorte. Pour l'amour de Dieu, ne perdez plus une minute. Là... Partez, partez, j'insiste.

Les deux amies, leurs cœurs maintenant plus unis que jamais, ne se quittèrent pas de toute cette journée, et les heures s'écoulèrent, rapides, à faire des projets de bonheur fraternel. Mrs. Thorpe et son fils, qui savaient tout et ne semblaient plus attendre que le consentement de Mr. Morland pour déclarer ouvertement les fiançailles d'Isabelle l'événement le plus heureux qu'on pût souhaiter à leur famille, furent autorisés à se joindre à la conversation des deux jeunes filles. Ajoutant leur quota de regards suggestifs et de paroles mystérieuses, ils mirent un comble à la curiosité qui dévorait les deux jeunes Thorpe moins favorisées. Catherine, dans sa simplicité, ne trouvait ni très aimable ni très logique la réserve que l'on observait à l'égard des deux jeunes filles. Elle n'aurait pas pu s'empêcher de le faire remarquer si les Thorpe n'avaient été fort coutumiers de ce genre d'inconséquence. Anne et Maria apaisèrent d'ailleurs bientôt ses inquiétudes en déclarant, avec un air de sagacité, qu'elles savaient très bien ce qu'il en était. La soirée se passa ensuite à faire assaut d'esprit et à déployer des trésors d'ingéniosité. D'un côté le mystère d'un prétendu secret, de l'autre des découvertes que l'on taisait, et partout une même malice.

Catherine vint voir son amie le lendemain. Elle essaya de la soutenir et de l'aider à passer ces heures innombrables et interminables qui devaient précéder l'arrivée du courrier. Ses efforts se révélèrent nécessaires car Isabelle cédait de plus en plus au découragement au fur et à mesure qu'approchait l'heure où l'on pouvait raisonnablement espérer la lettre de James, et, juste avant que celle-ci ne lui parvînt, en était arrivée à éprouver une réelle détresse. Lorsqu'elle eut enfin la lettre de James, pourtant, toute angoisse se dissipa. « J'ai obtenu sans aucun mal le consentement de mes parents, et ils m'ont promis que tout ce qu'il serait en leur pouvoir de faire pour mon bonheur serait fait. » C'étaient là les trois premières lignes de la lettre de James, et en un instant, tout ne fut plus que joyeuse sécurité. Le visage d'Isabelle s'était aussitôt illuminé, tous ses soucis et toutes ses angoisses s'étaient évanouis, elle était presque trop heureuse pour se maîtriser et se nommait elle-même sans la moindre hésitation la plus heureuse des mortelles.

Mrs. Thorpe, des larmes de joie dans les yeux, embrassa sa fille, son fils, sa visiteuse, et aurait pu embrasser avec plaisir la moitié des habitants de Bath. Son cœur débordait de tendresse, c'étaient des « Cher John » et des « Chère Catherine » à chaque mot. La « Chère Anne » et la « Chère Maria » durent sur-le-champ partager la félicité des autres, et les deux « chère » dont elle fit précéder le nom d'Isabelle n'étaient rien de plus que ce que cette enfant bien-aimée avait mérité. John lui-même ne dissimulait pas sa joie. Il n'accordait pas seulement à Mr. Morland l'immense mérite d'être un des meilleurs types du monde, mais le couvrait de mille autres louanges.

La lettre qui répandait tous ces flots de bonheur était brève et ne leur en apprenait guère plus que cette certitude du succès. James donnerait de plus amples détails quand il aurait le temps d'écrire une nouvelle lettre. Isabelle n'aurait guère de mal à attendre. La promesse de Mr. Morland suffisait. Il s'était engagé sur l'honneur à faciliter toutes choses. Comment leur constituerait-on un revenu, leur céderait-on des biens fonciers ou leur ferait-on une rente, c'étaient là des problèmes sur lesquels son esprit désintéressé ne daignait pas s'arrêter. Elle en savait assez pour ne pas douter qu'un établissement honorable ne lui fût assuré dans de brefs délais, et son imagination s'envola bientôt sur les félicités qui accompagneraient son nouvel état. Elle se voyait, dans quelques semaines, provoquer l'étonnement et l'admiration de ses nouveaux amis de Fullerton et l'envie de ses anciens amis de Putney. Elle aurait une voiture, un autre nom sur ses cartes et tout un brillant étalage de bagues aux doigts...

Lorsqu'on se fut assuré du contenu de la lettre de James, John Thorpe, qui n'attendait que l'arrivée de ce message pour entreprendre son voyage à Londres, s'apprêta à partir.

— Eh bien, Miss Morland, dit-il à Catherine qu'il trouva seule au salon, je suis venu vous dire au revoir.

Catherine lui souhaita bon voyage. Sans paraître l'entendre, il se dirigea vers la fenêtre, s'agitant nerveusement et fredonnant un air. Il semblait vraiment très préoccupé.

— Ne serez-vous pas en retard à Devizes? lui demanda Catherine.

Il ne répondit pas mais, après un instant de silence, s'écria :

— Fameux, ce projet de mariage, ma foi. Une sacrée idée qu'ont eue là Morland et Belle! Qu'en pensez-vous, Miss Morland? Pour ma part, je prétends que ce n'est pas une mauvaise idée.

— Certes, je trouve que c'est une excellente idée.

— Vraiment? Par le ciel, voilà une réponse franche! Je suis ravi de voir que vous n'êtes pas hostile au mariage. Connaissez-vous la vieille chanson qui dit qu'un mariage en amène un autre ? Je suppose que vous assisterez au mariage de Belle... Je l'espère en tout cas.

— Oui, j'ai promis à votre sœur d'y assister si cela m'était possible.

— Alors, vous savez — se tortillant et se forçant à rire d'un rire idiot —, je disais donc que nous pourrions peut-être tester la véracité de la vieille chanson...

— Ah oui ? Je ne chante jamais... Bien, je vous souhaite un bon voyage. Je dîne avec Miss Tilney aujourd'hui, et il est temps que je rentre.

— Voyons, il n'y a pas de raison de tant se presser ! Qui sait quand nous nous reverrons ? Je dois certes revenir d'ici une quinzaine de jours, et cette quinzaine me paraîtra diablement longue, mais...

— Pourquoi partez-vous si longtemps, dans ce cas ? répondit Catherine, voyant bien qu'il attendait une réponse.

— C'est gentil à vous, en tout cas, de me dire cela, oui, très gentil, et vous êtes bien bonne... Je n'oublierai pas cela de sitôt... Vous avez plus de bonté, et tout ça, que n'importe qui au monde, je crois... Oui, une bonté phénoménale... Et il n'y a pas que votre bonté, vous avez aussi tant de... Tant de tout. Et puis vous avez tant de... Sur mon âme, je ne connais personne qui puisse vous être comparé !

— Oh, cher Mr. Thorpe, il y a bien des gens qui soutiendraient la comparaison, et pas mal, je crois, qui me sont supérieurs. Au revoir.

— Mais, Miss Morland, je voulais vous dire... Je viendrai avant longtemps vous présenter mes respects à Fullerton, si cela ne vous est pas désagréable.

— Je vous en prie, mes parents seront ravis de faire votre connaissance.

— Et j'espère... j'espère, Miss Morland, que cela ne vous dérangera pas trop.

— Oh non, cher Mr. Thorpe, pas du tout, il est bien peu de gens qui me dérangent. Il est toujours très agréable d'avoir de la compagnie.

— C'est exactement ma façon de penser. Que j'aie quelques compagnons agréables, que je sois avec des gens que j'aime, qu'on me permette d'être où il me plaît et avec qui me plaît, cela me suffit, et que le Diable emporte le reste... C'est là ma philosophie et je suis sincèrement ravi de voir que vous êtes de mon avis... Mais j'ai l'impression, Miss Morland, que vous et moi pensons de même sur bien des points...

— C'est possible, je n'y avais jamais songé. Cependant, pour ce qui est des nombreux points sur lesquels nous serions d'accord, il est peu de choses, à vrai dire, sur lesquelles je connaisse mon propre avis.

— C'est comme moi, par Jupiter ! Je n'ai pas l'habitude de me torturer la cervelle avec des problèmes qui ne me concernent pas. Mes idées sont fort simples. Donnez-moi une fille qui me plaît, un bon toit au-dessus de ma tête, et que m'importe tout le reste ? La fortune n'est rien. Je suis moi-même assuré d'un revenu confortable, et si la fille n'a pas un sou, ce sera tant mieux !

— Cela est très juste, et sur ce point je suis tout à fait de votre avis. S'il y a une grande fortune d'un côté, il n'est pas nécessaire qu'il y en ait une de l'autre. Peu importe qui est riche pourvu que l'argent ne manque pas. Je déteste cette idée d'une grande fortune qui en recherche une autre, et je pense qu'un mariage d'argent est la chose la plus laide du monde. Au revoir, nous serons ravis de vous voir à Fullerton quand il vous plaira.

Elle s'en alla sur ces mots. Thorpe fut incapable de la retenir plus longtemps. Elle avait de telles nouvelles à annoncer à ses amis et devait se préparer pour une visite qui lui importait tellement que toutes les prières du jeune homme ne purent retarder son départ. Elle s'en alla très vite, laissant Thorpe tout à fait persuadé d'avoir parlé comme il le fallait et d'avoir reçu d'elle des encouragements explicites.

Le trouble qu'elle avait elle-même ressenti en apprenant les fiançailles de son frère l'incitait à croire que Mr. et Mrs. Allen seraient également très émus lorsqu'ils sauraient quel merveilleux événement se préparait.

La déception de Catherine fut immense. Cette nouvelle extraordinaire, qu'elle ne leur apprit qu'après mille précautions, était, semble-t-il, prévisible dès l'arrivée de son frère à Bath. Mr. et Mrs. Allen se contentèrent donc de souhaiter aux jeunes gens tout le bonheur possible. Le monsieur fit d'autre part une remarque sur la beauté de la jeune fille, et la dame sur la grande chance qu'elle avait en épousant James. Cependant, lorsqu'elle apprit que la veille James était parti en secret pour Fullerton, Mrs. Allen montra quelque émotion. Elle ne parvint pas à garder son calme quand Catherine le lui dit. Elle regretta maintes fois la nécessité qui avait poussé le jeune homme à garder son départ secret. Elle aurait aimé connaître ses intentions, dit-elle, et le voir avant son départ. Elle l'aurait certainement chargé de transmettre tous ses respects à son père et à sa mère et ses meilleurs compliments aux Skinner.

XVI

Catherine attendait tant de plaisir de sa visite à Milsom Street qu'une déception était inévitable. Certes le général Tilney l'avait reçue avec une grande courtoisie, Eleanor l'avait très gentiment accueillie, Henry avait assisté au dîner et l'on n'avait invité qu'elle, mais malgré tout cela, Catherine se rendit compte à son retour, et sans avoir à y réfléchir très longtemps, qu'elle n'avait pas éprouvé ce bonheur auquel elle s'était préparée en partant pour son rendez-vous. Le ton de ses relations avec Miss Tilney ce jour-là lui donnait l'impression qu'au lieu d'avoir progressé dans son amitié, elle était presque moins intime avec elle qu'auparavant. Pour Henry Tilney, au lieu de le voir briller dans un cercle de famille qui devait le rassurer, elle l'avait trouvé insignifiant et peu aimable. Malgré la grande courtoisie du général, malgré tous ses remerciements, toutes ses invitations, tous ses compliments, Catherine avait été soulagée de le voir s'en aller. Elle avait bien de la peine à s'expliquer tout cela. Ce ne pouvait être la faute du général Tilney, car elle ne doutait point qu'il ne fût parfaitement aimable, affable, et que ce ne fût un homme tout à fait charmant, puisqu'il était grand, beau, et qu'Henry était son fils. Il n'était pas responsable de la morosité de ses enfants ou de l'ennui que son invitée avait éprouvé en sa compagnie. Pour la morosité d'Eleanor et d'Henry, elle espérait du moins que ce n'était qu'un accident, et quant à l'ennui qu'elle avait ressenti, elle ne pouvait que l'imputer à sa propre stupidité. Quand Catherine lui raconta en détail cette visite, Isabelle donna aux faits une interprétation fort différente. Tout cela n'était qu'orgueil, orgueil, insupportable hauteur et orgueil... Depuis longtemps elle soupçonnait ces gens de hauteur, et tout ceci ne faisait que confirmer ses soupçons. Elle n'avait de sa vie entendu parler d'une insolence comparable à celle de Miss Tilney ! Ne point faire les honneurs de sa maison avec la correction la plus élémentaire ! Traiter son invitée avec tant d'arrogance ! Lui parler à peine !

— Mais cela ne s'est pas du tout passé ainsi, Isabelle, jamais elle ne s'est montrée arrogante... Elle a été extrêmement polie.

— Oh, ne la défendez pas ! Et le frère qui semblait tellement épris de vous ! Allons, les sentiments de certaines personnes demeurent incompréhensibles... Ainsi, il ne vous a pratiquement pas regardée de toute la journée ?

— Je n'ai jamais dit cela, c'est simplement qu'il ne paraissait pas de très joyeuse humeur.

— Comme c'est méprisable ! Je ne hais rien tant que l'inconstance. Je vous en prie, n'accordez plus une pensée à cet homme, ma chère Catherine, il est vraiment indigne de vous.

— Indigne, mais je ne sache pas qu'il ait jamais songé à moi !

— C'est exactement ce que je disais, il ne pense jamais à vous... Quelle inconstance ! Oh, quelle différence avec votre frère ou le mien ! Je crois vraiment que John a le cœur le plus fidèle qui soit.

— Quant au général Tilney, je vous assure qu'il s'est comporté avec une extrême courtoisie et qu'il m'a témoigné tous les égards possibles. Il semblait n'avoir d'autre souci que de me divertir et de me rendre heureuse.

— Oh, je ne parle pas de lui, je ne le soupçonne pas d'être vaniteux. Je crois que c'est un vrai gentleman. John pense beaucoup de bien de lui, et le jugement de John...

— Eh bien, je verrai comment ils se conduiront avec moi ce soir, nous devons nous retrouver aux Rooms.

— Et moi, dois-je y venir ?

— N'en aviez-vous pas l'intention ? Je croyais que c'était convenu.

— Eh bien, puisque vous y tenez tant... Je ne puis rien vous refuser. Mais ne vous attendez pas à ce que je sois une compagnie très agréable. Mon cœur, vous le savez, sera à quelque quarante miles de là... Quant à danser, ne m'en parlez pas, je vous en supplie, c'est tout à fait hors de question... Charles Hodge va me tourmenter à mort, je m'en doute, mais je le réduirai au silence. Je vous parie à dix contre un qu'il devinera mes raisons, alors que c'est exactement ce que je souhaite éviter... Aussi le prierai-je de garder ses conjectures pour lui.

L'opinion d'Isabelle sur les Tilney n'influença pas son

amie. Elle était certaine qu'il n'y avait pas eu la moindre trace d'insolence dans le comportement du frère et de la sœur, et ne les soupçonnait nullement d'être orgueilleux. Elle reçut le soir même la récompense de la confiance qu'elle avait en eux. Eleanor témoigna envers elle de la même gentillesse qu'auparavant et Henry des mêmes égards : la première en effet s'efforça de ne point la quitter et le second l'invita à danser.

La veille, à Milsom Street, Catherine avait appris que le frère aîné de ses amis, le capitaine Tilney, était attendu d'un instant à l'autre, et elle n'eut donc point de peine à identifier un jeune homme très élégant et fort beau qu'elle voyait pour la première fois parmi le cercle d'amis des Tilney. Elle le regarda avec une grande admiration. Elle se dit même qu'il était possible que certains pussent le trouver plus beau que son frère, bien qu'elle-même lui reprochât une certaine arrogance et des manières moins engageantes. Les goûts et les façons du capitaine étaient décidément inférieurs à ceux de son frère, car Catherine put l'entendre qui non seulement refusait catégoriquement de danser, mais encore se moquait d'Henry qui trouvait cela tolérable. Cette dernière circonstance laisse présumer que, quelle que fût l'opinion de Catherine sur lui, l'admiration que le jeune homme pourrait lui porter ne serait jamais bien dangereuse. Elle ne risquerait en aucun cas de semer la discorde entre les deux frères ou d'exposer la jeune fille à des persécutions. On voit mal le capitaine Tilney se faire l'instigateur d'un enlèvement où trois traîtres vêtus de grands manteaux de cavaliers forceraient la jeune fille à monter dans une chaise de poste tirée par quatre chevaux qui l'emporteraient à un train d'enfer. Catherine n'était d'ailleurs nullement troublée par le pressentiment d'un malheur de ce genre — ni d'un autre quelconque malheur, du reste, que celui de voir leur danse par trop écourtée. Elle était heureuse, comme chaque fois qu'elle se trouvait avec Henry Tilney, et elle écoutait, l'œil étincelant, tout ce qu'il racontait. Elle le trouvait irrésistible, et ce faisant, le devenait elle-même.

Au terme de la première danse, le capitaine Tilney les rejoignit et entraîna son frère, au plus vif mécontentement de Catherine, et bien que notre délicate et sensible héroïne ne s'en alarmât point sur-le-champ et ne tînt pas pour certain que le capitaine Tilney ne pouvait qu'avoir entendu à son sujet quelque propos malveillant qu'il se hâtait à présent de communiquer à son frère dans l'espoir de les désunir à jamais elle et Henry, elle ne put cependant voir disparaître son cavalier sans en éprouver une sensation très désagréable. Ils revinrent tous les deux au bout de cinq minutes qui avaient paru à Catherine durer un bon quart d'heure. Elle comprit tout lorsque Henry lui demanda si elle pensait que son amie, Miss Thorpe, refuserait de danser, le capitaine désirant vivement lui être présenté. Catherine lui répondit sans hésiter qu'elle était certaine que Miss Thorpe n'avait pas la moindre intention de danser. Henry transmit cette cruelle réponse au capitaine Tilney qui s'éloigna sur-le-champ.

— Je pense que cela ne contrariera point votre frère, dit Catherine, car je l'ai entendu vous dire tout à l'heure qu'il détestait danser. Je suppose qu'il aura vu Isabelle assise et se sera imaginé qu'elle désirait avoir un cavalier, mais il s'est complètement trompé car ce soir elle ne danserait pour rien au monde.

Henry sourit et lui dit :

— Comme cela vous est facile de comprendre les raisons d'agir des autres...

— Comment cela ? Que voulez-vous dire ?

— Vous ne vous demandez jamais : Qu'est-ce qui risque d'influencer untel ? Qu'est-ce qui agira le plus sûrement sur telle personne étant donné son âge, sa situation, les habitudes qui sont probablement les siennes ? Non, vous vous demandez : Qu'est-ce qui, moi, pourrait bien m'influencer, qu'est-ce qui, moi, me pousserait à agir de telle ou telle façon ?

— Je ne vous comprends pas.

— Nous ne sommes donc absolument pas sur un pied d'égalité, car moi, je vous comprends parfaitement.

— Cela ne m'étonne pas, je ne parle pas assez bien pour être inintelligible.

— Bravo ! Voici une excellente satire de notre langage moderne.

— Mais je vous en prie, expliquez-moi ce que vous voulez dire.

— Le faut-il vraiment ? Désirez-vous réellement que je m'explique ? Vous ne vous rendez pas compte des conséquences que cela peut avoir. Cela va vous mettre dans un cruel embarras et cela risque de provoquer un désaccord entre nous.

— Non, non, ce ne sera pas le cas, je n'ai pas peur.

— Eh bien, je voulais simplement dire que lorsque vous attribuez à la seule bonté le désir qu'a mon frère de danser avec votre amie, vous ne faites que me convaincre que vous êtes meilleure que personne au monde.

Catherine rougit, protesta, et les prédictions du jeune homme se vérifièrent. Il y avait cependant dans les paroles qu'il avait prononcées quelque chose qui la payait de toute la gêne qu'elle pouvait éprouver. Cela l'absorba si profondément qu'elle en eut un moment d'absence, oubliant de parler ou d'écouter ce qu'on lui disait, oubliant même presque l'endroit où elle se trouvait. Elle fut tirée de sa rêverie par la voix d'Isabelle et, levant les yeux, vit son amie et le capitaine Tilney qui leur proposaient, à elle et à Henry, un chassé-croisé.

Isabelle haussa les épaules et sourit, seule explication qu'elle pût trouver à ce moment-là pour justifier son extraordinaire revirement. Cela ne suffit pourtant pas à Catherine, et elle dit clairement à Henry tout l'étonnement qu'elle ressentait à cette minute :

144

— Je ne comprends pas ce qui a pu se passer ! Isabelle était tellement décidée à ne pas danser !

— Et avant cela, il n'était jamais arrivé à Isabelle de changer d'avis ?

— Oh, mais c'est que... et votre frère ! Après ce que vous lui avez dit de ma part, comment a-t-il pu songer à aller l'inviter ?

— Pour ma part, je ne saurais en concevoir le moindre étonnement. Vous m'invitez à m'étonner du comportement de votre amie, je le fais donc, mais pour mon frère, sa conduite dans cette affaire répond, je dois l'avouer, exactement à mon attente. La beauté de votre amie était pour lui un attrait puissant, et nul autre que vous ne pourrait concevoir l'étendue de la fermeté d'Isabelle.

— Vous riez, mais je vous assure qu'Isabelle montre d'ordinaire une grande fermeté.

— On pourrait en dire autant de chacun, et puis s'en tenir toujours à ses résolutions doit certainement équivaloir à de l'obstination. Céder quand il convient est la preuve qu'on réfléchit, et sans parler de mon frère, je pense sincèrement que Miss Thorpe n'a pas commis une faute en disposant de l'heure présente.

Les deux jeunes filles durent attendre la fin du bal pour se confier leurs secrets, mais alors, comme elles se promenaient bras dessus bras dessous dans la salle, Isabelle s'expliqua de la façon suivante :

— Votre surprise ne m'étonne pas, et je suis vraiment épuisée. C'est un tel bavard ! Assez amusant, si j'avais eu l'esprit plus libre, mais j'aurais tout donné au monde pour rester tranquillement à ma place.

— Pourquoi ne pas l'avoir fait, dans ce cas ?

— Oh, ma chère, cela aurait paru tellement singulier !... et vous savez combien je déteste me distinguer... J'ai refusé aussi longtemps que possible son invitation, mais il n'a rien voulu entendre. Vous n'imaginez pas à quel point il s'est montré pressant... Je l'ai prié de m'excuser et d'aller inviter une autre jeune fille, mais non, il n'a pas voulu. Après m'avoir priée de danser avec lui, il n'était plus personne dans la salle à qui il pût supporter de penser... Non qu'il voulût absolument danser, mais il désirait être avec *moi*... Oh, quelle folie ! Je lui ai dit qu'il s'y prenait bien mal s'il cherchait vraiment à me convaincre, puisque je ne haïssais rien au monde comme les beaux discours et les grands compliments, etc. Je me suis bientôt aperçue que je ne serais pas tranquille tant que je ne serais pas allée danser. Je me suis dit aussi que Mrs. Hugues, qui me l'avait présenté, risquait de prendre mon refus en mauvaise part. Je suis sûre que votre cher frère eût été malheureux de me voir rester assise toute la soirée. Je suis tellement ravie que cette corvée soit terminée ! Je suis éreintée d'avoir écouté tant d'absurdités, et puis, comme c'est un jeune homme extrêmement élégant, j'ai bien vu que tous les regards étaient fixés sur nous...

— Il est en effet très beau.

— Beau !... Oui, c'est possible. Il doit être généralement fort admiré, en effet, mais ce n'est pas du tout mon type d'homme. Je déteste qu'un homme ait le teint fleuri et les yeux noirs. Il est cependant très bien... D'une étonnante fatuité, cela j'en suis sûre. Vous savez, je l'ai repris plusieurs fois, à ma manière.

Lorsque les deux jeunes filles se retrouvèrent, elles eurent à débattre d'un sujet nettement plus passionnant. La deuxième lettre de James était arrivée, et les bonnes intentions de son père y étaient clairement définies. Mr. Morland comptait céder à son fils un bénéfice dont il était le maître et titulaire, et qui rapportait environ quatre cents livres par an. Il devait revenir à James quand celui-ci aurait l'âge voulu. Ce n'était pas une mince déduction sur les revenus de la famille ni une allocation mesquine pour un jeune homme qui avait neuf frères et sœurs. James était par ailleurs assuré d'hériter un bien d'une valeur au moins égale.

James manifestait dans sa lettre de toute la gratitude qui convenait. Il ne rechignait pas trop, d'autre part, devant la nécessité d'attendre deux ou trois ans avant de pouvoir se marier. Bien que cette idée en elle-même lui fût désagréable, le délai qu'on lui imposait n'était pas supérieur à celui qu'il avait prévu. Catherine n'avait aucune idée de ce que l'on donnerait à son frère et n'évaluait pas davantage les revenus de son père. Elle s'en remit donc en l'occurrence au jugement de son frère, et, le voyant satisfait, le fut également. Elle félicita chaleureusement Isabelle de ce que tout s'arrangeât si bien.

— C'est vraiment parfait, dit Isabelle, l'air grave.

— Mr. Morland s'est en effet montré extrêmement généreux, dit l'aimable Mrs. Thorpe en lançant des regards anxieux sur sa fille. J'aimerais pouvoir en faire autant que lui. On ne pouvait espérer davantage de sa part, vous savez. Si plus tard il s'aperçoit qu'il *peut* faire plus, il le fera, je crois. Je suis sûre qu'il a très bon cœur. Quatre cents livres, ce n'est bien sûr qu'un petit revenu pour débuter dans la vie, mais vos désirs, ma chère Isabelle, sont tellement modestes... Vous ne réalisez pas combien vos besoins sont infimes, ma chère.

— Ce n'est pas pour moi que je souhaiterais avoir davantage d'argent, mais je ne puis supporter l'idée de nuire à Mr. Morland en étant la cause qui limitera encore des revenus à peine suffisants pour faire vivre une personne seule. Pour moi, rien de tout cela ne compte... Je ne pense jamais à moi.

— Je le sais, ma chère, et vous en serez toujours récompensée par l'affection que cela vous vaut de la part de chacun. Jamais jeune fille ne fut plus aimée que vous ne l'êtes de tous ceux qui vous connaissent un peu, et je suis sûre que lorsque Mr. Morland vous verra, ma chère enfant... Mais n'attristons pas notre chère Catherine avec tous ces problèmes. Mr. Morland a agi avec beaucoup d'élégance, vous savez... J'ai toujours entendu dire que c'était un excellent homme. Et puis vous savez, ma chère, nous n'avons pas à faire de suppositions, mais quoi... si vous aviez eu une fortune suffisante, il vous aurait donné davantage. Je suis bien certaine que c'est un homme extrêmement généreux.

— Personne ne peut avoir de Mr. Morland une meilleure opinion que moi, cela ne fait aucun doute, mais tout le monde a ses défauts, vous savez, et chacun a le droit de faire ce qui lui plaît de son argent.

Ces insinuations blessaient profondément Catherine.

— Je suis sûre, dit-elle, que mon père fait tout ce que ses moyens lui permettent de faire.

Isabelle se ressaisit :

— Quant à cela, ma chère Catherine, on ne peut en douter, et vous me connaissez assez pour savoir que je me contenterais d'un revenu plus modeste encore. Ce n'est pas le manque d'argent qui me chagrine en ce moment, je déteste l'argent... non, si nous pouvions nous marier sur-le-champ avec cinquante livres par an, je n'aurais plus le moindre souci... Ah, ma Catherine, vous m'avez découverte. Le problème est là. Ces longues, longues, ces interminables deux années et demie qu'il nous faudra attendre avant que votre frère n'entre en possession de son bénéfice !...

— Oui, oui, mon Isabelle chérie, dit Mrs. Thorpe, nous lisons parfaitement dans votre cœur. Vous n'avez point de détours. Nous comprenons bien le chagrin que vous éprouvez à cette heure, et chacun ne peut que vous aimer davantage encore de montrer une si noble et honnête affection.

Les sentiments désagréables que Catherine avait éprouvés commençaient à s'estomper. Elle s'efforça de croire que le retard de son mariage était l'unique raison des regrets d'Isabelle, et lorsqu'à leur rendez-vous suivant elle la trouva plus gaie et plus aimable que jamais, elle tenta d'oublier ses tristes pensées d'un instant. James arriva peu de temps après sa lettre, et on le reçut avec la plus extrême gentillesse.

XVII

Les Allen entraient à présent dans la sixième semaine de leur séjour à Bath, et l'on se posa quelque temps la question de savoir si ce serait la dernière. Cette idée faisait battre le cœur de Catherine. Elle envisageait comme un irréparable malheur le fait que ses relations avec les Tilney pussent être si vite interrompues. Tout son bonheur était en jeu tant que cette affaire resta en suspens, et elle ne se sentit rassurée que lorsque les Allen décidèrent de prolonger la location de leur appartement d'une quinzaine de jours. Catherine ne s'attarda guère à méditer sur ce que ces deux semaines supplémentaires pourraient lui apporter en plus du plaisir de voir de temps à autre Henry Tilney. A vrai dire, depuis que les fiançailles de James l'avaient instruite sur les horizons que peut laisser espérer une situation comme la sienne, elle était allée une fois ou deux jusqu'à se permettre un secret « peut-être », mais, pour le présent, elle limitait généralement ses vues au bonheur immédiat de la compagnie d'Henry. Le présent était maintenant compris dans une période de trois autres semaines où son bonheur était assuré, et le reste de sa vie lui semblait trop éloigné pour qu'elle pût s'y intéresser. Le matin même où elle apprit que tout était arrangé, elle alla rendre visite à Miss Tilney pour donner libre cours à sa joie. Il était dit, pourtant, que cette journée lui amènerait des épreuves. A peine avait-elle dit toute sa joie de voir les Allen prolonger leur séjour que Miss Tilney lui apprenait que son père venait juste de prendre la décision de quitter Bath à la fin de la semaine suivante. Quel choc pour Catherine ! Ses inquiétudes de la matinée lui paraissaient bien douces en comparaison de la déception qu'elle éprouvait à présent. La jeune fille changea de figure, et répéta, sur le ton de la plus sincère affliction, les derniers mots de Miss Tilney :

— A la fin de la semaine prochaine...

— Oui, mon père ne se laisse que très difficilement persuader de venir prendre les eaux, ce que je trouve d'ailleurs fort regrettable. Il a été déçu dans son espoir de voir arriver ici des amis qu'il attendait, et comme il se sent maintenant parfaitement rétabli, il est pressé de rentrer chez lui.

— J'en suis vraiment navrée, dit Catherine, très abattue, si j'avais su cela plus tôt...

— Peut-être, dit Miss Tilney avec une certaine gêne, peut-être aurez-vous la bonté de... Je serais tellement heureuse que...

L'arrivée du général interrompit toutes ces amabilités qui, Catherine commençait à l'espérer, déboucheraient peut-être sur la proposition de correspondre ensemble. Après s'être adressé à Catherine avec sa civilité coutumière, le général Tilney se tourna vers sa fille et lui dit :

— Eh bien, Eleanor, puis-je vous féliciter du succès de votre démarche auprès de votre belle amie ?

— J'allais justement lui faire ma requête, Monsieur, lorsque vous êtes arrivé.

— Soit, employez tous les moyens qui sont en votre pouvoir. Ma fille, Miss Morland, poursuivit-il sans laisser à Eleanor le temps de dire un mot, a formé un projet bien hardi. Comme elle vous l'a peut-être annoncé, nous quittons Bath samedi en huit. Une lettre de mon régisseur m'informe en effet qu'on a besoin de moi chez moi, et comme j'ai été d'autre part déçu dans mon espoir de voir arriver ici le marquis de Longtown et le général Courteney, rien ne me retient plus à Bath. Si nous pouvions mener à bien l'égoïste projet que nous avons vous concernant, nous quitterions cette ville sans le moindre

150

regret. En un mot, pouvez-vous vous résoudre à quitter cette scène de vos triomphes et nous faire l'honneur de venir dans le Gloucestershire tenir compagnie à votre amie ? J'ai presque honte de vous faire cette requête, bien que la présomption dont elle témoigne ne puisse manquer de frapper quiconque à Bath plus que vous. La modestie qui vous honore... Mais je ne voudrais pour rien au monde blesser cette modestie par des éloges trop manifestes... Si l'on peut vous convaincre de nous faire l'honneur d'une visite, vous nous rendrez heureux au-delà de toute expression. Nous ne pouvons certes rien vous offrir qui soit comparable aux brillants plaisirs que l'on goûte dans une ville aussi animée que Bath. Nous ne pouvons vous tenter en vous parlant de distractions ou de fastes, car notre mode de vie est, vous le savez, simple et sans prétention. Nous ferons néanmoins tous les efforts possibles pour faire de Northanger Abbey un endroit qui ne vous déplaise pas trop.

Northanger Abbey ! Ces mots étaient tellement impressionnants que Catherine en connut une véritable extase. Elle parvenait à peine à garder son calme en exprimant toute sa reconnaissance et sa joie. Recevoir une invitation si flatteuse !... Voir sa présence si chaleureusement sollicitée !... Cette requête représentait tout ce qui pouvait l'honorer, la flatter, tous les bonheurs présents et tous les espoirs futurs. Elle s'empressa d'accepter cette invitation, en posant comme seule condition d'avoir l'accord de Papa et Maman.

— Je vais leur écrire sur-le-champ, dit-elle, et s'ils n'ont, comme je le crois, pas d'objections à formuler...

Le général se montrait aussi optimiste qu'elle, car il s'était déjà rendu chez les bons amis de la jeune fille, à Pulteney Street, et il avait obtenu leur consentement.

— Puisqu'ils acceptent de se séparer de vous, dit-il, nous pouvons espérer que chacun fera preuve de la même philosophie.

Miss Tilney, quand elle put s'exprimer de nouveau, se montra fort empressée, quoique toujours très douce, et l'on régla en quelques minutes les détails de cette affaire, autant que le permettait, du moins, son indispensable renvoi à Fullerton.

Catherine était passée ce jour-là par des états d'esprit bien différents, l'attente, l'heureuse certitude, la déception et enfin maintenant une félicité parfaite. C'est donc transportée de joie, le cœur plein d'Henry et le nom de Northanger Abbey sur les lèvres, qu'elle se dépêcha d'aller à Pulteney Street écrire sa lettre. Mr. et Mrs. Morland, s'en remettant entièrement au jugement des Allen à qui, déjà, ils avaient confié leur fille, ne doutèrent nullement de la qualité d'une amitié qui s'était développée sous leurs yeux, et envoyèrent donc par retour du courrier leur consentement à la visite de Catherine dans le Gloucestershire. Catherine n'en avait certes pas moins espéré de leur part, mais cette indulgence fortifia encore le sentiment qu'elle avait d'être la jeune fille la plus favorisée sur cette terre que ce fût par ses amis, par la fortune, par les événements ou par le hasard. Tout semblait conspirer pour qu'elle fût heureuse. Grâce à la gentillesse de ses vieux amis, les Allen, elle avait été introduite sur une scène où elle avait connu toutes sortes de plaisirs. Elle avait eu le bonheur de voir ses sentiments, ses préférences, payés de retour. Où qu'elle éprouvât de l'affection, elle avait su en susciter. L'amitié d'Isabelle lui était assurée puisqu'elles deviendraient sœurs toutes deux. Les Tilney, eux, dont elle désirait par-dessus tout s'attacher l'estime, outrepassaient encore ses désirs par une flatteuse invitation qui permettrait à leur intimité de progresser. Elle serait l'hôtesse qu'ils avaient élue, elle vivrait pendant des semaines sous le même toit que ces gens dont elle prisait tant la société, et comme pour mettre un comble à son bonheur, ce toit se trouvait être celui d'une abbaye ! La passion qu'elle éprouvait pour les vieux monuments était presque aussi violente que sa passion pour Henry Tilney, et les châteaux et abbayes faisaient d'ordinaire le charme des rêveries que ne remplissait pas l'image du jeune homme. Contempler, explorer les remparts et le donjon de l'un ou le cloître de l'autre, c'était là un rêve qu'elle caressait depuis des années. Être plus que le visiteur d'une heure lui avait paru trop proche de l'impossible pour qu'on se risquât seulement à le désirer et c'était pourtant là ce qui allait se produire. Il y avait tant de chances, hélas, pour que la demeure des Tilney fût une maison, un manoir, une villa, des dépendances, un hôtel ou une chaumière... Mais non, Northanger s'avérait être une abbaye et Catherine y habiterait. De longs couloirs humides, des cellules étroites, une chapelle en ruine formeraient son décor quotidien. Elle ne pouvait tout à fait réfréner l'espoir d'y trouver quelque vieille légende ou le terrifiant mémorial d'une nonne outragée au sombre destin.

Elle s'étonnait que ses amis éprouvassent si peu d'enthousiasme à posséder une telle demeure, qu'ils eussent si peu conscience de leur bonheur. Seule la puissance d'une longue habitude pouvait expliquer cette indifférence. Ils ne tiraient point de fierté d'une distinction pour laquelle ils étaient nés et leur supériorité en ce domaine ne leur importait pas davantage que leur supériorité personnelle.

Nombreuses furent les questions que Catherine posa à Miss Tilney. L'agitation de la jeune fille était telle, pourtant, qu'à peine sa curiosité satisfaite, elle ne savait plus avec certitude si Northanger Abbey avait bien été un riche couvent au temps de la Réforme, s'il était bien tombé entre les mains d'un ancêtre des Tilney quand on en avait dispersé les moines, si une grande partie des anciens bâtiments constituait bien pour une part la demeure actuelle tandis que le reste tombait en ruine, ou s'il était réellement situé au fond d'une vallée, et protégé, au nord et à l'est, par de hautes forêts de chênes.

XVIII

Toute à son bonheur, Catherine ne se rendait pas compte que depuis deux ou trois jours, elle n'avait jamais vu Isabelle plus de quelques minutes de suite. Elle fut la première à s'en apercevoir. Elle se prit à soupirer après la conversation de son amie, un jour qu'elle se promenait à la Pump Room en compagnie de Mrs. Allen sans avoir rien à dire ou à écouter. Elle brûlait du désir de voir Isabelle depuis cinq minutes à peine quand celle-ci apparut et, l'invitant à un entretien confidentiel, l'entraîna vers un siège.

— C'est ma place préférée, dit-elle en s'asseyant sur un banc placé entre deux portes, et d'où l'on voyait assez bien tous ceux qui entraient par l'une ou l'autre porte. C'est un coin tellement isolé.

Catherine, remarquant que les regards d'Isabelle allaient sans cesse d'une porte à l'autre comme si elle attendait impatiemment quelque chose, et se souvenant qu'on l'avait souvent accusée à tort de malice, trouva que les circonstances lui offraient une belle occasion d'en montrer pour de bon. S'adressant donc à son amie, elle lui dit très gaiement :

— Tranquillisez-vous, Isabelle, James ne va plus tarder.

— Bah, chère âme, répondit-elle, n'allez pas vous imaginer que je suis assez sotte pour le vouloir toujours près de moi ! Être constamment ensemble, quelle horreur ! Nous serions la risée de la ville !... Ainsi, vous allez à Northanger. J'en suis absolument ravie. C'est, paraît-il, l'une des plus belles de nos vieilles demeures anglaises. Je compte que vous m'en enverrez une description détaillée quand vous y serez arrivée.

— Je ferai certes de mon mieux... mais que cherchez-vous ? Vos sœurs doivent-elles arriver bientôt ?

— Je ne cherche personne, mais il faut bien regarder quelque part... Vous connaissez ma sotte manie de fixer mes regards sur un point quelconque quand mes pensées sont à cent lieues de là... Je suis extraordinairement distraite, je suis l'être le plus distrait du monde... Tilney prétend que c'est toujours le cas des esprits qui ont une certaine trempe.

— Mais je croyais, Isabelle, que vous aviez quelque chose à me dire en particulier.

— Oh oui, c'est vrai. Voici une preuve de ce que je disais à l'instant... Ma pauvre tête ! J'avais complètement oublié... Eh bien, voici, je viens de recevoir une lettre de John. Vous en devinerez aisément le contenu...

— Non, vraiment, je ne vois pas...

— Ma douce chérie, ne soyez pas aussi affreusement affectée ! De quoi peut-il parler, sinon de vous ? Vous savez bien qu'il est follement épris de vous.

— De moi, chère Isabelle !

— Oh non, ma très douce Catherine, cela devient par trop absurde ! La modestie et tout ça, c'est très bien quelquefois, mais vraiment, un peu de bonne sincérité s'avère parfois tout aussi souhaitable. Je ne m'attendais certes pas à subir une pareille épreuve ! Vous allez à la pêche aux compliments ! Un enfant aurait remarqué ses attentions, et vous lui avez donné les encouragements les plus clairs une demi-heure à peine avant son départ de Bath... Il m'en parle dans cette lettre et dit vous avoir presque demandée en mariage. Vous avez, paraît-il, accueilli ses avances le plus gentiment du monde... Il désire maintenant que j'appuie sa requête et raconte sur vous toutes sortes de jolies choses... Il est donc inutile d'affecter l'ignorance.

Catherine, avec toute l'ardeur de la sincérité, exprima son étonnement. Comment John avait-il pu confier une telle mission à Isabelle ? Elle n'avait jamais soupçonné que Mr. Thorpe pût être amoureux d'elle, et ne pouvait avoir eu la moindre intention de l'encourager.

— Pour ce qui est des égards qu'il a pu me témoigner,

ajouta-t-elle, je jure sur mon honneur n'y avoir jamais prêté attention, hormis le premier jour, quand il m'a invitée à danser... Quant à une demande en mariage, ou à quoi que ce soit qui s'en rapproche, ce ne peut être qu'une incroyable méprise. Je ne pouvais pas, vous le pensez bien, me tromper sur le sens d'une proposition pareille ! J'aimerais qu'on me fasse confiance lorsque je déclare n'avoir pas échangé un seul mot avec lui là-dessus. La demi-heure qui a précédé son départ !... Ce doit être une monstrueuse erreur car je ne l'ai pas aperçu ce jour-là.

— Mais si, vous l'avez vu, vous avez passé toute la matinée à Edgar's Buildings. C'est le jour où nous avons appris le consentement de votre père, et je suis absolument certaine que vous êtes restée seule au salon avec John, un peu avant votre départ.

— Vraiment ? Bon, si vous le dites, c'est que cela a dû se passer ainsi... mais sur ma vie, je ne m'en souviens pas. Je me souviens seulement de vous avoir vue et de l'avoir aperçu parmi les autres... mais que nous soyons restés seuls... Enfin il ne sert à rien de discuter là-dessus. Je ne sais pas ce que John est allé s'imaginer à ce moment-là, mais vous pouvez être assurée, du fait que je ne me rappelle rien, que je n'ai jamais pu penser, que je n'ai jamais pu espérer, que je n'ai jamais pu souhaiter une proposition de mariage venant de lui. Je suis infiniment flattée qu'il ait eu des vues sur moi, mais je n'y suis vraiment pour rien et je n'en ai pas eu le moindre soupçon. Je vous en prie, détrompez-le le plus vite possible et dites-lui que je lui demande pardon... c'est-à-dire... j'ignore ce qu'il faudrait dire, mais faites-lui comprendre le mieux possible mes intentions. Je ne voudrais certes pas parler irrespectueusement de l'un de vos frères, Isabelle, mais vous savez bien que si je devais distinguer un homme... ce ne serait pas lui.

Isabelle resta silencieuse.

— Ma chère amie, il ne faut pas m'en vouloir... je ne puis croire que votre frère m'accorde un tel intérêt, et, vous le savez, nous deviendrons quand même sœurs.

— Oui, oui (en rougissant), il y a pour nous plus d'une manière de devenir sœurs... mais je m'égare... Eh bien, ma chère Catherine, cette affaire semble réglée puisque vous êtes décidée à repousser ce pauvre John, n'est-ce pas ?

— Je ne puis certes répondre à son affection et je n'ai jamais eu la moindre intention de l'encourager.

— Puisqu'il en est ainsi, je ne vous importunerai pas davantage. John voulait que je vous en parle et je l'ai fait, mais j'avoue que dès la lecture de sa lettre j'ai trouvé cette entreprise bien sotte et bien imprudente. Elle ne risquait guère, d'après moi, de faire votre bonheur ou celui de John. Quelles ressources auriez-vous, en effet, si jamais vous vous mariiez ? Vous avez certes chacun un revenu assuré, mais il faut autre chose que des bagatelles pour faire vivre une famille, de nos jours. Malgré toutes les belles paroles des romanciers, rien n'est possible sans argent. Je m'étonne même que John ait pu songer à ce mariage... il ne devait pas avoir reçu ma dernière lettre...

— Vous me tenez donc quitte de tout péché ? Vous êtes réellement convaincue que je n'ai jamais eu l'intention de tromper votre frère, que je ne l'ai jamais soupçonné, avant cette minute, de s'intéresser à moi ?

— Quant à cela, répondit Isabelle en riant, je ne prétends point décider de ce qu'ont pu être hier vos pensées ou vos desseins. Vous savez mieux que moi ce qu'il en est... Un peu d'innocente coquetterie, et l'on se laisse souvent entraîner à donner plus d'encouragements qu'on ne le souhaiterait... Mais soyez assurée que je serais bien la dernière personne au monde à vous juger avec sévérité. Tout cela devrait être permis, lorsqu'on est jeune et gai. Ce que l'on veut aujourd'hui, vous savez, on peut ne plus le vouloir demain... Les circonstances changent, et les opinions aussi.

— Mais l'opinion que j'ai de votre frère n'a jamais varié, elle a toujours été la même ! Vous décrivez là ce qui n'a jamais été...

— Ma chère Catherine, poursuivit Isabelle sans s'occuper le moins du monde de ce que disait son amie, je ne voudrais sous aucun prétexte vous pousser à nouer un engagement avant que vous ne soyez sûre de vos sentiments. Je serais impardonnable de vous demander de sacrifier votre bonheur pour obliger mon frère simplement parce qu'il est mon frère... Il est bien possible d'ailleurs, vous savez, que ce dernier soit tout aussi heureux sans vous. Les gens connaissent si rarement leurs véritables désirs, et les jeunes gens sont pires encore... Ils sont extraordinairement changeants et inconstants. En un mot, pourquoi le bonheur d'un frère me serait-il plus cher que celui d'une amie ? J'ai une très haute idée de l'amitié, vous le savez... Surtout, ma chère Catherine, ne vous hâtez pas trop. Croyez-moi, si vous vous hâtez trop, vous risquez de passer votre vie à vous repentir de votre précipitation. Tilney dit que les gens ne se trompent jamais autant que sur leurs propres sentiments, et je crois qu'il a tout à fait raison... Ah, le voici ! Tant pis ! Il ne nous verra certainement pas.

Catherine, levant les yeux, aperçut le capitaine, et Isabelle attira l'attention du jeune homme à force de lui jeter des regards ardents tout en parlant à son amie. Le capitaine se précipita vers les jeunes filles et s'assit comme Isabelle l'y invitait. Catherine tressaillit en entendant les premiers mots qu'il adressa à son amie. Bien qu'il parlât tout bas, elle put en effet distinguer ces paroles :

— Eh quoi, on vous espionne donc toujours, en personne ou par procuration ?

— Bah, absurde ! répondit Isabelle, également très bas. Pourquoi me mettez-vous en tête des choses pareilles ? Si je les croyais... vous n'ignorez pas que je suis une nature plutôt indépendante...

— Je voudrais que ce fût votre cœur qui fût indépendant, cela me suffirait...

— Mon cœur, vraiment ! Que pouvez-vous bien avoir à faire d'un cœur ? Vous, les hommes, n'avez vous-mêmes point de cœur.

— Si nous n'avons pas de cœur, nous avons des yeux, et ils suffisent à faire notre malheur.

— Vraiment ? j'en suis navrée !... Je suis navrée qu'ils trouvent en moi tant de raisons de se tourmenter. Voilà, je change de position (elle lui tourna le dos), j'espère que ma vue n'est plus une torture pour vous...

— Jamais mes yeux n'ont souffert comme ils souffrent : j'aperçois encore la lisière d'une joue ravissante, et c'est à la fois trop et trop peu...

Catherine entendait tout, et, très embarrassée, ne put supporter d'en écouter davantage. Étonnée qu'Isabelle pût tolérer un semblable discours, jalouse pour son frère, elle se leva et, prétendant être obligée de rejoindre Mrs. Allen, leur proposa une promenade. Isabelle ne se montra cependant pas disposée à l'accompagner. Elle était affreusement fatiguée, et puis, c'était vraiment odieux de parader ainsi dans la Pump Room. D'autre part, si elle quittait sa place, elle risquait de manquer ses sœurs — car elle attendait ses sœurs d'un instant à l'autre... Il fallait donc que sa très chère Catherine l'excusât et se rassît tranquillement. Catherine savait pourtant se montrer, elle aussi, obstinée : Mrs. Allen arrivant justement pour lui proposer de rentrer, elle la suivit et quitta la Pump Room, laissant ainsi Isabelle avec le capitaine Tilney. Elle en était gênée, car elle avait l'impression que le capitaine Tilney était en train de tomber amoureux d'Isabelle et que celle-ci l'encourageait sans s'en apercevoir. Ce ne pouvait être qu'inconscient de sa part, puisque son amour pour James était aussi sûr, aussi officiel, que ses fiançailles avec lui. On ne pouvait se permettre de douter de sa sincérité ou de ses intentions... et pourtant, durant toute leur conversation, elle s'était comportée de si étrange manière ! Catherine aurait préféré que son amie eût davantage parlé comme elle le faisait d'ordinaire et n'eût pas tant parlé d'argent... Qu'elle n'eût pas semblé, non plus, si heureuse de voir le capitaine Tilney. Il était fort étrange qu'elle ne remarquât pas l'admiration qu'il lui portait. Catherine brûlait du désir d'éclairer Isabelle, de la mettre en garde et de prévenir ainsi tout le mal que la légèreté de son amie pouvait faire au capitaine ainsi qu'à James.

La flatteuse affection que lui portait John Thorpe ne réparait pas aux yeux de Catherine les étourderies de sa sœur. Elle ne croyait d'ailleurs pas plus en la sincérité de cette affection qu'elle ne la souhaitait. Elle n'avait pas oublié, en effet, combien John était sujet à l'erreur, et le fait qu'il eût affirmé avoir demandé Catherine en mariage et avoir reçu d'elle des encouragements la persuadait à présent qu'il était capable d'erreurs vraiment insignes. Elle ne tirait donc de l'amour qu'il disait lui porter qu'une très mince vanité, car, avant tout, cet amour l'étonnait. Qu'il fût allé se croire épris d'elle la laissait stupéfaite. Isabelle avait parlé des attentions qu'il lui avait témoignées, mais elle, elle n'en avait jamais rien perçu. Isabelle avait d'ailleurs dit bien des choses, et Catherine espérait que seule la précipitation les avait dictées et qu'elles ne seraient plus jamais dites... Catherine préféra en rester là, pour se tranquilliser et se consoler à la fois.

XIX

Quelques jours s'écoulèrent, pendant lesquels Catherine, sans se permettre de vraiment soupçonner son amie, ne put s'empêcher de l'observer attentivement. Les conclusions de cet examen ne se révélèrent pas des plus gratifiantes. Isabelle semblait complètement transformée. En fait, tant qu'on la voyait entourée de ses seuls amis à Edgar's Buildings ou à Pulteney Street, le changement était tellement insignifiant qu'il eût pu aisément passer inaperçu s'il était resté dans ces limites. On remarquait bien de temps à autre une sorte d'indifférence languissante ou cette distraction dont s'était glorifiée Isabelle sans que Catherine en eût jamais entendu parler auparavant, mais s'il n'y avait eu que cela, la jeune fille n'aurait fait qu'y gagner une grâce nouvelle et n'en serait devenue que plus attirante. En vérité, c'est seulement lorsque Catherine la vit en public, accueillant les attentions du capitaine Tilney avec autant d'empressement qu'il en mettait à les lui offrir et lui accordant tout autant de marques d'intérêt et de sourires qu'elle en accordait à James, qu'elle comprit que le changement était trop évident pour qu'on pût l'ignorer. Que signifiait une telle légèreté ? Que cherchait donc son amie ? Catherine était dépassée par les événements. Isabelle ne se rendait peut-être pas compte du mal qu'elle faisait, mais si tel était le cas, Catherine n'en était pas moins indignée d'une inconscience aussi résolue. James en était la victime. Elle le voyait grave et malheureux, et même si la femme qui lui avait donné son cœur semblait peu se soucier de son bonheur présent, Catherine, elle, y accordait encore beaucoup d'importance. Elle était également très affligée pour le pauvre capitaine Tilney. Bien qu'elle n'aimât point ses façons, le nom que portait le jeune homme lui était un passeport pour entrer dans les bonnes grâces de notre héroïne, et elle songeait avec une compassion sincère à la déception qu'il allait éprouver d'ici peu. Réflexion faite et malgré ce qu'elle avait cru entendre à la Pump Room, la conduite du capitaine laissait en effet si peu supposer qu'il connaissait les fiançailles d'Isabelle que Catherine n'arrivait pas à croire qu'il pût en être informé. Il était certainement jaloux de son frère comme on l'est d'un rival, mais Catherine n'avait pu que mal interpréter ses paroles quand elle avait cru y voir autre chose. Elle se proposait de rappeler à Isabelle sa position et de lui faire comprendre sa double cruauté par quelque douce remontrance, mais les circonstances, quand ce n'était pas Isabelle en personne, s'opposaient toujours à la réalisation de son projet : dès qu'elle trouvait l'occasion de faire allusion à cette affaire, Isabelle ne comprenait jamais ce qu'elle voulait dire. Dans sa détresse, Catherine n'eut bientôt pour consolation que son proche départ avec les Tilney. Ils devaient tous s'en aller dans le Gloucestershire d'ici quelques jours, et Catherine se disait que la disparition du capitaine Tilney aurait au moins l'avantage de ramener la paix dans tous les cœurs, hormis celui du jeune homme. Mais elle apprit bientôt que le capitaine n'avait nullement l'intention de partir pour l'instant. Il ne suivrait pas les autres à Northanger et il devait rester à Bath. Dès qu'elle le sut, Catherine prit une décision : elle alla trouver Henry Tilney pour lui parler de cette affaire. Elle lui confia qu'elle regrettait fort que le capitaine Tilney fût manifestement épris de Miss Thorpe, et s'efforça de lui apprendre les fiançailles de ladite demoiselle.

— Mon frère est au courant, répondit Henry.

— Vraiment ? Pourquoi reste-t-il ici, dans ce cas ?

Il ne répondit pas et parla d'autre chose, mais Catherine reprit avec ardeur :

— Pourquoi ne le persuadez-vous pas de s'en aller ? Plus il restera et plus il finira par souffrir. Je vous en prie, conseillez-lui pour son bien et pour le bien de tous de quitter Bath sur-le-champ. L'éloignement finira, à la longue, par panser ses blessures, alors qu'ici il n'a rien à espérer que du malheur.

Henry sourit et lui répondit :

— Je suis sûr que ce n'est pas là ce que cherche mon frère.

— Vous le persuaderez donc de partir ?

— On ne persuade pas quelqu'un sur commande... Pardonnez-moi si je ne puis même essayer de le convaincre. Je lui ai dit moi-même que Miss Thorpe était fiancée... Il sait ce qu'il fait et il est maître de sa vie.

— Non, il ne sait pas ce qu'il fait, s'écria Catherine, il ignore tout le mal qu'il fait à mon frère !... James ne m'en a jamais parlé, mais je suis certaine qu'il souffre beaucoup.

— Et êtes-vous sûre que mon frère en soit responsable ?

— Oui, tout à fait.

— Est-ce que ce sont les attentions de mon frère pour Miss Thorpe ou l'accueil que leur réserve Miss Thorpe qui causent tous ces chagrins ?

— N'est-ce pas la même chose ?

— Je pense que Mr. Morland avouerait que ce n'est pas du tout pareil. Nul homme ne s'offensera de l'admiration qu'un autre homme porte à la femme qu'il aime, c'est la femme seule qui peut faire de cette admiration un tourment.

Catherine rougit pour son amie et répondit à Henry :

— Isabelle a tort, c'est vrai, mais je suis convaincue qu'elle n'a nullement l'intention de faire souffrir mon frère, elle lui est si tendrement attachée. Elle est tombée amoureuse de lui dès leur première rencontre, et elle était presque malade d'inquiétude tant qu'elle n'était pas assurée du consentement de mon père à son mariage avec James. Vous voyez bien qu'elle lui est très attachée.

— Oui, je comprends, elle est amoureuse de James et elle flirte avec Frederick.

— Oh non, elle ne flirte pas ! Une femme amoureuse d'un homme ne peut flirter avec un autre.

— Il est probable qu'elle n'aimera jamais si bien et ne flirtera jamais si bien que si elle peut faire les deux séparément. Il faut que ces messieurs cèdent chacun sur un point.

Après une courte pause, Catherine résuma ce discours de la façon suivante :

— Vous ne croyez donc pas qu'Isabelle soit tellement attachée à mon frère ?

— Je ne saurais me prononcer sur ce point.

— Mais que peut bien chercher votre frère ? S'il connaît les fiançailles d'Isabelle, que peut bien signifier sa conduite ?

— Vous me questionnez de très près.

— Vraiment ? Je vous demande simplement ce que je voudrais tant savoir.

— Mais me demandez-vous simplement ce que je peux vous dire ?

— Oui, je le crois, car vous devez connaître le cœur de votre frère.

— Le cœur de mon frère, comme vous dites, est en ce moment un mystère pour moi... Je ne puis faire que des hypothèses.

— Alors ?

— Alors ? Non... S'il faut se livrer aux jeux de devinettes, ce sera chacun pour soi. Il ne faut pas se laisser guider par des hypothèses d'occasion. Vous avez sous les yeux les prémisses du problème ; mon frère est un jeune homme très gai, parfois inconscient... Il connaît votre amie depuis une semaine environ et il a su presque tout de suite qu'elle était fiancée...

— Bon, dit Catherine après un instant de réflexion, vous arrivez peut-être à comprendre les intentions de votre frère d'après tout cela, mais pour moi, j'avoue mon impuissance... Mais votre père n'est-il pas fâché de toute cette histoire ? Ne désire-t-il pas éloigner le capitaine Tilney ? Oui... c'est certain, il s'en irait si votre père lui parlait...

— Ma chère Miss Morland, ne croyez-vous pas que vous vous laissez égarer par votre aimable sollicitude pour le bonheur de votre frère ? N'allez-vous pas un peu loin ? Vous remercierait-il, eu égard à lui-même ou à Miss Thorpe, de croire que la tendresse de sa fiancée, ou du moins sa bonne conduite, ont pour seule garantie l'absence du capitaine Tilney ? James ne connaîtra-t-il la sécurité que dans la solitude ? Le cœur de sa bien-aimée ne lui serait-il fidèle que lorsque aucun autre homme ne sollicite ses faveurs ? Votre frère ne peut penser cela, et vous pouvez être certaine qu'il n'apprécierait pas que vous l'eussiez pensé. Je ne vous dirai pas « Ne vous inquiétez pas », car je sais qu'en ce moment même vous êtes très inquiète... Mais ne vous inquiétez pas trop. Vous ne doutez pas de l'attachement mutuel de votre frère et de votre amie. Comptez, par conséquent, qu'il ne peut y avoir entre eux de véritable jalousie. Soyez sûre qu'aucune mésentente ne saurait durer très longtemps entre eux. Le cœur de chacun est transparent pour l'autre, comme aucun cœur ne peut l'être pour vous. Ils savent exactement ce que l'on peut exiger ou supporter quand on est amoureux, et vous pouvez être sûre que l'un n'ira jamais taquiner l'autre au-delà des limites de l'agréable.

S'apercevant que Catherine semblait toujours soucieuse et grave, Henry ajouta :

— Bien que Frederick ne quitte pas Bath en même temps que nous, il n'y restera probablement plus très longtemps. Peut-être s'en ira-t-il quelques jours à peine après notre départ. Son congé va bientôt expirer et il va lui falloir rejoindre son régiment. Qu'en sera-t-il alors de son amitié avec Miss Thorpe ? Le mess boira à Isabelle Thorpe pendant une quinzaine de jours, et votre amie rira pendant un bon mois de la passion de ce pauvre Tilney.

Catherine ne lutta pas davantage contre sa propre tranquillité d'esprit. Elle s'était efforcée de résister pendant qu'Henry lui parlait, mais elle se laissait maintenant aller. Henry Tilney était certainement mieux instruit qu'elle de ces choses. Catherine s'en voulait de s'être inquiétée à l'excès et elle décida de ne plus penser à cette affaire.

Catherine vit sa résolution renforcée par l'attitude d'Isabelle lors de leur ultime entrevue. Les Thorpe passèrent à Pulteney Street la dernière soirée du séjour de Catherine à Bath, et rien dans le comportement des amoureux ne chagrina notre héroïne ou ne lui donna la moindre appréhension quand elle les quitta. James était d'humeur charmante et Isabelle semblait plus sereine. Son cœur paraissait se soucier avant tout de son amie si tendrement aimée, mais cela n'avait rien de choquant en un pareil moment. Elle contredit certes catégoriquement son fiancé une fois, et une autre fois lui retira sa main, mais Catherine se souvint des conseils d'Henry Tilney et refusa de voir dans tout cela autre chose que des artifices amoureux. On ne saurait imaginer tous les baisers, larmes et serments qu'échangèrent les deux amies avant de se séparer.

XX

Mr. et Mrs. Allen étaient désolés de perdre leur jeune amie dont la bonne humeur et la gaieté faisaient une si agréable compagne et qu'ils s'étaient tant plu à divertir. Le bonheur que la jeune fille éprouvait à accompagner Miss Tilney les empêchait cependant de souhaiter qu'il en fût autrement, et comme, d'autre part, ils ne devaient plus eux-mêmes rester à Bath qu'une semaine, ils se disaient que cette séparation ne les ferait pas souffrir trop longtemps. Mr. Allen accompagna Catherine à Milsom Street et il assista à son installation parmi ses nouveaux amis dont l'accueil fut extrêmement chaleureux. Catherine était pourtant tellement troublée à l'idée de faire en quelque sorte partie de la famille Tilney, elle craignait tant de commettre quelque impair et de ne pas savoir sauvegarder la bonne opinion qu'ils avaient d'elle que, dans la gêne des cinq premières minutes, elle eût presque souhaité retourner à Pulteney Street avec Mr. Allen.

Les façons de Miss Tilney et les sourires d'Henry atténuèrent bientôt son embarras, mais elle était encore fort loin de se sentir parfaitement à l'aise. Les attentions que le général ne cessait de lui prodiguer n'arrivaient pas non plus à la rassurer tout à fait... Non, et même, aussi injuste que ce fût, elle se demandait s'il n'eût pas mieux valu qu'on s'occupât moins d'elle. Mr. Tilney ne cessait de s'inquiéter de son bien-être, de l'encourager à manger et d'exprimer ses craintes que rien ne fût à son goût — alors que Catherine n'avait vu de toute sa vie table mieux pourvue —, et ce faisant, l'empêchait d'oublier ne fût-ce qu'un instant qu'elle n'était qu'une invitée. Elle se sentait indigne de tous les égards qu'on lui témoignait et ne savait comment y répondre. L'impatience que montrait le général à voir son fils aîné n'était pas mieux faite pour la rassurer, non plus que les reproches qu'il adressa à ce dernier lorsqu'il descendit enfin les rejoindre. Catherine s'attrista réellement de la sévérité des remontrances paternelles qui lui semblaient tout à fait disproportionnées par rapport à l'offense. Son chagrin grandit encore lorsqu'elle s'aperçut qu'elle était elle-même la cause première de ce sermon, le général considérant le retard du jeune homme comme une insulte à leur invitée. Cela mettait notre héroïne dans une situation extrêmement gênante, et elle éprouvait d'autre part pour le capitaine une grande compassion sans pouvoir espérer en retour la moindre sympathie de sa part.

Frederick écouta son père en silence et n'essaya même pas de se justifier. Catherine en fut confortée dans sa crainte que ce ne fussent les inquiétudes du jeune homme au sujet d'Isabelle qui, en l'ayant longtemps empêché de trouver le sommeil, pouvaient être la véritable cause d'un lever si tardif. C'était la première fois qu'elle le voyait autrement qu'en passant, et elle avait espéré pouvoir, à

167

cette occasion, se faire une idée du personnage. Malheureusement, elle entendit à peine le son de sa voix tant que le général demeura dans la pièce, et même après que son père fut parti, il resta tellement affecté que Catherine put seulement distinguer ces quelques mots chuchotés à l'oreille d'Eleanor :

— Quelle joie quand vous serez tous partis !

L'agitation du départ n'eut rien d'agréable. L'horloge sonnait dix heures lorsqu'on descendit les malles alors que le général avait fixé le départ à cette heure-là. Son grand manteau, au lieu de lui être apporté pour qu'il pût le mettre sur-le-champ, était étalé dans le curricle où il devait faire le voyage avec son fils. Dans la chaise de poste où trois personnes devaient prendre place, on n'avait pas encore tiré le strapontin et la femme de chambre avait si bien accumulé les paquets sur les sièges que Miss Morland ne pouvait plus s'asseoir. Cette idée troublait tellement le général Tilney quand il aida Catherine à s'installer que cette dernière eut bien du mal à sauver sa nouvelle écritoire d'une chute dans la rue. On finit cependant par fermer les portières sur les trois femmes, et on partit à l'allure paisible qu'adoptent d'ordinaire les quatre chevaux bien nourris d'un gentleman, lorsqu'ils ont une distance de trente miles à parcourir. Il y avait en effet trente miles entre Bath et Northanger, et l'on avait décidé de couper le voyage en deux étapes égales. Catherine recouvra sa bonne humeur dès qu'elle eut quitté la maison. Elle n'éprouvait pas la moindre contrainte avec Miss Tilney et, songeant à tout l'intérêt d'une route inconnue, à l'abbaye qui l'attendait et au curricle qui la suivait, vit disparaître Bath sans le moindre regret. Chaque nouvelle borne milliaire la surprenait tant le temps passait vite. Ce fut ensuite une fastidieuse halte de deux heures à Petty France, pendant lesquelles ils ne trouvèrent rien d'autre à faire que manger sans faim et flâner sans qu'il y eût rien à voir. Tout cela atténua un peu l'admiration de Catherine pour le style de leur voyage, l'élégante voiture à quatre chevaux, les postillons en belle livrée qui se soulevaient régulièrement sur leurs étriers et les nombreux piqueurs bien montés. Cette attente n'eût pas été trop ennuyeuse, pourtant, si les voyageurs se fussent parfaitement entendus, mais le général Tilney, tout charmant qu'il fût, semblait toujours mettre un frein à la bonne humeur de ses enfants et n'était guère que le seul à parler. Catherine remarqua cela ainsi que le déplaisir qu'il manifestait devant tout ce que fournissait l'auberge et l'impatience colérique dont il témoignait à l'égard des domestiques. Elle sentit en conséquence grandir la crainte qu'il lui inspirait et eut le sentiment que ces deux heures en duraient au moins quatre. On donna enfin l'ordre du départ et Catherine eut alors la surprise de se voir invitée par le général à prendre place dans le curricle de son fils pour le reste du voyage. Le temps était très beau et il désirait qu'elle profitât au maximum du paysage...

Catherine rougit au souvenir des paroles de Mr. Allen sur les voitures découvertes et les promenades en compagnie de jeunes gens, et elle eut tout d'abord envie de refuser la proposition de Mr. Tilney. Elle se montra cependant bientôt plus respectueuse du jugement du général. Il ne pouvait rien lui proposer qui ne fût parfaitement convenable, et elle se retrouva donc quelques minutes plus tard dans le curricle avec Henry, aussi heureuse qu'on peut l'être. Elle fut bientôt convaincue qu'un curricle est l'équipage le plus agréable du monde. La chaise de poste avançait certes avec une certaine majesté, mais c'était une machine lourde et ennuyeuse qui les avait obligés, elle ne l'oubliait pas, à s'arrêter deux heures à Petty France. Le curricle pouvait aller deux fois plus vite, et les gracieux chevaux d'Henry étaient si fougueux qu'ils eussent aisément dépassé l'autre voiture si le général n'avait décidé que son propre équipage irait en tête. Le curricle ne devait pourtant pas tous ses mérites aux chevaux. Henry conduisait à merveille, très calmement, sans faire de tapage, sans chercher à impressionner la jeune fille et sans injurier les autres. Il était fort différent du seul cocher-gentleman avec lequel Catherine pût le comparer. Et puis son chapeau restait si bien placé, les innombrables collets de son manteau avaient une majesté si seyante... Se laisser conduire par lui était certainement le plus grand bonheur du monde après celui d'être sa cavalière. Elle avait en outre à présent le plaisir de l'entendre faire son éloge. Il la remerciait, au nom de sa sœur, de l'amabilité qu'elle leur témoignait en leur rendant visite, et qualifiait cela de véritable geste d'amitié. Elle méritait qu'on lui en fût très reconnaissant, disait-il. Sa sœur ne menait pas une existence très agréable ; elle n'avait pas d'amies et se retrouvait parfois complètement seule, lors des fréquentes absences de son père.

— Mais comment cela se fait-il ? dit Catherine. N'êtes-vous pas là pour lui tenir compagnie ?

— Je n'habite qu'à moitié à Northanger. Je vis également dans ma maison de Woodston qui se trouve à presque vingt miles de chez mon père et j'y passe nécessairement une partie de mon temps.

— Comme cela doit vous ennuyer !

— Oui, cela m'ennuie toujours de quitter Eleanor.

— Certes, mais outre votre affection pour elle, il y a l'abbaye que vous devez tellement aimer ! Lorsqu'on a été habitué à vivre dans une abbaye, un banal presbytère doit paraître bien terne !

Il sourit et lui dit :

— Vous vous faites une idée bien flatteuse de l'abbaye...

— Oh, oui. N'est-ce pas un vieux monument très beau, exactement comme on en voit dans les livres ?

— Et êtes-vous prête à affronter toutes les horreurs

que peut renfermer une demeure comme « celles qu'on voit dans les livres » ? Avez-vous un cœur intrépide ? Des nerfs prêts à supporter des panneaux et des tapisseries mobiles ?

— Oh, oui... Je crois que je ne me laisserai pas facilement effrayer... Il y aura tant de monde dans la maison. Par ailleurs, elle n'est jamais restée inhabitée et on ne l'a point laissée à l'abandon, comme ces demeures où reviennent des héritiers qui en ignorent tout.

— Assurément, nous n'aurons pas à chercher notre chemin dans un château qu'éclairent à peine les braises expirantes d'un feu de bois. Nous ne serons pas obligés non plus de dresser nos lits dans des chambres sans fenêtres, sans portes, sans meubles... Mais vous devez savoir qu'une jeune fille, lorsqu'elle est introduite (de quelque manière que ce soit) dans ce genre de demeure, est toujours logée à l'écart du reste de la famille. Tandis que ses hôtes regagnent confortablement l'aile qu'ils habitent, Dorothy, l'antique femme de charge, conduit solennellement la jeune fille vers un autre escalier, et après avoir longé maints lugubres couloirs, l'introduit dans des appartements que nul n'a habités depuis qu'une cousine ou un parent quelconque y a trouvé la mort quelque vingt ans plus tôt. Pourrez-vous supporter pareille cérémonie ? Ne serez-vous pas en proie à la plus affreuse inquiétude lorsque vous vous retrouverez dans cette triste chambre trop haute et trop vaste pour vous, avec comme seul éclairage dans cette immensité la faible lueur d'une lampe unique ?... Les murs seront tendus d'une tapisserie représentant des personnages grandeur nature, le lit sera recouvert d'une étoffe verte ou d'un velours pourpre qui auront eux-mêmes un aspect funèbre... Votre cœur ne succombera-t-il point ?

— Oh, mais cela n'arrivera pas, j'en suis certaine...

— Comme vous aurez peur en examinant les meubles de votre chambre ! Que distinguerez-vous ? Point de table, de toilette, de garde-robe ou de commode, non, mais dans un coin, peut-être, les restes d'un luth brisé, et dans un autre un coffre massif dont la serrure résiste à toutes vos tentatives... Au-dessus de la cheminée, le portrait de quelque beau guerrier dont les traits vous frappent inexplicablement... Vous ne pouvez en détacher vos yeux. Dorothy, cependant, troublée par votre arrivée, vous regarde, très agitée, et prononce du bout des lèvres quelques allusions inintelligibles... Pour ranimer votre courage, elle vous laisse par ailleurs entendre que cette partie de l'abbaye est certainement hantée et vous informe qu'il n'y a pas le moindre domestique à portée de voix. Sur ces ultimes et rassurantes paroles, elle vous fait une révérence et s'en va. Vous écoutez, aussi longtemps que le dernier écho peut vous en parvenir, le bruit de ses pas qui s'éloignent, et lorsque, le cœur défaillant, vous essayez de fermer votre porte, vous vous apercevez avec une peur grandissante qu'elle n'a point de verrou.

— Oh, Mr. Tilney, comme c'est effrayant ! C'est exactement comme dans les livres ! Mais cela ne peut pas m'arriver réellement. Je suis sûre que vous n'avez pas une Dorothy pour femme de charge. Alors, après ?...

— Rien de plus inquiétant ne se produira peut-être lors de cette première nuit. Après avoir surmonté *l'invincible* horreur que vous inspire votre lit, vous vous y retirerez enfin pour vous reposer et vous y goûterez quelques heures un sommeil agité... Mais la deuxième nuit — au pire la troisième —, après votre arrivée, il y aura probablement un très violent orage. Des coups de tonnerre à ébranler l'édifice sur ses fondations déferleront sur les montagnes alentour, et tandis que feront rage les terribles rafales de vent qui les accompagneront, vous croirez sûrement distinguer (car votre lampe n'est pas éteinte) qu'un pan de la tapisserie est plus violemment agité que le reste. Incapable, bien sûr, de maîtriser votre curiosité quand elle est si vivement excitée, vous vous lèverez tout de suite et, vous enveloppant dans votre robe de chambre, irez tenter d'élucider ce mystère. Un bref examen suffira. Vous découvrirez dans la tapisserie une fente si habilement ménagée qu'elle défie l'inspection la plus minutieuse. En écartant les deux pans de la tapisserie, vous apercevrez immédiatement une porte. Cette porte n'est défendue que par de pesantes barres et un cadenas et vous parviendrez bientôt à l'ouvrir... Votre lampe à la main, vous franchirez la porte pour vous retrouver dans une petite pièce voûtée...

— Non, vraiment, je serais trop effrayée pour en être capable.

— Quoi ! Pas quand Dorothy vous a donné à entendre qu'un souterrain secret relie votre appartement à la chapelle Saint-Antoine, distante d'à peine deux miles !... Reculeriez-vous devant une aventure aussi simple ? Non, non ! Vous entrerez dans cette petite pièce voûtée et vous en traverserez ensuite plusieurs autres sans y apercevoir grand-chose de bien remarquable... Peut-être trouverez-vous dans l'une de ces pièces une dague, dans une autre quelques gouttes de sang, et dans une troisième les restes de quelque instrument de torture... rien que de très banal, vous le voyez, et votre lampe étant sur le point de s'éteindre, vous retournerez vers vos appartements. En repassant dans la petite salle voûtée, cependant, vos yeux tomberont sur un cabinet d'ébène et d'or, très grand et très ancien, que vous n'aviez pas remarqué malgré le minutieux examen auquel vous vous étiez précédemment livrée. Sous l'empire d'un irrésistible pressentiment, vous vous approcherez de ce cabinet avec une grande fébrilité... Vous en ouvrirez la porte à deux battants et en inspecterez tous les tiroirs... Vous serez cependant un certain temps sans rien découvrir d'important... Non, rien qu'un énorme tas de diamants, peut-être. Vous finirez pourtant, en touchant un ressort secret, par ouvrir un compartiment dissimulé dans le bois... Un rouleau de papier apparaît. Vous vous en emparez. Il contient de très nombreuses feuilles manuscrites. Vous vous hâtez de regagner votre chambre avec votre trésor, mais à peine avez-vous eu le temps de déchiffrer : « Oh, toi, qui que tu sois, entre les mains de qui tombera ce mémorial de la misérable Mathilde... » que votre lampe expire soudain, vous laissant dans une obscurité totale...

— Oh non, non, ne me dites pas cela... Bon, continuez.

Mais Henry s'amusait trop de l'intérêt qu'il éveillait chez la jeune fille pour être capable d'aller plus avant. Il n'arrivait plus à garder le ton solennel qu'imposait le sujet, et il se vit obligé de prier Catherine de faire appel à sa propre imagination pour ce manuscrit des malheurs de Mathilde. Catherine, se ressaisissant, rougit de la passion qu'elle avait mise à l'écouter, et lui assura sincèrement que si elle avait été captivée par ce récit, elle n'avait pourtant jamais craint que ce qu'il racontait pût réellement lui arriver. Miss Tilney, elle en était bien certaine, ne consentirait jamais à ce qu'elle fût logée dans une chambre comme celle qu'il venait de décrire !... Non, elle n'avait vraiment pas peur du tout.

Comme ils approchaient du terme de leur voyage, Catherine sentit se réveiller son impatience de voir l'abbaye. Mr. Tilney la lui avait fait oublier un moment en détournant son attention sur des sujets bien différents, mais elle attendait maintenant chaque tournant avec une sorte de crainte religieuse, espérant apercevoir tout à coup de lourds murs de pierre grise au milieu d'un massif de chênes vénérables et de hautes fenêtres gothiques sur lesquelles joueraient divinement les derniers rayons du soleil. Le château se trouvait tellement en contrebas qu'elle franchit les imposantes grilles du pavillon de garde et se retrouva dans le vaste parc de Northanger sans en avoir même distingué une antique cheminée.

Elle ignorait si elle devait s'étonner, mais il y avait

dans cette façon d'accéder au château quelque chose d'inattendu. Elle trouvait étrange et contradictoire de longer des pavillons modernes, de se retrouver si facilement dans l'enceinte de l'abbaye, et d'y rouler à vive allure sur une allée de fin gravier si bien nivelée... tout cela sans le moindre obstacle, le moindre sujet d'alarme, la moindre cérémonie. Elle n'eut cependant pas longtemps le loisir de se livrer à des considérations de ce genre. Un paquet de pluie lui frappa brutalement le visage et l'empêcha d'observer plus avant tout ce qui l'entourait. Il fallait avant tout qu'elle sauvegardât son nouveau chapeau de paille. Elle se trouvait à présent sous les murs de l'abbaye. Henry l'aida à sauter de voiture, et elle s'abrita sous le vieux porche. Elle pénétra même dans le hall où son amie et le général l'attendaient pour l'accueillir. A aucun moment pourtant elle ne ressentit l'affreux pressentiment de malheurs, ni ne soupçonna qu'il se fût passé autrefois, dans ce solennel édifice, la moindre atrocité. La brise ne semblait point avoir porté jusqu'à elle les soupirs d'une personne assassinée. Elle n'avait rien amené de pire qu'une fine bruine et n'avait fait que déranger ses vêtements. Catherine était donc prête à faire son entrée au salon — un salon tout à fait banal — et capable de se rendre compte de l'endroit où elle se trouvait.

Une abbaye ! Oui, c'était merveilleux de se trouver pour de bon dans une abbaye... Mais elle se demandait, en examinant le salon, si l'un des quelconques objets qu'elle avait sous les yeux lui en eût donné la moindre conscience. Les meubles, par leur profusion et leur élégance, dénonçaient le bon goût moderne. La cheminée, qu'elle s'attendait à trouver immense et ornée des sculptures massives des anciens temps, n'était qu'un Rumford dont les dalles de marbre étaient simples quoique fort belles et qui s'agrémentait des plus charmantes porcelaines anglaises. Les fenêtres, qu'elle regarda avec une confiance particulière puisqu'elle avait entendu dire au général qu'il avait respectueusement sauvegardé le caractère gothique, correspondaient encore moins à ce qu'elle avait imaginé : l'ogive en avait certes été respectée — elle était de forme gothique — et certaines étaient parfois très travaillées, mais les vitrages en étaient si vastes, si clairs, si lumineux ! Pour une imagination qui s'était plu à espérer les croisillons les plus étroits, la maçonnerie la plus lourde, les vitraux colorés très sales et pleins de toiles d'araignées, la différence était réellement affligeante.

Le général, remarquant que Catherine examinait la pièce, commença à parler de son exiguïté et de la simplicité de son ameublement. Tout n'était destiné qu'à un usage quotidien et l'on n'avait cherché que le confort, etc. Il se flattait cependant qu'il y eût dans l'abbaye quelques appartements susceptibles d'intéresser la jeune fille. Il s'apprêtait à évoquer les coûteuses dorures de l'un d'entre eux quand, sortant sa montre, il s'arrêta tout net pour annoncer la stupéfiante nouvelle qu'il était cinq heures moins vingt. Ce fut le signal de la dispersion, et Miss Tilney entraîna Catherine avec une telle vivacité que notre héroïne en fut persuadée que l'on devait exiger à Northanger la plus stricte ponctualité.

Après avoir traversé de nouveau l'imposant vestibule, les deux jeunes filles montèrent un large escalier de chêne ciré qui menait, après mainte marche et maint palier, à une vaste galerie d'une longueur impressionnante. Sur l'un de ses côtés se trouvait une rangée de portes, et l'autre était percé de fenêtres qui éclairaient la galerie et donnaient sur une cour carrée. Catherine n'eut que le temps de s'en apercevoir avant que Miss Tilney ne l'entraînât dans l'une des chambres. Eleanor prit à peine le temps d'exprimer son espoir que cet appartement fût à la convenance de son amie, et la quitta en la priant ardemment de n'apporter à sa toilette que le moins de changements possible.

XXI

Un coup d'œil suffit à Catherine pour voir que sa chambre était fort différente de celle qu'Henry lui avait décrite pour essayer de lui faire peur. La pièce était de dimensions raisonnables et l'on n'y voyait ni tentures ni velours. Les murs étaient tapissés de papier et des tapis recouvraient le sol. Les fenêtres étaient aussi parfaites et aussi claires que celles du salon du rez-de-chaussée. Les meubles, bien qu'ils ne fussent pas à la dernière mode, étaient confortables et élégants, et dans son ensemble, la chambre était loin d'appeler la tristesse. Immédiatement rassurée sur ce point, Catherine décida de ne pas perdre de temps à tout examiner en détail car elle craignait de désobliger le général si elle était en retard. Elle se déshabilla donc aussi vite que possible et se préparait à déballer le linge qu'on avait apporté en chaise de poste afin qu'elle pût en disposer dès son arrivée quand ses yeux tombèrent soudain sur un grand coffre très haut qui se trouvait dans un recoin, près de la cheminée. Elle se figea devant un tel spectacle, et, oubliant tout le reste, demeura là, immobile et stupéfaite, à fixer le coffre, tandis que les pensées suivantes traversaient son esprit :

« Voici qui est bien étrange ! Je ne m'attendais pas à cela ! Une énorme et lourde malle ! Que peut-elle bien contenir ? Pourquoi l'avoir placée là ?... A l'écart, comme si on désirait la dissimuler... Je vais regarder ce qu'elle contient... Coûte que coûte, je vais regarder ce qu'elle contient... et sur-le-champ, encore ! A la lumière du jour... Si j'attends ce soir pour le faire, ma bougie risque de s'éteindre... » Elle s'approcha et examina le coffre de près. Il était en bois de cèdre, curieusement incrusté d'un bois plus sombre, et on l'avait posé, à un pied environ du sol, sur un support sculpté du même bois. La serrure était en argent, mais celui-ci était tout terni par le temps. On apercevait sur les côtés des poignées très abîmées, elles aussi en argent. Peut-être quelque étrange violence les avait-elle ainsi brisées prématurément... On voyait au centre du couvercle un mystérieux monogramme sculpté dans le même métal. Catherine se pencha et l'examina avec attention, sans pouvoir cependant distinguer clairement l'inscription. D'où qu'elle la regardât, elle ne parvenait pas à reconnaître un *t* dans la dernière lettre. Que ce fût une autre lettre ne laissait pourtant pas d'être fort étonnant dans la demeure des Tilney... Si ce coffre ne leur avait pas appartenu à l'origine, quel étrange événement avait bien pu le faire tomber entre leurs mains?

La douloureuse curiosité de Catherine ne cessait de croître. Les mains tremblantes, elle saisit le moraillon du fermoir et décida à tout hasard de vérifier au moins le contenu du coffre. Elle ne parvint qu'à grand-peine à soulever le couvercle de quelques pouces, quelque chose paraissant gêner ses efforts. A ce moment précis, on frappa brusquement à la porte... Elle sursauta et lâcha le couvercle qui retomba bruyamment. L'intruse était la femme de chambre de Miss Tilney que sa maîtresse avait priée d'aller se mettre au service de Miss Morland. Catherine la renvoya sur-le-champ, mais l'arrivée de la servante lui avait rappelé ses obligations et elle se remit sans plus attendre à sa toilette, en dépit de son ardent désir de percer le mystère du coffre. Elle se prépara sans enthousiasme, lentement... Elle ne cessait de regarder le coffre et d'y penser, tant il la passionnait et l'inquiétait, et bien qu'elle n'osât plus consacrer un instant à une deuxième tentative, ne pouvait se résoudre à s'éloigner du fatal objet. Cependant, quand elle eut enfilé l'une des manches de sa robe, elle se dit que sa toilette était presque achevée et qu'elle pouvait certainement se laisser aller à son ardente curiosité. Elle avait bien une minute... et puis elle ferait des efforts si désespérés que, s'il n'était protégé par des moyens surnaturels, le couvercle céderait en un instant... Elle se mit donc à tirer avec une énergie farouche, et son espoir ne fut pas déçu. Le couvercle céda bientôt sous ses efforts opiniâtres et elle put voir, les yeux ronds de surprise, une courtepointe de coton blanc soigneusement pliée qui reposait, seule, sur l'un des côtés du coffre.

Elle la contemplait, rouge d'étonnement, quand Miss Tilney, qui craignait que son amie ne fût pas prête, pénétra dans la chambre. A la honte d'avoir nourri, pendant quelques minutes, des espérances ridicules, s'ajoutait à présent pour Catherine celle d'être surprise dans son absurde enquête.

— Ce vieux coffre est étrange, n'est-ce pas? dit Miss Tilney, tandis que Catherine en refermait bien vite le couvercle et retournait à son miroir. On ignore depuis quand il se trouve dans la maison. J'avoue que j'ignore aussi comment il est arrivé dans cette chambre, mais je ne l'ai pas fait déplacer car j'ai pensé qu'on pouvait s'en servir de temps à autre pour ranger des chapeaux et des bonnets. Le pire est que son poids le rend difficile à ouvrir. Dans ce coin, cependant, il a le mérite de ne pas gêner.

Catherine fut incapable de dire un mot. Elle rougit violemment, attacha sa robe, et se hâta de prendre de sages résolutions. Miss Tilney lui fit gentiment comprendre qu'elle craignait qu'elles ne fussent en retard, et elles dévalèrent l'escalier en trente secondes, nourrissant des craintes qui n'étaient pas tout à fait gratuites, puisqu'elles trouvèrent le général Tilney faisant les cent pas au salon, sa montre à la main. Quand les jeunes filles arrivèrent, il tira violemment la sonnette et ordonna que le dîner fût servi sur-le-champ.

Catherine frissonna devant le ton autoritaire qu'il employait, et s'assit, pâle et le souffle coupé, humble, désolée pour les enfants du général Tilney et remplie de haine pour les vieux coffres. Le général recouvra toute sa civilité en la regardant, et il ne cessa plus de gourmander sa fille pour avoir si sottement pressé sa charmante amie qui était essoufflée de s'être tant dépêchée, alors qu'il n'y avait pas la moindre raison de se hâter. Catherine ne parvint à se remettre de la double gêne de voir Eleanor subir ce sermon par sa faute et d'avoir elle-même si sottement agi qu'à partir du moment où ils furent tous confortablement installés pour dîner. Là, en effet, les gracieux sourires du général et son propre appétit lui rendirent enfin la paix. La salle à manger était une pièce vénérable dont les dimensions étaient plus imposantes encore que celles du salon. Elle était meublée dans un style luxueux et coûteux, mais ce faste échappa à l'œil inexpérimenté de Catherine qui remarqua surtout les dimensions de la pièce et le nombre des serviteurs qui y circulaient. Elle exprima son admiration pour la taille de cette salle à manger, et le général reconnut volontiers qu'elle était assez grande. Il avoua ensuite que, sans accorder ordinairement beaucoup d'importance à ce genre de choses, il considérait qu'une salle à manger se devait d'être assez grande pour être confortable. Il supposait pourtant que Catherine avait dû prendre, chez les Allen, l'habitude de pièces plus vastes.

— Non, vraiment, lui assura très sincèrement la jeune fille.

La salle à manger de Mr. Allen devait faire la moitié de celle-ci, et elle n'avait jamais vu une pièce aussi grande. La bonne humeur du général s'accrut encore. Puisqu'il *avait*, lui, de telles pièces, il trouvait qu'il serait stupide de ne point les utiliser... mais sur son honneur, il croyait que les pièces deux fois moins vastes étaient sûrement plus confortables. Il ne doutait pas que la maison de Mr. Allen n'eût exactement les proportions qui font qu'on se sent bien quelque part.

La soirée se déroula sans autre incident, et le général ayant dû s'absenter, l'atmosphère devint plus franchement gaie. C'est seulement en présence du général que

Catherine se ressentait un peu de la fatigue du voyage, et même alors, même dans ces moments de fatigue ou de contrainte, elle éprouvait avant tout une sensation de bonheur et pouvait songer à ses amis de Bath sans regretter leur compagnie.

La nuit fut orageuse. Le vent avait soufflé par intermittence tout l'après-midi. Quand on alla se coucher, il soufflait très violemment, et de surcroît il pleuvait très fort. En traversant le vestibule, Catherine écouta la tempête avec un sentiment de crainte respectueuse. Lorsqu'elle l'entendit s'acharner sur un angle des vieux bâtiments et fermer une porte avec une violence soudaine, elle eut pour la première fois l'impression d'être vraiment dans une abbaye. Oui, c'étaient bien là les bruits caractéristiques, et elle se remémora nombre de situations affreuses et de scènes horribles dont des édifices pareils à Northanger avaient été témoins, des nuits où la tempête, comme ce soir, avait fait rage. Catherine se réjouissait du fond du cœur d'avoir pénétré dans ces murs vénérables sous des auspices plus heureux. Elle n'avait rien à craindre des assassins de minuit ou des galants ivres. Tout ce qu'Henry lui avait raconté ce jour-là n'était qu'une plaisanterie. Elle n'aurait rien à explorer et rien à souffrir dans une maison si bien meublée et si bien gardée, et elle pouvait regagner sa chambre aussi sûrement que si c'était sa chambre de Fullerton. Fortifiant ainsi son courage tandis qu'elle montait l'escalier, elle fut capable, surtout quand elle se fut aperçue que Miss Tilney ne couchait qu'à deux portes de là, d'entrer dans sa chambre avec un cœur relativement brave. La joyeuse vision d'un bon feu la réconforta sur-le-champ. «Comme il est préférable, se dit-elle en se dirigeant vers le garde-feu, comme il est préférable de trouver un bon feu tout allumé, plutôt que d'être obligée d'attendre en tremblant dans le froid que toute la famille soit couchée, comme tant de pauvres jeunes filles ont été obligées de le faire, et de voir ensuite arriver une vieille et fidèle servante qui vous effraie en vous apportant un fagot ! Comme je suis heureuse que Northanger soit tel qu'il est ! S'il avait ressemblé à certains autres châteaux, j'ignore si j'aurais, par une nuit pareille, pu répondre de mon courage. Mais là, c'est bien certain, il n'y a rien qui puisse effrayer quelqu'un. »

Elle jeta un regard circulaire sur la chambre. Les rideaux de la fenêtre semblaient bouger. Ce ne pouvait être que le vent, très violent, qui s'infiltrait par les fentes des persiennes... Fredonnant un air avec insouciance, elle se dirigea hardiment vers la fenêtre pour s'assurer qu'il en était bien ainsi. Elle regarda courageusement derrière chacun des rideaux, ne vit rien sur les banquettes très basses, et, posant une main sur les volets, acquit la certitude que le vent était extrêmement violent et pénétrait dans la chambre. Lorsqu'elle revint de la fenêtre, elle jeta un coup d'œil au coffre, utile précaution. Elle se moqua des folles craintes d'une imagination déréglée, et commença, dans une heureuse indifférence, à faire sa toilette de nuit. Elle prendrait son temps, ne se presserait pas. Elle se souciait peu d'être la dernière personne qui fût debout dans la maison... Elle n'entretiendrait pas le feu — *cela* aurait par trop des allures de lâcheté, comme si elle avait besoin de la protection de la lumière quand elle serait au lit... Le feu mourut. Catherine avait passé une heure à sa toilette et songeait à se mettre au lit quand, jetant un dernier regard à la chambre, elle s'étonna de voir un cabinet noir très haut et très ancien, qu'elle n'avait pas encore remarqué bien qu'il fût en évidence. Elle se remémora sur-le-champ toutes les histoires d'Henry et sa description d'un cabinet d'ébène qui échapperait d'abord à ses regards. Bien que celui-ci n'eût certainement rien d'extraordinaire, il avait cependant quelque chose d'étrange, et l'on ne pouvait ignorer une telle coïncidence... Elle prit sa bougie et examina soigneusement le cabinet. Il n'était pas vraiment en ébène et en or, mais il était recouvert de laque, une splendide laque jaune et noire. A la lumière de sa bougie, le jaune avait les reflets de l'or. La clé se trouvait dans la serrure et Catherine eut la bizarre fantaisie d'examiner l'intérieur du cabinet. Elle ne s'attendait certes pas le moins du monde à y découvrir quelque chose, mais tout cela lui semblait si bizarre après ce qu'Henry avait raconté... En un mot, elle ne pourrait pas s'endormir avant d'avoir inspecté ce cabinet. Elle plaça donc précautionneusement sa bougie sur une chaise, saisit la clé d'une main qui tremblait, et tenta de la faire tourner dans la serrure... Tous ses efforts se révélèrent inutiles, la clé résista. Alarmée mais nullement découragée, Catherine essaya de la faire jouer dans l'autre sens. Le pêne bougea, la jeune fille se crut victorieuse... mais, étrange mystère, la porte ne s'ouvrait toujours pas !... Catherine s'immobilisa, le souffle coupé par l'étonnement. Le vent hurlait en s'engouffrant dans la cheminée, une pluie torrentielle venait battre les carreaux des fenêtres et tout semblait vouloir dénoncer l'horreur de la situation dans laquelle se trouvait Catherine. Inutile, pourtant, de songer à aller se coucher avant d'avoir satisfait sa curiosité. Catherine ne pourrait pas trouver le sommeil avec cette idée d'un cabinet si mystérieusement fermé à côté d'elle. Elle s'attaqua donc de nouveau à la clé, et, après l'avoir fait jouer dans tous les sens avec la fébrilité du désespoir, vit soudain la porte s'ouvrir. Son cœur bondit de joie devant une telle victoire... Elle écarta les deux battants de la porte, le second étant protégé par un verrou d'une facture moins diabolique que la serrure dont elle ne perçait d'ailleurs toujours point le mystère, et aperçut une double rangée de petits tiroirs, avec au-dessus et au-dessous des tiroirs plus grands. Au centre, une petite porte, fermée elle aussi au moyen d'une serrure et d'une clé, défendait très probablement une cachette de première importance.

Le cœur de Catherine battait très vite mais son courage ne la trahit pas. Toute rougissante d'espoir, l'œil étincelant de curiosité, elle saisit la poignée de l'un des tiroirs et tira... Le tiroir était vide. Moins effrayée mais toujours plus impatiente, elle s'attaqua à un deuxième, à un troisième, à un quatrième tiroir... tous étaient également vides. Elle n'en laissa pas un inexploré mais ne découvrit rien. Instruite en l'art de dissimuler un trésor, elle ne négligea point la possibilité d'un double fond. Elle retourna donc tous les tiroirs avec un soin fébrile. En vain. Seule la partie centrale restait inexplorée, et bien que Catherine n'eût à aucun moment pensé trouver quoi que ce fût dans ce cabinet et qu'elle ne conçût pas la moindre déception de son insuccès, il eût été stupide de ne point l'examiner à fond, puisqu'elle avait commencé. Elle mit cependant un certain temps à ouvrir la porte, cette serrure intérieure posant les mêmes problèmes que la serrure extérieure. Elle finit pourtant par céder, et cette fois les recherches de Catherine ne se révélèrent pas inutiles. Ses regards anxieux tombèrent sur un rouleau de papier qu'on avait poussé tout au fond de la cavité, pour le dissimuler, semblait-il, et Catherine en éprouva une indescriptible émotion. Son cœur se mit à palpiter, ses genoux à trembler, et ses joues pâlirent... Elle saisit le précieux manuscrit d'une main mal assurée — un coup d'œil avait suffi pour l'assurer que le rouleau était couvert d'inscriptions manuscrites. Elle assistait avec une crainte respectueuse à la réalisation des prédictions d'Henry et décida de lire sans plus tarder chacune des lignes de ce manuscrit avant d'essayer même de se reposer.

La bougie n'émettait plus qu'une faible lueur, et Catherine se retourna, très inquiète. Elle constata cependant que la bougie ne risquait pas de s'éteindre brutalement et qu'elle pouvait brûler pendant des heures encore. La jeune fille s'empressa donc de moucher la chandelle pour n'avoir pas d'autre difficulté à déchiffrer le manuscrit que celle qu'occasionnerait la vétusté du document... Hélas !... La bougie se trouva en même temps mouchée et éteinte. Nulle lampe n'eût pu expirer plus brutalement. Catherine demeura un moment paralysée par l'horreur. Sa bougie était tout à fait éteinte, plus la moindre lueur sur la mèche pour qu'on pût espérer la rallumer... La pièce était livrée à une impénétrable et immuable obscurité... Un violent coup de vent d'une fureur inattendue vint encore ajouter à l'horreur de cette minute. Catherine se mit à trembler de la tête aux pieds. Pendant l'accalmie qui suivit, son oreille terrorisée tressaillit à un bruit qui ressemblait à celui que font des pas qui s'éloignent et une porte qui se ferme. Le front de notre héroïne se couvrit d'une sueur froide, le manuscrit lui tomba des mains et elle chercha son lit à tâtons dans le noir. Elle s'y jeta et se calma un peu lorsqu'elle se fut pelotonnée au plus profond des couvertures. Quant à dormir, cela lui paraissait impossible par une nuit pareille. La tempête faisait rage ! Jamais le vent ne l'avait effrayée, mais chaque rafale, à présent, semblait chargée d'une affreuse signification. Comment expliquer la présence de ce manuscrit qu'elle avait si merveilleusement découvert ? Que pouvait-il contenir ? Qui pouvait-il concerner ? Comment avait-il pu demeurer si longtemps inaperçu ? Il était étrange, extraordinaire, que le destin de Catherine eût été d'en faire la découverte ! Elle serait incapable de trouver le repos tant qu'elle n'en connaîtrait pas le contenu... Elle était décidée à le lire avec la plus grande attention dès le premier rayon de soleil. Il lui faudrait toutefois attendre nombre d'heures fastidieuses... Elle frissonnait, s'agitait dans son lit et enviait ceux qui dormaient paisiblement. La tempête se déchaînait toujours, et divers bruits, plus terrifiants encore que celui du vent, venaient frapper par intermittence son oreille aux aguets. Il lui sembla même, à un moment, voir bouger les rideaux de son lit. Une autre fois, la serrure de sa porte fut secouée comme si quelqu'un tentait de s'introduire dans sa chambre. De sourds murmures paraissaient ramper le long de la galerie et le sang de Catherine se glaça plus d'une fois dans ses veines à l'écho de gémissements lointains... Les heures s'écoulaient, les unes après les autres, et la pauvre Catherine entendit toutes les horloges de la maison sonner trois heures avant que la tempête ne se calmât ou qu'elle-même sombrât dans un profond sommeil sans s'en rendre compte.

XXII

Le lendemain matin, Catherine fut réveillée par le bruit que faisait la femme de chambre en ouvrant les volets. Surprise d'avoir jamais pu s'endormir, elle ouvrit les yeux sur un spectacle plein de gaieté : un beau feu brûlait déjà dans la cheminée, et le soleil avait succédé à la tempête de la nuit passée. Avec le sentiment de son existence lui revint instantanément en mémoire le manuscrit. Sautant du lit dès que la servante eut quitté sa chambre, elle ramassa tous les feuillets qui s'étaient éparpillés sur le sol quand elle avait laissé tomber le rouleau, et elle regagna bien vite son lit pour pouvoir jouir sur son oreiller de la lecture du manuscrit. Elle se rendait compte à présent qu'elle ne devait pas espérer que le manuscrit fût aussi long que la plupart de ceux qui l'avaient fait frémir au cours de ses lectures. Le rouleau, qui paraissait uniquement constitué de petits feuillets volants, était de dimensions insignifiantes, et beaucoup plus petit qu'elle ne l'avait cru tout d'abord.

Son œil avide parcourut rapidement une page. Son contenu la fit sursauter. Était-ce possible ? Ses sens ne la trompaient-ils point ? Un inventaire de linge en vulgaires caractères modernes... c'était, semblait-il, tout ce qu'elle avait sous les yeux. Si ses sens ne l'abusaient pas, elle avait à la main une note de blanchisserie... Elle saisit un autre feuillet. Les mêmes articles s'y trouvaient consignés, avec seulement quelques variantes. Un troisième feuillet, un quatrième, un cinquième, ne lui apprirent rien de nouveau. On y parlait toujours chemises, bas, cravates, gilets... Deux autres feuillets, écrits de la même main, mentionnaient des dépenses qui n'étaient guère plus passionnantes, lettres, poudre à cheveux, lacets de souliers, décrottoirs... Quant au feuillet le plus grand qui enveloppait les autres, il semblait, les pattes de mouche de la première ligne le laissaient supposer, être une ordonnance de vétérinaire. On y conseillait de « mettre un cataplasme à la jument alezane » ! C'était là le précieux manuscrit (certainement laissé là par une servante négligente) qui avait suscité en elle tant d'espérances et de craintes et lui avait presque coûté une nuit de sommeil. Catherine était affreusement humiliée. L'aventure du coffre n'aurait-elle pas dû la rendre plus sage ? Elle apercevait un coin du maudit objet qui paraissait la condamner par sa seule présence. Elle percevait à présent toute l'absurdité de ses suppositions. Aller s'imaginer qu'un manuscrit vieux de tant d'années eût pu demeurer ignoré dans une chambre comme celle-ci, si moderne et si confortable ! Aller s'imaginer qu'elle était la première capable d'ouvrir un cabinet dont la clé était à la disposition de tous !

Comment avait-elle pu se laisser abuser à ce point ? Plût au ciel qu'Henry ne connût jamais sa sottise ! Il avait certes une grande part de responsabilité dans cette affaire, car Catherine n'aurait jamais éprouvé la moindre curiosité à l'égard de ce cabinet s'il n'avait paru correspondre parfaitement à celui qu'il lui avait décrit la veille pendant le voyage. C'était là la seule consolation de notre héroïne. Impatiente de fuir ces objets qui lui parlaient si clairement de sa folie, ces détestables feuillets qui étaient maintenant éparpillés sur le lit, la jeune fille se leva bien vite. Elle fit de son mieux pour les remettre dans leur ordre primitif et les replaça dans le cabinet. Elle priait le ciel pour qu'aucun incident malheureux ne vînt plus les enlever à leur cachette à sa plus grande honte.

Le mal qu'elle avait eu à faire jouer les serrures du cabinet demeurait pourtant un mystère car elle pouvait les manœuvrer très facilement à présent. Il y avait certainement là quelque énigme... Elle se permit un instant cette flatteuse hypothèse, mais elle envisagea bientôt la possibilité que la porte eût été ouverte dès le début et qu'elle l'eût elle-même fermée... Elle rougit violemment.

Elle s'enfuit dès que possible d'une chambre qui lui rappelait si désagréablement sa conduite. Elle trouva facilement le chemin de la salle du petit déjeuner que Miss Tilney lui avait indiquée la veille au soir. Henry s'y trouvait seul. Il exprima tout de suite le souhait qu'elle n'eût pas été dérangée par la tempête et risqua une malicieuse allusion au caractère même de la demeure qu'ils habitaient. Catherine en fut affreusement gênée car elle désirait par-dessus tout que sa faiblesse restât ignorée. Incapable pourtant d'un véritable mensonge, elle dut reconnaître que le vent l'avait pendant un certain temps empêchée de trouver le sommeil.

— Mais il fait aujourd'hui un temps charmant, ajouta-t-elle, désireuse de changer de conversation. Les orages, comme les insomnies, ne sont rien une fois qu'ils sont passés. Quelles belles jacinthes ! Je viens juste d'apprendre à aimer les jacinthes.

— Et comment avez-vous appris à les aimer ? Est-ce par hasard, ou bien vous a-t-on convaincue ?

— C'est votre sœur qui m'a appris à les aimer. Je ne saurais vous dire comment elle s'y est prise... Mrs. Allen s'efforçait depuis des années de me les faire aimer, mais je n'y suis jamais parvenue jusqu'à l'autre jour, où j'en ai vu à Milsom Street. Je suis naturellement très peu sensible aux fleurs.

— Mais à présent, vous aimez les jacinthes... c'est nettement préférable. Cela vous sera une nouvelle source de joie et il faut avoir le maximum de prises possibles sur le bonheur. Par ailleurs, il est toujours souhaitable qu'une femme ait du goût pour les fleurs, car cela la pousse à sortir et à prendre davantage d'exercice. L'amour des jacinthes est peut-être un amour casanier, mais qui sait si, une fois ce sentiment éveillé, vous n'en arriverez pas un jour à aimer les roses ?

— Mais je n'ai besoin d'aucune raison précise pour sortir. Le plaisir de marcher et celui de respirer l'air pur me suffisent, et quand il fait beau, je passe la moitié de mes journées dehors. Maman dit qu'on ne peut jamais me faire rester à la maison.

— Quoi qu'il en soit, je suis heureux que vous ayez appris à aimer les jacinthes. Il importe beaucoup de savoir aimer, et les dons que peut manifester une jeune fille en cette matière sont une véritable bénédiction. Ma sœur est-elle un professeur agréable ?

Le général sauva Catherine de la gêne d'avoir à répondre à cette question. Les aimables compliments qu'il lui prodigua témoignaient de son heureuse disposition d'esprit, mais Catherine fut plutôt embarrassée lorsqu'il fit gentiment allusion à sa louable habitude de se lever tôt.

Catherine ne put s'empêcher de remarquer l'élégance du service de table, lorsqu'ils furent installés pour le petit déjeuner. Par chance, le général avait lui-même choisi ce service et il fut ravi que son invitée approuvât ainsi ses goûts. Il reconnaissait que ce service était tout à la fois charmant et très simple. Il tenait à encourager l'industrie de son pays, et son humble palais trouvait que le thé avait autant d'arôme dans du Stafford que dans du Saxe ou du Sèvres. C'était là cependant un vieux service qui avait au moins deux ans. On avait fait beaucoup de progrès en ce domaine, depuis. La dernière fois qu'il était allé à Londres, il avait vu quelques belles pièces, et, s'il n'avait été dénué de toute vanité en la matière, il se fût peut-être laissé tenter. Il espérait pourtant avoir d'ici peu l'occasion de choisir un service, même si ce n'était pas pour son usage personnel... Catherine fut probablement la seule à ne pas saisir l'allusion.

Peu après le petit déjeuner, Henry les quitta pour se rendre à Woodston où ses affaires l'appelaient et où il resterait deux ou trois jours. Tout le monde l'accompagna jusqu'au vestibule pour assister à son départ, et de retour dans la salle du déjeuner, Catherine courut à la fenêtre dans l'espoir de l'apercevoir encore un peu.

— Ce départ est pour votre frère une pénible épreuve, Eleanor, dit le général, et il aura besoin de toute sa force d'âme. Woodston va lui paraître bien triste, aujourd'hui.

— Est-ce joli ? demanda Catherine.

— Qu'en dites-vous, Eleanor ? Donnez-nous votre avis là-dessus. Les femmes sont au moins aussi aptes que les hommes à définir les goûts féminins en la matière. Je crois que l'œil le plus impartial reconnaîtrait que Woodston est un endroit délicieux sous bien des rapports. La maison est entourée de belles prairies orientées au sud-est. Pareillement exposé, un magnifique jardin potager... Pour le mur d'enceinte, je l'ai moi-même fait construire il y a une dizaine d'années dans l'intérêt de mon fils. Woodston est un bénéfice de famille, Miss Morland, et la majorité des terres environnantes m'appartenant, vous pensez bien que je veille à ce qu'on les exploite. Henry ne serait déjà pas si mal pourvu s'il n'avait que ce bénéfice pour assurer son existence. On peut trouver bizarre que je juge nécessaire qu'Henry ait une profession, quand je n'ai que deux autres enfants, et il est certes des moments où nous aimerions tous le voir libéré des liens du travail, mais sans trop espérer convertir des jeunes filles à cette idée, je pense, Miss Morland, qu'il vaut mieux qu'un jeune homme ait une occupation. Je suis certain, d'ailleurs, que votre père serait d'accord avec moi sur ce point. L'argent importe peu, ce n'est point là le but, l'essentiel est d'avoir une occupation. Vous constaterez que même mon fils aîné, Frederick, qui héritera certainement de l'une des fortunes les plus considérables du comté, exerce une profession.

Ce dernier argument produisit un effet considérable, comme le général l'espérait, et le silence des deux jeunes filles suffit à prouver qu'il était sans réplique.

On avait parlé la veille de faire visiter la maison à Catherine, et le général en personne se proposait à présent comme guide. Catherine avait espéré explorer les lieux en la seule compagnie d'Eleanor, mais elle accepta avec joie la proposition du général, songeant que, quelles que fussent les circonstances, cette visite ne pouvait manquer d'être passionnante. Catherine se trouvait dans l'abbaye depuis dix-huit heures déjà et n'en avait vu que quelques pièces. On referma avec une hâte joyeuse les boîtes à ouvrage que l'on venait juste d'ouvrir, et Catherine fut prête en un instant. Lorsqu'ils auraient fait le tour de la maison, le général se promettait en outre le plaisir d'accompagner Miss Morland dans les pépinières et le jardin. Catherine lui fit une révérence en signe d'acquiescement. Mais peut-être serait-il agréable à son invitée d'aller d'abord voir les pépinières et le jardin ? Le temps était très beau, mais à cette époque de l'année, cela risquait de ne pas durer... Que préférait-elle ? Il était tout à son service... Qu'en pensait Eleanor ? Qu'est-ce qui répondrait le mieux, à son avis, aux désirs de sa belle amie ? Mais il croyait le deviner... Oui, il lisait clairement dans les yeux de Miss Morland qu'elle avait la sagesse de vouloir profiter de ce temps clément. Lui arrivait-il d'ailleurs de manquer de sagesse ? L'abbaye serait toujours un abri sûr, protégé de la pluie... Oui, il s'inclinait aveuglément devant les désirs de son invitée. Le temps d'aller chercher son chapeau et il les emmènerait... Il sortit. La déception et l'inquiétude se lisaient également sur le visage de Catherine. Elle serait désolée, dit-elle, que le général les accompagnât dans les jardins contre son gré et sous l'empire d'une vision trompeuse des désirs de son invitée. Miss Tilney l'interrompit en déclarant, un peu confuse :

— Je crois plus sage de profiter de cette belle matinée de soleil. Quant à mon père, ne vous inquiétez pas, il fait toujours une promenade à cette heure-ci.

Catherine ne savait pas très bien comment interpréter ces paroles. Pourquoi Miss Tilney semblait-elle embarrassée ? Le général éprouvait-il des réticences à faire visiter l'abbaye ? C'était pourtant lui qui avait proposé cette visite à Catherine. N'était-il pas étrange, aussi, qu'il fît *toujours* une promenade à une heure aussi matinale ? Ni Mr. Morland ni Mr. Allen n'avaient pareille habitude... Tout cela était bien agaçant ! Catherine était très impatiente de visiter la maison et n'était guère curieuse de voir le parc. Si encore Henry avait été là !... Mais là, elle serait incapable de discerner le pittoresque dans ce qu'elle aurait sous les yeux... Telles étaient les pensées de notre héroïne, mais elle les garda pour elle et mit son chapeau avec un mécontentement patient.

Lorsqu'elle vit pour la première fois l'abbaye depuis la pelouse, Catherine conçut devant sa grandeur un étonnement auquel elle ne s'attendait pas. L'ensemble des bâtiments formait une grande cour rectangulaire. Deux des côtés de ce quadrilatère forçaient l'admiration par la richesse de leurs ornements gothiques, et des buttes plantées de vieux arbres ou de luxuriants bosquets dissimulaient le reste. Les collines escarpées, toutes boisées, qui s'élevaient derrière la maison et l'abritaient, étaient d'une grande beauté, même en ce mois de mars sans feuilles. Catherine n'avait jamais rien vu de comparable.

Son ravissement était tel qu'elle se passa de toute autorité extérieure pour clamer son émerveillement et décerner à ces lieux une foule de louanges. Le général l'écoutait avec une expression d'approbation reconnaissante et l'on eût dit que sa propre opinion sur Northanger était restée incertaine jusqu'à cette minute.

Il fallut ensuite aller admirer le potager. Le général ouvrit la marche dans la partie du parc qu'on devait traverser pour s'y rendre.

Catherine fut consternée en apprenant le nombre d'acres que couvrait le jardin. Il était deux fois plus grand que les terres de Mr. Allen et de Mr. Morland réunies, cimetière et vergers compris ! On y voyait des murs innombrables et interminables. Des serres s'élevaient parmi eux comme un véritable village, et c'était toute une paroisse qui paraissait travailler là. Les regards étonnés de Catherine flattaient le général. Ils lui disaient presque aussi clairement que les mots qu'il l'obligea bientôt à prononcer qu'elle n'avait jamais vu jardins semblables à ceux-ci. Il reconnut ensuite avec beaucoup de modestie que, « sans en avoir lui-même l'ambition, sans s'en soucier beaucoup », il croyait posséder des jardins qui n'avaient pas de rivaux dans le royaume. S'il avait un dada, c'était celui-là, il aimait les jardins. Bien qu'il se souciât assez peu de la bonne chère, il aimait les bons fruits — sinon lui, du moins ses amis et ses enfants. L'entretien d'un pareil jardin supposait cependant bien des contrariétés. Les plus grands soins ne suffisaient pas toujours à sauvegarder les fruits les plus précieux. L'année précédente, la serre à ananas n'avait donné qu'une centaine de fruits. Mais Mr. Allen, pensait-il, devait bien connaître aussi ces problèmes.

— Non, pas du tout. Mr. Allen ne s'occupe pas du jardin. Il n'y pénètre jamais.

Un triomphant sourire d'autosatisfaction s'épanouit sur les lèvres du général. Il souhaita pouvoir faire comme

Mr. Allen. Lui-même n'entrait jamais dans son jardin sans être contrarié d'une façon ou d'une autre par la tournure que prenaient ses projets.

Comment les différentes serres étaient-elles organisées chez Mr. Allen ? demanda-t-il en expliquant la façon dont fonctionnaient les siennes.

Mr. Allen ne possédait qu'une petite serre, que Mrs. Allen utilisait en hiver pour protéger ses plantes. On y faisait du feu de temps en temps.

— L'heureux homme ! s'écria Mr. Tilney avec un air d'extatique mépris.

Après l'avoir promenée dans tous les coins et recoins des serres, sous tous les espaliers, jusqu'à ce qu'elle fût vraiment lasse de regarder et d'admirer, le général permit aux deux jeunes filles de profiter de la présence d'une porte pour sortir de là. Il exprima ensuite le désir d'aller dans la serre à thé constater les effets d'une récente innovation, et il proposa aux jeunes filles de prolonger leur promenade en l'y accompagnant, si Miss Morland n'était pas trop fatiguée.

— Mais où allez-vous, Eleanor ? Pourquoi prenez-vous ce sentier glacial et humide ? Miss Morland va se mouiller, il vaut mieux traverser le parc.

— C'est un chemin que j'aime tant, répondit Miss Tilney, qu'il me semble toujours que c'est le plus pratique et le plus direct... mais il risque peut-être en effet d'être assez humide.

Il s'agissait d'un petit sentier sinueux qui traversait un épais bosquet de vieux pins sylvestres. Catherine fut frappée par la tristesse qui en émanait. Elle brûlait de s'y engager, et la désapprobation manifeste du général ne parvint même pas à l'en empêcher. Mr. Tilney comprit très bien ce qu'elle désirait et, quand il l'eut de nouveau mise en garde contre les risques qu'elle courait quant à sa santé, il eut la politesse de ne plus insister. Il s'excusa cependant de ne pas les accompagner. Il ne méprisait pas quant à lui les rayons du soleil, et il les rejoindrait par un autre chemin. Il s'en alla, et Catherine fut révoltée du soulagement qu'elle éprouvait à le voir partir. Sa révolte n'avait cependant pas la force de son soulagement, et elle goûta pleinement ce dernier. Elle se mit à parler gaiement et sans contrainte de la délicieuse mélancolie qui émanait de ce bosquet.

— J'aime tout particulièrement cet endroit, lui répondit sa compagne en soupirant, c'était la promenade préférée de ma mère.

Catherine n'avait jamais entendu aucun membre de la famille évoquer le souvenir de Mrs. Tilney, et l'intérêt que suscita en elle cette tendre allusion d'Eleanor se marqua sur-le-champ par un changement dans ses manières et par un silence attentif qui disait clairement qu'elle désirait en savoir davantage.

— Je me suis si souvent promenée ici en sa compagnie, ajouta Eleanor, bien que je n'aie jamais aimé cet endroit à l'époque comme j'ai appris à l'aimer depuis. En ce temps-là, à vrai dire, je m'étonnais que ma mère affectionnât tellement ces lieux, mais le souvenir me les rend à présent très chers.

Et ne devrait-il pas aussi, se dit Catherine, les rendre chers au général ? Il a pourtant refusé d'y venir... Miss Tilney gardait le silence, et Catherine se risqua à lui dire :

— La mort de votre mère a dû vous causer un chagrin immense.

— Immense, oui, et il ne cesse de croître, lui répondit très doucement Eleanor. Je n'avais que treize ans lorsque c'est arrivé, et bien que j'aie souffert autant que peut souffrir un être de cet âge, je n'ai pas compris, je ne pouvais pas comprendre quelle perte je faisais.

Elle se tut un instant, et ajouta ensuite, avec beaucoup de fermeté :

— Je n'ai pas de sœur, vous savez, et bien qu'Henry...

bien que mes frères soient très affectueux, et qu'Henry passe le plus clair de son temps ici, ce dont je lui suis extrêmement reconnaissante, je ne puis m'empêcher de me sentir souvent très seule.

— Certes, il doit vous manquer beaucoup...

— Une mère eût toujours été là, une mère eût été l'amie de chaque instant... son influence eût surpassé toutes les autres...

Était-elle charmante ? Était-elle belle ? Y avait-il un portrait d'elle à l'abbaye ? Pourquoi affectionnait-elle tant ce petit bois ? Était-elle mélancolique ? s'empressa de demander Catherine. Miss Tilney répondit affirmativement aux trois premières questions, mais les deux autres restèrent sans réponse. L'intérêt que Catherine éprouvait pour la défunte Mrs. Tilney croissait avec chaque question, qu'Eleanor y répondît ou non. Elle était persuadée que la mère de son amie avait été malheureuse dans son mariage. Le général Tilney avait certainement été un mari très désagréable. Il n'aimait pas sa promenade favorite, pouvait-il, dans ce cas, l'avoir aimée, elle ? D'autre part, aussi beau qu'il fût, on sentait à le voir qu'il avait dû la maltraiter.

— Je suppose que son portrait (elle rougit de sa propre ruse) se trouve dans la chambre de votre père ?

— Non, on le destinait au salon, mais mon père n'a pas été satisfait du tableau, et il n'a pas eu de place pendant un certain temps. Peu après la mort de ma mère, j'ai obtenu qu'on m'en fît cadeau et je l'ai mis dans ma chambre. Je serai ravie de vous le montrer, il est très ressemblant.

Encore une preuve !... Un portrait — très ressemblant — d'une épouse défunte n'avait aucune valeur aux yeux du mari de la morte !... Il avait dû être affreusement cruel pour elle...

Catherine n'essaya plus de se dissimuler la nature des sentiments qu'il avait suscités en elle, malgré tous les égards qu'il lui manifestait... Ce qui n'avait tout d'abord été qu'horreur et antipathie s'était maintenant transformé en une véritable aversion. Oui, en aversion ! La cruauté dont il avait témoigné envers une femme charmante le lui rendait odieux. Elle avait souvent rencontré des personnages de ce genre dans les livres. Mr. Allen avait coutume de dire qu'ils étaient artificiels et outrés, mais Catherine avait à présent la preuve du contraire.

Elle aboutissait juste à cette conclusion quand elles arrivèrent, Eleanor et elle, au terme du chemin, et elles se retrouvèrent brutalement en présence du général. Malgré toute sa vertueuse indignation, Catherine se vit obligée de reprendre sa promenade avec lui, de l'écouter, et même de sourire quand il souriait. Elle ne pouvait plus cependant éprouver le moindre plaisir devant le spectacle qui l'entourait, et elle fut bientôt manifestement lasse de se promener. Le général s'en aperçut et se montra si soucieux de la santé de la jeune fille qu'on eût cru qu'il lui reprochait la mauvaise opinion qu'elle avait de lui. Il insista pour qu'elle rentrât à la maison avec Eleanor. Il les rejoindrait dans un petit quart d'heure. Ils se séparèrent de nouveau. Le général rappela pourtant sa fille trente secondes après pour lui interdire formellement de faire visiter l'abbaye à Catherine avant son retour. C'était là un deuxième indice de son ardent désir de retarder cette visite que Catherine attendait si impatiemment, et elle en fut profondément impressionnée.

XXIII

Le général ne revint qu'une heure plus tard et sa jeune invitée avait passé tout ce temps à ressasser de sombres pensées sur son caractère. Cette absence qui se prolongeait, ces promenades solitaires n'annonçaient pas un esprit en paix ou une conscience sans reproches. Il parut enfin et, quelle qu'ait été la tristesse de ses méditations, parvint cependant à sourire. Miss Tilney, qui comprenait bien que son amie était impatiente de visiter l'abbaye, évoqua de nouveau cette question. Le général étonna fort Catherine en n'arguant d'aucun nouveau prétexte pour retarder encore cette visite. Il pria seulement les deux jeunes filles de lui accorder cinq minutes afin qu'il pût commander des rafraîchissements pour leur retour, et il fut bientôt prêt à les accompagner.

Ils se mirent en route. Avec une grandeur et une noblesse qui étonnèrent Catherine sans pourtant ébranler les doutes d'une jeune fille aussi bien instruite, Mr. Tilney amena Eleanor et son invitée dans le vestibule, puis leur fit traverser le petit salon et une antichambre désaffectée avant de les faire entrer dans une pièce dont les dimensions et l'ameublement forçaient également l'admiration. C'était le grand salon que l'on réservait aux invités de marque. Il était très imposant, immense, magnifique ! Catherine fut incapable d'en dire davantage, car son œil mal exercé distinguait à peine la couleur du satin. C'est le général qui se chargea d'en louer en détail et intelligemment les splendeurs. Catherine se souciait fort peu des fastes ou des élégances d'une pièce. Aucun meuble ne l'intéressait s'il était postérieur au XVᵉ siècle. Quand le général eut satisfait sa propre curiosité en examinant de près ce décor qui lui était si familier, ils se rendirent dans la bibliothèque qui était, à sa façon, aussi magnifique que le salon. On pouvait y voir une collection de livres dont l'homme le plus modeste se fût enorgueilli. Catherine écouta, admira et s'émerveilla plus sincèrement qu'elle ne l'avait fait tout à l'heure. Elle glana tout ce qu'elle put dans cette mine de connaissances en parcourant des yeux une demi-étagère de livres, puis fut prête à continuer la visite. Elle fut assez déçue par les appartements qu'ils visitèrent ensuite. Bien que la maison fût très vaste, on en avait déjà vu la plus grande partie, et lorsque Catherine apprit que les six ou sept chambres qu'elle venait de parcourir constituaient, avec les cuisines, trois des côtés de la cour, elle put à peine en croire ses oreilles. Elle soupçonna l'existence de chambres secrètes. Elle fut cependant légèrement rassurée lorsqu'elle s'aperçut qu'on devait, pour revenir aux chambres d'un usage quotidien, passer par plusieurs pièces plus petites qui donnaient sur la cour et qui, jointes à tout un enchevêtrement de couloirs disséminés çà et là, reliaient entre elles les différentes parties de la maison. Elle ressentit également un grand bonheur lorsqu'elle apprit qu'elle était en train de fouler le sol de ce qui autrefois avait été un cloître et lorsqu'on lui montra les anciennes cellules des moines. Elle remarqua plusieurs portes qu'on ne prit pas la peine d'ouvrir pour elle et sur lesquelles on ne lui donna pas le moindre renseignement. Elle parcourut successivement la salle de billard et les appartements du général sans comprendre du tout comment ils étaient reliés entre eux. Elle était incapable de s'orienter dès que ses compagnons n'étaient plus là. On traversa enfin une petite pièce sombre, domaine d'Henry, remplie d'un fouillis de livres, d'armes et de manteaux.

Ils se retrouvèrent dans la salle à manger, et bien qu'on eût déjà vu cette pièce et qu'on dût la revoir tous les jours à cinq heures, le général ne put s'empêcher d'en mesurer de ses pas la longueur, tenant à prouver à Catherine une chose dont elle n'avait jamais douté et ne s'était jamais souciée... Ils prirent ensuite la voie la plus directe pour se rendre dans la cuisine. C'était l'ancienne cuisine du couvent. Ses murs massifs, tout couverts de fumée, évoquaient les jours d'autrefois, tandis que les fourneaux et les étuves parlaient du temps présent. Le général, homme de progrès, avait employé toute son énergie à transformer les lieux. On avait apporté à ce théâtre où les cuisiniers exerçaient leur art toutes les améliorations modernes qui leur facilitent la tâche et lorsque le génie d'autrui s'était révélé insuffisant, celui du général avait su la plupart du temps atteindre la perfection désirée. Les embellissements qu'il avait apportés à cette seule cuisine eussent suffi à faire de lui l'un des plus grands bienfaiteurs du couvent.

La cuisine marquait la limite de la partie ancienne de l'abbaye. On avait en effet, en raison du lamentable état dans lequel il se trouvait, démoli le quatrième côté de la cour, et l'on avait fait construire sur cet emplacement des bâtiments modernes. Là finissait donc la partie noble de l'abbaye. Les bâtiments modernes ne se contentaient pas d'être neufs, ils le proclamaient. Ils étaient destinés à abriter les communs, et comme d'autre part les écuries les cachaient à la vue, on n'avait point jugé utile de les faire construire dans le même style que le reste de la demeure. Catherine se mit presque en colère à l'idée qu'on eût ainsi détruit ce qui devait être la plus grande merveille en ces lieux, et ce, à de simples fins d'économie domestique. Elle se serait volontiers épargné, si le général l'eût permis, l'humiliation de se promener dans un décor qui dénonçait sa propre déchéance, mais, malheureusement, si le général était fier de quelque chose, c'était bien de l'aménagement des communs. Il était convaincu qu'une jeune fille comme Miss Morland aurait du plaisir à voir tous ces perfectionnements qui adoucissent le labeur de nos inférieurs, et il ne s'excusait donc pas de lui faire visiter les communs... Ils en firent rapidement le tour. La multiplicité des pièces, leur commodité, impressionnèrent vivement Catherine. Des travaux pour lesquels on estimait suffisants, à Fullerton, quelques placards informes et une inconfortable arrière-cuisine, étaient ici accomplis en des endroits distincts, pratiques, spacieux et appropriés. On ne cessait de voir de nouveaux domestiques, et leur nombre étonna autant Catherine que le nombre des pièces où s'effectuait leur travail. Où que fussent les visiteurs, il se trouvait toujours quelque jeune fille en patins pour leur faire une révérence ou quelque valet de pied en tenue négligée qui se dérobait furtivement lorsqu'il les voyait arriver. Pourtant, c'était une abbaye !... Mais elle était si différente, avec tous ses aménagements domestiques, de celles dont Catherine avait entendu parler dans les livres ! Oui, elle était bien différente de ces abbayes et châteaux où, bien qu'ils fussent certainement plus grands que Northanger, on n'employait jamais plus de deux femmes pour tous les gros travaux de la maison. Comment elles arrivaient à se charger de tout ce travail, Mrs. Allen se l'était souvent demandé, et Catherine commença aussi à se le demander lorsqu'elle s'aperçut du nombre de serviteurs que nécessitait l'entretien de Northanger.

Ils retournèrent dans le hall pour pouvoir prendre ensuite le grand escalier. On fit remarquer à Catherine la beauté du bois et la richesse des sculptures qui le décoraient. Arrivés en haut, ils se dirigèrent du côté opposé à celui de la galerie où se trouvait la chambre de Catherine, et ils aboutirent bientôt à une galerie qui ressemblait beaucoup à l'autre, bien qu'elle fût plus longue et plus large. On fit pénétrer Catherine dans trois grandes chambres à coucher dont chacune était munie d'un cabinet de toilette adjacent. Elles étaient mieux aménagées et plus belles que les autres chambres. On y voyait tout ce que peuvent procurer l'argent et le bon goût pour faire d'un appartement un endroit confortable et très élégant. Les meubles, qui n'avaient pas plus de cinq ans, devaient plaire à la majorité des gens mais ne correspondaient en rien aux goûts de Catherine. Comme on examinait la dernière chambre, le général, après avoir négligemment nommé quelques-unes des personnalités de marque qui avaient parfois honoré ces lieux de leur présence, se tourna en souriant vers son invitée et se risqua à exprimer l'espoir d'y voir bientôt peut-être « leurs chers amis de Fullerton ». Ce compliment inattendu toucha beaucoup la jeune fille et elle regretta de ne pouvoir avoir bonne opinion d'un homme qui se montrait si bien disposé envers elle et qui témoignait de tant de civilité à l'égard de toute sa famille.

Au bout de la galerie se trouvaient des portes à deux battants que Miss Tilney, qui marchait nettement en tête, avait déjà ouvertes et franchies. Elle s'apprêtait manifestement à ouvrir aussi la première porte qui se trouvait à gauche, dans une autre galerie, quand le général, qui arrivait juste derrière elle, la rappela vivement et lui demanda, avec une certaine rudesse, se dit Catherine, où elle allait. Qu'y avait-il encore à voir ? Miss Morland n'avait-elle pas déjà vu tout ce qui pouvait l'intéresser ? Ne croyait-elle pas que son amie serait heureuse de prendre un rafraîchissement ? Cette promenade avait été si longue !... Miss Tilney revint immédiatement sur ses pas, et les lourdes portes se refermèrent devant une Catherine mortifiée. Elle avait pu apercevoir, d'un rapide coup d'œil, un couloir plus étroit, des portes très nombreuses et l'amorce d'un escalier tortueux, et elle avait eu l'impression qu'on allait enfin voir quelque chose d'intéressant. Elle se disait, tout en s'éloignant malgré elle de cette galerie, qu'elle eût volontiers sacrifié sa visite de toutes les merveilles de l'abbaye pour pouvoir en examiner cette partie-là. Le général ne désirait manifestement pas qu'elle pénétrât en ces lieux, et cela ne faisait que stimuler davantage notre héroïne. Il y avait certainement là quelque chose que l'on voulait cacher. L'imagination de Catherine avait bien pu lui jouer des tours récemment, elle ne la trahissait pas cette fois. Quant à ce que l'on désirait tant cacher, une petite phrase que prononça Miss Tilney, tandis que les jeunes filles descendaient l'escalier à quelque distance du général, parut le préciser :

— J'allais vous emmener dans ce qui fut la chambre de ma mère... la chambre où elle est morte.

Elle n'en dit pas davantage, mais aussi courte que fût cette phrase, son amie sut y puiser une foule de renseignements. Il n'y avait rien d'étonnant à ce que le général frémît à l'idée de revoir cette chambre... une chambre dans laquelle il n'avait certainement pas pénétré depuis la terrible scène qui s'y était déroulée, et qui avait délivré sa malheureuse épouse pour le laisser, lui, en proie aux morsures du remords.

Dès qu'elle se retrouva seule avec Eleanor, elle se risqua à exprimer le désir qu'on lui permît de voir la chambre de Mrs. Tilney ainsi que toute cette partie de l'abbaye. Eleanor promit de l'y emmener dès qu'elle trouverait une occasion favorable. Catherine comprit parfaitement : il fallait que le général fût absent pour qu'on pût pénétrer dans cette chambre.

— Elle est restée telle quelle, je suppose ? dit-elle avec une certaine émotion.

— Oui, absolument.

— Et depuis combien de temps votre mère est-elle morte ?

— Cela fait neuf ans.

Neuf ans, Catherine savait que c'était peu, comparé au temps qu'il faut généralement pour que tout rentre dans l'ordre dans une chambre où est morte une femme offensée.

— Je suppose que vous êtes restée avec elle jusqu'à la fin ?

— Non, dit Miss Tilney en soupirant, je n'étais malheureusement pas ici. Sa maladie a été soudaine et très brève. Tout était fini quand je suis arrivée.

Catherine sentit son sang se glacer dans ses veines devant les idées horribles que lui suggéraient tout naturellement ces paroles. Était-ce possible ? Le père d'Henry pouvait-il... ? Il était pourtant tellement d'exemples pour justifier les plus affreux soupçons...

Le soir, tandis qu'elle travaillait avec son amie, elle vit le général arpenter lentement le salon pendant plus d'une heure, silencieux et pensif, les yeux baissés et les sourcils froncés, et elle eut la certitude qu'elle ne s'était pas trompée sur son compte. Il avait tout à fait la physionomie et les attitudes d'un Montoni. Pouvait-on exprimer plus clairement les sombres pensées d'une âme qui n'était pas tout à fait morte aux sentiments humains et se rappelait avec horreur les crimes d'autrefois ? Malheureux homme ! Catherine, dans son angoisse, tournait si souvent ses regards vers le général, que Miss Tilney le remarqua.

— Mon père, dit-elle très bas, arpente souvent la pièce de cette façon. Cela n'a rien d'inhabituel.

« C'est encore pire ! », pensa Catherine. Un exercice qui venait si mal à propos était à mettre en rapport avec l'heure indue de ses promenades matinales et n'annonçait vraiment rien de bon.

Catherine fut ravie de pouvoir quitter le salon après une soirée dont la monotonie et la longueur lui avaient fait comprendre tout ce qu'apportait à Northanger la présence d'Henry. Ce fut le général qui signifia à Eleanor, d'un signe que Catherine n'eût pas dû voir, qu'elle pouvait sonner. Toutefois, lorsque le valet de chambre fit mine d'allumer la bougie de son maître, ce dernier l'en empêcha et déclara qu'il n'allait pas encore se coucher.

— Je dois finir de lire quelques brochures avant de pouvoir aller dormir, dit-il à Catherine, et les affaires de la nation m'occuperont peut-être encore quand vous serez endormie depuis bien longtemps déjà. Pouvons-nous, chacun de notre côté, mieux employer notre temps ? Mes yeux se fatigueront pour le bien d'autrui, et les vôtres, par le sommeil, prépareront les ravages qu'ils feront demain.

Ni le travail qu'il prétextait, ni ce magnifique compliment ne purent cependant empêcher Catherine de songer que le général devait avoir d'autres raisons de différer ainsi l'heure de son coucher. Il était peu probable qu'il restât debout longtemps après les autres pour lire simplement de stupides brochures. Il devait avoir une raison plus grave, pour agir de la sorte. Il devait avoir à faire quelque chose qui ne pouvait se faire que lorsque toute la maisonnée était endormie. Après mûre réflexion, Catherine aboutit nécessairement à la conclusion que Mrs. Tilney risquait fort d'être encore vivante. Elle était certainement enfermée, pour des raisons que Catherine ignorait, et ne devait recevoir des impitoyables mains de son époux qu'un peu de nourriture grossière qu'il lui apportait la nuit. Cette idée était certes choquante, mais Catherine la préférait à une mort traîtreusement hâtée, puisque-là, il était dans le cours naturel des choses que Mrs. Tilney fût bientôt délivrée. Le caractère subit de sa prétendue maladie, l'absence d'Eleanor, et probablement de ses autres enfants, à cette époque-là, tout favorisait l'hypothèse d'un emprisonnement ! Quant à la cause de ce dernier, la jalousie peut-être, ou une cruauté gratuite, elle restait à déterminer.

Tandis qu'elle ressassait ces problèmes tout en se déshabillant, elle pensa soudain, ce n'était pas impossible après tout, qu'elle était peut-être passée ce matin tout près du lieu où l'on retenait prisonnière l'infortunée Mrs. Tilney, tout près de la cellule où elle passait sa lamentable existence. Quelle partie de l'abbaye pouvait en effet mieux servir de criminels desseins que celle où se trouvaient encore les vestiges du monastère ? Dans le corridor haut voûté et pavé de pierres où Catherine avait ressenti une crainte toute particulière, se trouvaient, elle se le rappelait, des portes dont le général avait évité de parler. Où ces portes pouvaient-elles bien mener ? Elle fut encore confortée dans ses soupçons lorsqu'elle se souvint que la galerie interdite, celle sur laquelle donnait la chambre de l'infortunée Mrs. Tilney, devait, si sa mémoire ne la trompait point, se trouver exactement au-dessus des cellules suspectes, et que l'escalier qu'elle avait entrevu tout près de la chambre avait des chances de communiquer avec les cellules par quelque passage secret. Il aurait donc pu servir admirablement les barbares desseins du mari de la malheureuse Mrs. Tilney... Peut-être avait-elle descendu cet escalier dans un état d'insensibilité savamment provoqué...

Catherine tressaillait parfois devant la hardiesse de ses conjectures. Il lui arrivait aussi d'espérer ou de craindre d'être allée trop loin... Mais les apparences confirmaient si souvent et si bien ses hypothèses qu'elle ne pouvait se résoudre à les remettre en doute.

Il lui semblait que les lieux du crime se trouvaient juste en face des bâtiments qui abritaient sa chambre, et elle se dit tout à coup qu'elle apercevrait peut-être, si elle regardait bien, la lueur de la lampe du général à travers les fenêtres basses, quand Mr. Tilney se rendrait dans la cellule de sa femme. Avant de se mettre au lit, elle se glissa deux fois hors de sa chambre pour se rendre dans la galerie et regarder, par la fenêtre qui donnait sur les cellules, si une lueur n'apparaissait pas. Mais toute cette zone restait parfaitement obscure. Il devait être trop tôt... Elle entendit des bruits qui venaient des étages inférieurs et pensa que les domestiques étaient encore debout. Elle se dit qu'il était inutile de guetter les cellules avant qu'il fût minuit. Alors, quand toutes les horloges auraient sonné minuit, quand tout serait tranquille, elle se glisserait encore dans la galerie, si du moins elle n'était pas complètement épouvantée par l'obscurité, pour jeter un coup d'œil du côté du cloître... L'horloge sonna minuit... Catherine dormait depuis une demi-heure.

XXIV

Le lendemain, Catherine n'eut pas l'occasion d'entreprendre l'exploration des mystérieux appartements.

C'était dimanche et, selon les exigences du général, on passa son temps, entre le service du matin et celui de l'après-midi, à se promener dans le parc ou à manger des viandes froides à la maison. Aussi vive que fût sa curiosité, Catherine ne se sentait pas le courage d'explorer les appartements après le dîner, à la pâle lumière du soleil couchant ou à la lueur plus circonscrite quoique plus vive d'une lampe trompeuse. Il ne se produisit donc pendant cette journée aucun autre événement susceptible d'exciter l'imagination de notre héroïne, que la visite que l'on rendit à l'élégant monument qui célébrait la mémoire de Mrs. Tilney. Il se trouvait dans l'église où il faisait face au banc de la famille. Ce monument attira immédiatement l'attention de Catherine et elle passa un long moment à le contempler. Elle fut émue jusqu'aux larmes en lisant la grandiloquente épitaphe où l'inconsolable mari accordait à sa femme toutes les vertus imaginables, alors qu'il avait certainement été, d'une manière ou d'une autre, le bourreau de la malheureuse.

Cela n'avait peut-être rien d'extraordinaire que le général, après avoir fait ériger un pareil monument à la mémoire de sa femme, pût le regarder en face, mais Catherine était vraiment étonnée qu'il eût l'audace de demeurer si longtemps dans son voisinage, de conserver un air aussi digne, de jeter autour de lui des regards aussi assurés et d'entrer même dans cette église. Ce n'était pas qu'on n'eût déjà vu maints exemples d'hommes ainsi endurcis dans le crime, elle pouvait s'en rappeler des douzaines qui s'étaient adonnés à tous les vices imaginables, allant de crime en crime, assassinant tous ceux qu'il leur plaisait d'assassiner sans éprouver le moindre sentiment humain ou le moindre remords, jusqu'à ce qu'une mort violente ou une retraite religieuse interrompît leur sinistre carrière mais... Le monument funéraire lui-même ne suffisait pas à ébranler les doutes de Catherine quant à la mort de Mrs. Tilney. Elle aurait pu descendre dans le caveau de famille où l'on prétendait avoir déposé les cendres de la pauvre femme, elle aurait bien pu voir le cercueil dans lequel on disait les avoir enfermées, que cela n'eût rien prouvé à notre héroïne. Elle avait lu trop de livres pour ignorer combien il est facile de mettre dans un cercueil une figure de cire et de mener un faux enterrement.

La matinée suivante offrait davantage de perspectives. La promenade du général, aussi mal venue qu'elle fût sous d'autres rapports, se révélait cette fois favorable aux projets de notre héroïne. Dès qu'elle se fut assurée que le général était bien sorti, elle demanda à Miss Tilney de tenir sa promesse. Eleanor était tout à fait prête à l'obliger. En chemin, Catherine lui rappela une autre promesse qu'elle lui avait faite, et elles allèrent en premier lieu voir le portrait de Mrs. Tilney dans la chambre d'Eleanor. On pouvait y admirer une femme délicieuse, à l'air doux et pensif, et ce portrait dépassait sous cet aspect-là toutes les espérances de notre héroïne. Il ne répondait pourtant pas à son attente sur certains points, car Catherine s'était préparée à y retrouver les traits, l'expression, le teint, en un mot l'image même, sinon d'Henry, du moins d'Eleanor. Les seuls portraits dont elle avait entendu parler témoignaient toujours d'une ressemblance parfaite entre la mère et son enfant. Un visage une fois façonné l'était pour de nombreuses générations. Mais là, Catherine se voyait obligée de regarder, de chercher, d'étudier longuement le portrait pour trouver une ressemblance entre Mrs. Tilney et ses enfants. Malgré tout cela, elle éprouva beaucoup d'émotion à contempler ce tableau, et il fallait, pour qu'elle consentît à s'arracher à sa contemplation, qu'elle fût passionnément attirée par un autre objet.

Lorsqu'elle pénétra dans la galerie avec Eleanor, elle était vraiment trop troublée pour tenter même de dire un mot. Elle pouvait seulement regarder sa compagne. Celle-ci paraissait abattue, quoique calme. Le sang-froid dont elle témoignait prouvait qu'elle était aguerrie aux choses lugubres vers lesquelles elles se dirigeaient. Eleanor franchit une fois de plus la porte à double battant, elle posa encore sa main sur la terrible serrure... Catherine, la respiration suspendue, se retournait pour fermer la porte avec mille précautions, quand la silhouette, la terrifiante silhouette du général fit son apparition à l'autre bout de la galerie !... On entendit au même instant le nom d'Eleanor retentir violemment dans le bâtiment, avertissant la jeune fille de la présence de son père, et causant à Catherine la plus vive terreur. Dès qu'elle l'avait aperçu, elle avait instinctivement cherché à se cacher, bien qu'elle ne pût guère espérer avoir échappé à sa vue, et quand son amie, en s'excusant d'un regard, se fut empressée de rejoindre son père, pour disparaître ensuite en sa compagnie, elle pensa qu'elle n'aurait jamais le courage de descendre. Elle resta là au moins une heure, en proie à la plus vive agitation, déplorant sincèrement le sort de sa pauvre amie, et s'attendant elle-même à recevoir bientôt du général l'ordre de le rejoindre dans ses appartements. Il n'arriva cependant rien de la sorte, et pour finir, voyant qu'une voiture arrivait à l'abbaye, Catherine se risqua à descendre, décidée à n'affronter Mr. Tilney que sous la protection de ses visiteurs. La salle du petit déjeuner s'égayait d'une société nombreuse. Le général présenta Catherine comme l'amie de sa fille, et il parvint à dissimuler sa terrible colère sous tant de compliments que Catherine fut certaine d'avoir la vie sauve, du moins provisoirement. Eleanor, témoignant d'une maîtrise qui faisait honneur à ses sentiments filiaux, saisit la première occasion pour dire à son amie : « Mon père voulait seulement me faire répondre à un billet », et Catherine commença d'espérer que le général ne l'avait pas aperçue ou avait résolu de lui laisser croire poliment qu'il en était ainsi. Un peu rassurée, elle prit le risque de demeurer en sa compagnie après que leurs visiteurs les eurent quittés, et il ne se passa rien pour lui faire regretter sa confiance.

Ce matin-là, après avoir longuement réfléchi, elle en arriva à décider qu'elle accomplirait seule la prochaine tentative vers la porte interdite. Il était même préférable à tous points de vue qu'Eleanor ignorât totalement son projet. Lui faire courir le risque d'être découverte pour la deuxième fois, lui demander de pénétrer dans une chambre où son cœur devait se serrer de chagrin, cela n'était vraiment pas le fait d'une amie. La pire colère du général ne pourrait jamais s'exercer sur elle comme sur une fille. Elle croyait d'autre part que ses recherches se révéleraient plus fécondes si elle n'avait pas son amie avec elle. Elle ne pouvait vraiment pas exposer à Eleanor des soupçons dont elle paraissait heureusement exempte. Si la jeune fille se trouvait là, elle ne pourrait donc pas rechercher les preuves de la barbarie du général. Elle était certaine en effet, bien qu'elles eussent jusque-là échappé à tous les regards, de retrouver quelque part ces preuves sous la forme de quelque journal interrompu par la mort. Elle connaissait maintenant très bien le chemin qui conduisait à la chambre de Mrs. Tilney. Elle souhaitait s'y rendre avant le retour d'Henry que l'on attendait le lendemain, et elle n'avait donc pas de temps à perdre. La journée était magnifique, et la jeune fille se sentait un courage immense. Il était quatre heures, le soleil ne se coucherait pas avant deux bonnes heures, et si elle y allait tout de suite, elle ne ferait que se retirer une demi-heure avant l'heure où elle montait habituellement se changer.

Catherine mit bientôt son projet à exécution. Les horloges n'avaient pas fini de sonner quatre heures qu'elle se trouvait déjà, seule, dans la galerie. Elle n'avait plus le temps de réfléchir. Elle s'empressa de se glisser le plus silencieusement possible par la porte à double battant et se précipita sur la fatale petite porte sans prendre le temps de jeter un coup d'œil autour d'elle ou de respirer. La serrure céda sans émettre le moindre grincement qui pût donner l'alerte. Catherine entra sur le bout des pieds. La chambre était là, sous ses yeux, mais il se passa plusieurs minutes avant que notre héroïne fût capable de faire un autre pas. Le spectacle qui s'offrait à sa vue la figeait sur place et la troublait au plus haut point. Elle apercevait une chambre très vaste aux proportions harmonieuses et un lit magnifique, recouvert de basin, qu'une servante avait manifestement fait bien que personne n'y dormît. On voyait aussi un poêle de Bath tout étincelant, des garde-robes d'acajou et des chaises joliment décorées. Deux fenêtres à guillotine laissaient pénétrer les doux rayons du soleil couchant. Toute la chambre en était égayée. Catherine s'était attendue à être bouleversée et elle l'était en effet. Son premier mouvement fut un mouvement de surprise et de doute, et bientôt, sa raison qui se réveillait suscita en elle un sentiment de honte encore plus amer. Elle ne s'était pas trompée de chambre, non, mais comme elle s'était, par contre, grossièrement trompée en ce qui concernait tout le reste ! Elle s'était trompée sur les sentiments de Miss Tilney, et aussi quand elle s'était imaginé cette chambre ! Ces appartements qu'elle avait crus tellement anciens, si affreusement situés, s'avéraient faire partie des bâtiments qu'avait fait construire le père du général ! On apercevait dans la chambre deux portes qui devaient donner sur des cabinets de toilette, mais elle n'eut même pas envie de les ouvrir. Risquait-elle d'y trouver le voile que portait Mrs. Tilney juste avant de mourir, ou le dernier livre qu'avait lu la malheureuse, pouvait-elle espérer apprendre grâce à eux le secret que rien d'autre ici ne pouvait trahir ? Non ! Quels qu'aient été les crimes du général, il avait certes trop d'esprit pour en avoir laissé des indices susceptibles de les faire découvrir. Catherine était lasse de ces explorations, et elle ne désirait plus que se retrouver à l'abri, dans sa chambre, avec son cœur pour seul témoin de sa folie. Elle était sur le point de se retirer aussi doucement qu'elle était entrée lorsque des bruits de pas, venus elle ne savait d'où, l'immobilisèrent, toute tremblante de peur. Il eût été extrêmement désagréable d'être découverte là par un domestique, mais si c'était le général (il semblait toujours arriver quand on s'y attendait le moins) qui la surprenait dans la chambre de sa femme, ce serait pire encore!... Elle écouta. Le bruit avait cessé. Décidant de ne pas perdre un instant, elle sortit et referma la porte. Au même moment, on ouvrit brusquement une porte à l'étage au-dessous. Quelqu'un semblait monter à vive allure les escaliers devant lesquels Catherine devait passer pour pouvoir regagner la galerie. Catherine était incapable de faire un mouvement. Sous l'empire d'un sentiment de terreur mal définie, elle restait là, à fixer les escaliers, et elle vit bientôt apparaître Henry.

— Mr. Tilney! s'écria-t-elle d'une voix qui exprimait plus qu'un simple étonnement.

Henry parut également surpris.

— Seigneur! poursuivit Catherine sans lui laisser le temps de dire un mot. Comment êtes-vous arrivé ici? Comment avez-vous pu vous retrouver dans cet escalier?

— Comment j'ai pu me retrouver dans cet escalier? répondit-il, très déconcerté. Mais c'est le plus court chemin entre la cour d'écurie et ma chambre! Pourquoi ne passerais-je pas par cet escalier?

Catherine se ressaisit. Elle rougit violemment, incapable de dire un mot. Henry semblait chercher sur le visage de la jeune fille l'explication qu'elle ne pouvait lui donner verbalement. Elle se dirigea vers la galerie.

— Et ne puis-je à mon tour, lui demanda Mr. Tilney en poussant la porte à double battant, vous demander comment vous êtes arrivée ici? Cette galerie est un itinéraire au moins aussi extraordinaire pour aller de la salle du déjeuner à votre chambre, que ne l'est cet escalier pour se rendre des écuries à mes appartements !

— Je suis allée, dit Catherine en baissant la tête, visiter la chambre de votre mère.

— La chambre de ma mère ! Y a-t-il quelque chose d'extraordinaire à y voir ?

— Non, rien du tout... Je croyais que vous ne deviez revenir que demain...

— Je ne pensais pas pouvoir rentrer si vite, lorsque je suis parti, mais il y a trois heures, j'ai eu le plaisir de m'apercevoir que rien ne me retenait plus là-bas. Il me semble que vous êtes pâle ! Je crains de vous avoir effrayée en montant si vite les escaliers. Peut-être ne saviez-vous pas... n'aviez-vous pas remarqué qu'ils conduisaient aux communs ?

— Non, en effet. Vous avez eu un bien beau temps pour votre promenade à cheval.

— Très beau, oui... Eleanor vous laisse donc chercher votre chemin toute seule à travers les chambres de la maison ?

— Oh, non ! Elle m'en a fait visiter la majeure partie samedi... et nous sommes aussi venues voir ces chambres, mais (d'une voix plus basse) votre père était avec nous...

— Et cela vous a empêchées de les visiter ? dit Henry en la regardant gravement. Avez-vous visité toutes les chambres de cette galerie ?

— Non, je voulais seulement voir... Mais n'est-il pas extrêmement tard ? Il faut que j'aille m'habiller.

— Il est seulement quatre heures et quart (regardant sa montre), et vous n'êtes plus à Bath. Point de théâtre, point de bals qui nécessitent de longs préparatifs. A Northanger, une demi-heure suffit largement.

Elle ne pouvait le nier, et elle dut souffrir qu'il la retînt, bien que la crainte d'être questionnée plus avant lui fît souhaiter, pour la première fois depuis qu'elle connaissait Henry, de le quitter très vite. Ils s'avancèrent lentement dans la galerie.

— Avez-vous reçu des nouvelles de Bath, depuis que je ne vous ai vue ?

— Non, et j'en suis extrêmement étonnée. Isabelle m'avait si loyalement promis de m'écrire tout de suite !

— Si loyalement promis ! Une promesse loyale, cela me confond ! Je sais qu'on peut montrer de la loyauté dans ses actes, mais dans ses promesses ! La loyauté d'une promesse !... Je suis navré d'apprendre que cela existe, en tout cas, puisque cela est pour vous la cause d'un chagrin et d'une déception. La chambre de ma mère est très agréable, n'est-ce pas ? Elle est vaste, très gaie, et les cabinets de toilette y sont si bien aménagés ! J'ai toujours pensé que c'était la chambre la plus confortable de la maison, et je m'étonne qu'Eleanor ne s'y installe pas. C'est elle qui vous y a envoyée, je suppose ?

— Non.

— Vous y êtes allée de votre propre chef ?

Catherine ne répondit pas. Après un moment de silence pendant lequel il observa attentivement Catherine, Henry ajouta :

— Comme il n'y a dans cette chambre rien qui puisse exciter la curiosité, c'est un sentiment de respect envers ma mère, telle que vous l'aura décrite Eleanor, qui a dû vous pousser à aller voir sa chambre. Cela fait honneur à sa mémoire. Je crois qu'il n'y eut jamais au monde une femme meilleure, mais il n'est pas fréquent que la vertu suscite un tel intérêt... Les humbles qualités domestiques d'une personne que l'on n'a point connue éveillent rarement cette fervente et respectueuse tendresse dont témoigne votre visite. Je suppose qu'Eleanor vous a beaucoup parlé d'elle ?

— Oui, beaucoup. C'est-à-dire... Non, pas beaucoup, mais ce qu'elle m'en a dit était fort intéressant. Elle est morte si subitement... (Catherine parlait lentement, hésitante) et vous... aucun d'entre vous n'était là... et j'ai pensé que votre père n'avait pas dû l'aimer beaucoup.

— Et tout ceci, répondit-il en la regardant fixement, a pu peut-être vous suggérer l'idée d'une éventuelle négligence... d'une éventuelle... (elle faisait malgré elle des signes de dénégation), ou peut-être... ou peut-être de quelque chose de moins excusable encore...

Elle le regarda plus franchement qu'elle ne l'avait fait jusque-là.

— La maladie de ma mère, poursuivit-il, ou du moins la crise qui a provoqué sa mort, a été soudaine en effet. Le mal lui-même, qui la faisait souffrir depuis longtemps — c'était une fièvre bilieuse —, était constitutionnel. Le troisième jour, c'est-à-dire dès qu'elle a accepté de le recevoir, nous avons appelé le médecin. C'était un homme très respectable en qui elle avait toujours eu une grande confiance. Devant ses inquiétudes quant à l'état de santé de ma mère, nous avons fait venir deux autres médecins le lendemain. Nous lui avons prodigué des soins constants pendant vingt-quatre heures. Elle est morte le cinquième jour. Pendant toute sa maladie, Frederick et moi (car nous étions tous deux présents) ne l'avons pas quittée un instant, et nous pouvons témoigner, car nous avons pu l'observer personnellement, qu'elle a reçu toutes les attentions que pouvait dicter l'affection de ses proches ou qu'impliquait sa position dans la vie. La pauvre Eleanor était absente, et elle se trouvait si loin qu'elle n'est revenue que pour voir sa mère dans son cercueil.

— Mais votre père, demanda Catherine, était-il affligé, lui ?

— Beaucoup, pendant un certain temps. Vous vous êtes trompée en croyant qu'il n'était pas attaché à ma mère. Il l'a aimée, j'en suis convaincu, autant qu'il en était capable... Nous n'avons pas tous, voyez-vous, les mêmes dons pour l'amour, et je ne prétendrai pas que ma mère n'ait pas eu souvent des raisons de se plaindre quand elle était en vie, mais bien qu'elle ait parfois eu à souffrir du caractère de son époux, elle n'a jamais eu à lui reprocher des erreurs de jugement. Il l'estimait très sincèrement, et si la douleur qu'il a éprouvée à sa mort n'a pas été éternelle, elle a du moins été profonde.

— J'en suis heureuse, dit Catherine, car le contraire eût été bien choquant.

— Si je vous comprends bien, vous aviez formé des hypothèses si affreuses que je n'ai pas de mots pour... Chère Miss Morland, songez à l'horrible nature des soupçons que vous avez conçus ! Qu'est-ce qui a pu vous faire croire des choses pareilles ? Souvenez-vous du pays et de l'époque où vous vivez ! Souvenez-vous que nous sommes anglais et que nous sommes chrétiens ! Consultez votre intelligence, votre raison, appelez-en à votre expérience personnelle... Notre éducation nous a-t-elle préparés à de telles atrocités ? Nos lois les toléreraient-elles ? De pareils crimes seraient-ils perpétrés sans être bientôt sus, dans un pays tel que le nôtre où les communications directes ou bien le courrier sont tellement développés, où chaque homme est entouré de tout un voisinage d'espions bénévoles, où les routes et les journaux ne permettent pas le secret ? Ma très chère Miss Morland, qu'êtes-vous donc allée vous imaginer ?

Ils étaient arrivés au bout de la galerie, et Catherine, pleurant de honte, courut se réfugier dans sa chambre.

XXV

C'en était bien fini des romanesques élucubrations de Catherine. Elle était à présent tout à fait réveillée. Le discours d'Henry, quoique bref, lui avait mieux ouvert les yeux sur l'extravagance de ses derniers excès d'imagination que n'avaient su le faire les échecs qu'elle avait successivement essuyés. Elle pleura très amèrement. Elle était déchue non seulement à ses propres yeux, mais encore à ceux d'Henry. Il connaissait tout de sa folie qu'elle jugeait à présent criminelle, et il la mépriserait à jamais. Pourrait-il lui pardonner un jour les libertés qu'elle avait osé prendre avec son père par la faute de son imagination déréglée? Pourrait-il jamais oublier sa ridicule curiosité et ses craintes absurdes? Elle se haïssait elle-même plus qu'elle n'eût su le dire. Une ou deux fois avant ce fatal après-midi, il lui avait témoigné — ou du moins elle en avait eu l'impression — un sentiment qui ressemblait à de la tendresse, mais maintenant... en un mot, elle se tortura pendant près d'une demi-heure, et c'est le cœur brisé qu'elle descendit quand l'horloge sonna cinq heures. Elle eut à peine la force de répondre de façon intelligible à Eleanor quand celle-ci lui demanda si elle se sentait bien. Le redoutable Henry arriva peu après, et elle put constater qu'il ne se comportait pas très différemment de l'ordinaire. Il se montrait seulement encore plus attentionné qu'autrefois. Jamais Catherine n'avait eu un tel besoin de réconfort, et l'on eût dit qu'il le sentait.

Il continua toute la soirée à lui manifester cette rassurante civilité, et Catherine en arriva peu à peu à éprouver une sorte d'humble tranquillité. Elle ne tentait pas d'oublier ou de justifier le passé, mais elle s'efforçait d'espérer qu'il resterait ignoré des autres, et qu'elle ne perdrait pas tout à fait par sa faute l'estime d'Henry. Elle pensait encore à ce qu'elle avait pu ressentir ou faire sous l'empire d'une absurde terreur, et il lui apparut bientôt clairement qu'elle n'avait cessé, dans toute cette affaire, de s'abuser volontairement. Elle avait inventé cette histoire de toutes pièces, n'écoutant que son imagination, résolue à s'alarmer de tout, donnant de l'importance à des détails insignifiants, interprétant le moindre fait dans un sens toujours identique, dans le seul but de satisfaire l'ardent désir, qu'elle nourrissait avant même de pénétrer dans l'abbaye, d'avoir affreusement peur. Elle se rappelait les sentiments avec lesquels elle avait abordé Northanger. Elle s'apercevait bien qu'elle avait prémédité ses folies, qu'elle avait tout mis au point avant même de quitter Bath, et elle avait la nette impression que cela avait un rapport avec le genre de livres qu'elle dévorait là-bas, et avec l'influence qu'ils avaient exercée sur elle.

Aussi charmantes que fussent les œuvres de Mrs. Radcliffe, aussi charmantes même que fussent les œuvres de ses imitateurs, on n'y trouvait peut-être pas cette peinture fidèle de la nature humaine que l'on pouvait attendre. Ce que l'on y disait ne correspondait en tout cas pas aux habitants des comtés du centre de l'Angleterre. Peut-être ces romans décrivaient-ils fidèlement les Alpes et les Pyrénées, avec leurs sapins et leurs vices, peut-être l'Italie, la Suisse et le sud de la France étaient-ils aussi féconds en crimes qu'on le prétendait dans ces livres, mais Catherine n'osait pas douter de son propre pays. Vraiment acculée, elle eût cédé sur l'extrême Nord et l'extrême Ouest, mais dans le centre de l'Angleterre, les lois du pays, jointes aux mœurs de l'époque, protégeaient assurément l'existence d'une femme, même si elle était mal aimée. On n'y tolérait point le meurtre, les domestiques n'y étaient point des esclaves et l'on ne pouvait y trouver, aussi facilement que de la rhubarbe, poisons ou narcotiques chez le premier droguiste venu. Là-bas, vers les Alpes et les Pyrénées, peut-être trouvait-on des êtres moins nuancés. Dans ces régions, en effet, ceux qui n'avaient point la pureté des anges avaient toutes les chances de manifester les dispositions de démons. Ce n'était pas le cas en Angleterre. On notait chez les Anglais, pensait-elle, dans leur cœur comme dans leurs usages, un mélange de bien et de mal qui variait selon les individus. Forte de cette certitude, elle ne serait pas étonnée si elle découvrait un jour quelque légère imperfection chez Henry ou Eleanor Tilney. Forte de cette certitude, elle ne devait pas craindre de trouver maintenant des défauts à leur père. Quoiqu'il fût lavé des soupçons injurieux qu'elle rougirait toujours d'avoir nourris à son égard, elle avait en effet de sérieuses raisons de penser qu'il était loin d'être parfait.

Son opinion arrêtée sur ces divers points, et sa résolution prise de toujours écouter à l'avenir sa raison avant de juger ou d'agir, il ne lui restait plus qu'à se pardonner à elle-même et à être plus que jamais heureuse. Le temps, qui est indulgent, l'aida insensiblement pendant la journée suivante. Henry ne fit plus jamais la moindre allusion à ce qui s'était passé, et cette étonnante générosité, cette noblesse furent aussi à notre héroïne d'un immense secours. Elle eut le bonheur, beaucoup plus tôt qu'elle eût jamais pu l'espérer au cœur de sa détresse, de recouvrer toute sa tranquillité d'esprit et sa faculté de se perfectionner toujours davantage grâce à la conversation du jeune homme. Il y avait certes encore des sujets qu'il valait mieux éviter, d'après elle, comme les coffres ou les cabinets par exemple, et elle détestait la laque sous toutes ses formes... mais elle reconnaissait qu'il n'était peut-être pas tout à fait inutile de lui rappeler de temps à autre sa folie passée, même si cela lui faisait de la peine.

Des soucis bien quotidiens succédèrent rapidement aux romanesques angoisses de Catherine. Elle désirait chaque jour davantage recevoir des nouvelles d'Isabelle. Elle était impatiente de savoir comment se portait le petit monde de Bath et si l'on fréquentait beaucoup les bals... Elle était particulièrement désireuse d'apprendre si son amie était arrivée à assortir un très joli coton à filer qui posait un problème avant le départ de Catherine, et si elle était toujours en bons termes avec James. Catherine dépendait de la seule Isabelle pour être renseignée sur ces divers points. James lui avait dit qu'il ne lui écrirait pas avant d'être revenu à Oxford, et Mrs. Allen ne lui avait pas laissé espérer une lettre avant qu'elle et son mari ne fussent de retour à Fullerton. Mais Isabelle avait promis, et promis encore, de lui écrire, et quand elle avait promis quelque chose, Isabelle se faisait un tel devoir de tenir sa parole ! Catherine n'en trouvait son silence que plus étrange.

Pendant neuf jours consécutifs, Catherine s'étonna d'être déçue dans son attente. Elle en éprouvait chaque matin une peine plus grande. Le dixième jour, pourtant, en entrant dans la salle à manger, elle aperçut une lettre que lui tendait Henry. Elle remercia le jeune homme aussi chaleureusement que s'il eût été lui-même l'auteur de cette lettre. « Ce n'est que de James, cependant », dit-elle en en vérifiant la provenance. Elle l'ouvrit. Elle venait d'Oxford, et voici ce que James avait à dire à sa sœur :

« Ma chère Catherine,

« Dieu sait que je n'ai guère envie d'écrire, mais je crois de mon devoir de vous annoncer que tout est fini entre Miss Thorpe et moi. Je l'ai quittée hier, ainsi que Bath, et j'espère ne plus jamais les revoir ni l'un ni l'autre. Je n'entrerai pas dans les détails, ils ne vous feraient que davantage de peine. Vous en apprendrez bientôt assez d'une autre source, pour savoir qui est à blâmer dans cette affaire, et j'espère que vous absoudrez votre frère de tout, hormis sa folie d'avoir cru trop facilement qu'on répondait à sa tendresse. Dieu merci ! je suis détrompé à temps ! Mais quel rude coup ! Après que mon père m'eut si aimablement accordé son consentement... Mais ne parlons plus de cela. Elle m'a rendu malheureux pour toujours ! Donnez-moi vite de vos nouvelles, ma chère Catherine, vous êtes ma seule amie. Votre tendresse, au moins, ne fait aucun doute. J'espère que votre séjour à Northanger aura pris fin lorsque le capitaine Tilney y annoncera ses fiançailles, car vous vous trouveriez sans cela dans une situation extrêmement délicate. Le pauvre Thorpe est à Londres. Je crains de le rencontrer, son cœur honnête sera tellement affecté... Je lui ai écrit, ainsi qu'à mon père. La duplicité de cette femme me blesse plus que tout ! Elle a prétendu jusqu'à l'extrême fin, lorsque nous discutions de cela, qu'elle m'était plus attachée que jamais. Elle riait de mes craintes. J'ai honte, à présent, d'avoir toléré cela si longtemps, mais si jamais un homme eut des raisons de se croire aimé, c'était bien moi. Je ne comprends toujours pas où elle voulait en venir. Elle n'avait pas besoin de se jouer de moi si elle voulait s'assurer Tilney. Nous nous sommes finalement mis d'accord pour nous séparer. Il eût mieux valu pour moi ne jamais la connaître ! Je ne puis espérer rencontrer une autre femme comme elle ! Très chère Catherine, prenez bien garde de ne pas accorder votre cœur à n'importe qui.

« Croyez que je, etc. »

Catherine n'avait pas lu trois lignes que son brusque changement d'expression et de brèves exclamations de triste étonnement montraient clairement qu'elle recevait de mauvaises nouvelles. Henry ne la quitta pas des yeux pendant toute la lecture de cette lettre, et il comprit parfaitement que celle-ci ne s'achevait pas mieux qu'elle ne commençait. L'arrivée de son père l'empêcha de témoigner même sa surprise. Ils déjeunèrent sans plus attendre, mais Catherine eut du mal à manger quoi que ce fût. Elle avait les yeux pleins de larmes, et l'une d'elles, parfois, roulait le long de sa joue. La lettre se trouvait tantôt dans sa main, tantôt sur ses genoux, tantôt dans sa poche, et la jeune fille semblait ne plus savoir ce qu'elle faisait. Le général, entre son cacao et ses journaux, n'avait heureusement pas le loisir de remarquer son trouble, mais, pour les deux autres convives, la détresse de Catherine était évidente. La jeune fille courut se réfugier dans sa chambre dès qu'elle osa quitter la table, mais elle se vit obligée de redescendre, les servantes étant en train de faire le ménage chez elle. En quête de solitude, elle se rendit au salon, mais Henry et Eleanor s'y trouvaient déjà. Ils étaient justement occupés à se consulter au sujet de Catherine. Lorsqu'elle les aperçut, elle recula, essayant de s'excuser, mais ils l'obligèrent très gentiment à revenir au salon. Ils se retirèrent ensuite eux-mêmes, après qu'Eleanor eut affectueusement exprimé le souhait de pouvoir être utile à son amie et de pouvoir la réconforter.

Après avoir passé une demi-heure à se laisser aller à son chagrin et à ses réflexions, Catherine se sentit capable d'affronter ses amis. Elle se demandait pourtant si elle les mettrait au courant de ses problèmes. Peut-être, s'ils la questionnaient de près, leur dirait-elle vaguement de quoi il s'agissait, y ferait-elle une lointaine allusion, mais elle ne pensait pas devoir en faire davantage. Démasquer une amie, et une amie telle qu'Isabelle avait su en être une !... Et puis leur frère se trouvait tellement impliqué dans cette affaire ! Décidément, elle croyait devoir se taire. Henry et Eleanor se trouvaient dans la salle à manger et ils regardèrent Catherine avec une certaine anxiété lorsqu'elle y pénétra. La jeune fille reprit sa place à table, et après un moment de silence, Eleanor lui demanda :

— Pas de mauvaises nouvelles de Fullerton, j'espère ? Mr. et Mrs. Morland... vos frères et sœurs... J'espère qu'aucun d'entre eux n'est souffrant ?

— Non, je vous remercie (soupirant tout en parlant), ils vont tous très bien. C'est mon frère qui m'écrit d'Oxford.

Elle garda le silence pendant quelques minutes, puis, parlant à travers ses larmes, ajouta :

— Je crois que je ne désirerai plus jamais recevoir une lettre !

— Je suis navré, dit Henry en refermant le livre qu'il venait d'ouvrir, si j'avais soupçonné que cette lettre vous apportait de mauvaises nouvelles, je vous l'aurais donnée avec des sentiments bien différents.

— Ce qu'elle annonce est pire que tout ce que l'on peut imaginer ! Le pauvre James est tellement malheureux ! Vous ne tarderez guère à savoir pourquoi.

— L'idée d'avoir une sœur si gentille et si aimante, répondit chaleureusement Henry, doit lui être une grande consolation, quelle que soit sa détresse.

— J'ai une faveur à vous demander, dit Catherine peu après, extrêmement agitée. Si votre frère vient ici, il faudrait m'en avertir très vite pour que je puisse m'en aller.

— Notre frère ! Frederick !

— Oui, je serais certes navrée de vous quitter aussi brusquement, mais il s'est passé quelque chose qui me rendrait insupportable une cohabitation avec le capitaine Tilney.

Eleanor abandonna son ouvrage et elle regarda Catherine avec un étonnement accru. Henry, lui, commençait à soupçonner la vérité, et il prononça quelques mots où il était question de Miss Thorpe.

— Comme vous comprenez vite ! s'écria Catherine. Vous avez deviné, ma parole ! Et pourtant, lorsque nous avons parlé de cela à Bath, vous étiez fort loin de penser que cela finirait ainsi. Isabelle, dont le silence ne m'étonne plus, a quitté mon frère et doit épouser le vôtre. Auriez-vous jamais cru possible tant d'infidélité, d'inconstance, tant de... tout ce qu'il y a de pire au monde ?

— J'espère, du moins en ce qui concerne mon frère, que vous êtes mal informée. J'espère qu'il n'a pas joué un rôle vraiment déterminant dans la déception de Mr. Morland. Il n'est guère probable qu'il épouse Miss Thorpe. J'espère que vous faites erreur sur ce point. Je suis vraiment désolé pour Mr. Morland, vraiment désolé qu'un être qui vous est cher soit malheureux, mais si cette histoire ne m'étonne pas outre mesure, je serais fort surpris que Frederick épousât Miss Thorpe.

— C'est pourtant l'exacte vérité. Lisez vous-même...
Attendez ! Il y a un passage que... (elle se souvenait en
rougissant de la dernière ligne de la lettre de James).

— Auriez-vous l'amabilité de nous lire les passages
où il est question de mon frère ?

— Non, lisez vous-même, s'écria Catherine, plus
lucide à présent. Je ne sais à quoi je songeais (rougissant
encore d'avoir rougi), James entend seulement me donner de bons conseils.

Henry prit la lettre avec plaisir. Après l'avoir lue très
attentivement, il la rendit à Catherine en disant :

— Eh bien, s'il doit en être ainsi, je puis dire seulement que je suis désolé. Frederick ne sera pas le premier
à choisir une épouse avec moins de discernement que ne
pouvait l'espérer sa famille. Je ne l'envie pas, ni comme
amant, ni comme fils.

Miss Tilney lut aussi la lettre comme Catherine l'y
avait invitée. Elle exprima elle aussi sa peine et sa surprise, et commença ensuite à poser des questions sur la
famille et la fortune de Miss Thorpe.

— Sa mère est une excellente femme, répondit Catherine.

— Que faisait son père ?

— Je crois qu'il était homme de loi. Ils vivent à Putney.

— Et sont-ils riches ?

— Non, pas très riches. Je ne crois pas qu'Isabelle ait
la moindre fortune... Mais cela n'a aucune importance
dans votre famille, votre père est si généreux ! Il m'a dit
l'autre jour que l'argent ne comptait pour lui que dans la
mesure où il lui permettait de favoriser le bonheur de ses
enfants.

Le frère et la sœur se regardèrent.

— Mais, dit Eleanor après une courte pause, favorise-
rait-il réellement le bonheur de son fils s'il lui permettait
d'épouser une jeune fille comme Isabelle ? Il faut qu'elle
soit tout à fait dénuée de principes pour avoir

traité votre frère de cette façon. Et quelle étrange folie, aussi, de la part de Frederick! Une jeune fille qui viole sous ses yeux l'engagement qu'elle vient de prendre librement envers un autre homme! N'est-ce pas inconcevable, Henry? Frederick, lui qui a toujours eu le cœur si orgueilleux! qui ne trouve jamais qu'une femme est digne d'être aimée!...

— En effet, et c'est ce qui me fait douter que cette histoire soit vraie. Je pense qu'il y a tout lieu de croire que Frederick ne fera pas cela. Lorsque je songe à tout ce qu'il racontait, j'abandonne. J'ai pourtant une trop haute opinion de la prudence de Miss Thorpe pour aller supposer qu'elle aurait rompu avec un homme avant d'être sûre de l'amour du deuxième. C'en est vraiment fait de Frederick! C'est un homme mort — mort à la raison. Préparez-vous à accueillir votre belle-sœur, Eleanor, une belle-sœur qui vous ravira: franche, candide, naturelle, sans malice, capable d'affections simples mais solides, sans prétention aucune et ignorant absolument le détour...

— Une telle belle-sœur, dit Eleanor en souriant, me ravirait en effet.

— Mais, remarqua Catherine, elle se conduira peut-être mieux avec vous qu'elle ne l'a fait avec nous. Maintenant qu'elle a rencontré un homme qui lui plaît vraiment, elle a des chances de devenir fidèle.

— En fait, je crains fort qu'elle ne le devienne en effet, répondit Henry, oui, je crains qu'elle ne fasse preuve d'une extrême fidélité, à moins qu'un baronnet ne se trouve sur son chemin. C'est la seule chance qui reste à Frederick. Je vais me procurer un journal de Bath pour savoir qui est arrivé dernièrement.

— Vous pensez donc qu'elle n'agit que par ambition? Ma foi, certains détails sembleraient prouver que c'est vrai. Je ne puis oublier qu'elle a paru très déçue en apprenant ce que mon père leur donnerait. Elle semblait attendre mieux de sa part. Je ne me suis jamais autant trompée sur quelqu'un.

— ... Parmi les innombrables individus qu'il vous a été donné de rencontrer et d'étudier...

— Ma déception et la perte que je fais sont immenses, mais je crains que ce pauvre James, pour sa part, ne se remette que très difficilement de cette aventure.

— Votre frère est certainement fort à plaindre pour le moment, mais il ne faut pas, à trop nous apitoyer sur ses souffrances, en mésestimer les nôtres. Je suppose que vous avez l'impression, en perdant Isabelle, de perdre une moitié de vous-même. Vous sentez dans votre cœur un vide que rien ne saurait combler. La société vous paraît ennuyeuse, et quant aux amusements que vous aviez coutume de partager avec elle, l'idée même de vous y livrer sans elle doit vous sembler odieuse. Par exemple, vous ne voudriez pour rien au monde aller au bal en ce moment. Vous avez la sensation de n'avoir plus aucun ami à qui pouvoir parler librement ou sur qui pouvoir compter... Plus d'amis à qui demander conseil si vous avez un problème... Vous ressentez bien tout cela, n'est-ce pas?

— Non, dit Catherine après un moment de réflexion, je ne ressens rien de tout cela. Le devrais-je? A vrai dire, et bien que je sois blessée, malheureuse, je ne me sens pas tellement, non, pas tellement affligée... Pas autant, en tout cas, qu'on pourrait s'y attendre, puisque je ne peux plus l'aimer, puisque je ne recevrai plus de ses nouvelles, puisque je ne la reverrai peut-être jamais.

— Vous ressentez, comme toujours, ce qui fait le mieux honneur à la nature humaine. Il faut que de tels sentiments se fassent clairement jour pour qu'on en ait soi-même conscience.

Sans trop savoir pourquoi, Catherine se retrouva tellement soulagée après cette conversation qu'elle ne put regretter de s'être involontairement laissée aller à parler des événements qui en avaient été la cause.

XXVI

A partir de ce moment-là, Catherine, Eleanor et Henry discutèrent fréquemment de cette question. Catherine eut la surprise de s'apercevoir que ses deux amis considéraient la modeste condition sociale d'Isabelle et son peu de fortune comme une entrave majeure à son mariage avec leur frère. Ils ne doutaient pas que le général ne dût voir là une raison suffisante de s'opposer à ce mariage, sans parler d'ailleurs de l'obstacle que constituerait en lui-même le caractère de la jeune fille, et Catherine en conçut de vives inquiétudes sur son propre compte. Elle était aussi insignifiante et serait peut-être aussi mal dotée qu'Isabelle, et si l'on considérait que l'héritier de la famille Tilney n'était pas lui-même assez noble ou assez riche pour épouser une Miss Thorpe, on pouvait légitimement s'interroger sur les qualités que l'on exigerait de la fiancée du cadet. Elle n'arrivait à chasser ces tristes pensées qu'en se rappelant la partialité dont le général avait dès le début témoigné envers elle, et que lui avaient prouvé des paroles aussi bien que des actes. Elle se souvenait aussi lui avoir entendu exprimer les sentiments les plus généreux et les plus désintéressés sur les questions d'argent, et en arrivait à penser que ses enfants se trompaient sur son compte dans ce domaine.

Ils paraissaient pourtant si intimement convaincus que leur frère n'oserait jamais demander le consentement de leur père pour ce mariage avec Miss Thorpe, et affirmaient si souvent que l'arrivée de Frederick à Northanger n'avait jamais été plus improbable, que Catherine en oublia sa crainte d'avoir à quitter brusquement l'abbaye. Cependant, sûre qu'au moment, quel qu'il soit, de présenter sa requête à son père, le capitaine ne se risquerait pas à donner de la conduite d'Isabelle une image fidèle, Catherine se dit qu'Henry devrait exposer toute l'affaire à son père telle qu'elle s'était passée. Il lui permettrait ainsi de se former une opinion froide et impartiale sur la fiancée de Frederick, et de situer ses objections sur un terrain plus noble que celui des inégalités sociales. Elle en parla donc à Henry, mais contrairement à son attente, cette idée n'enthousiasma pas du tout le jeune homme.

— Non, dit-il, il est inutile d'affermir la main de mon père, inutile d'anticiper sur la confession que Frederick devra lui faire de ses folies... C'est à lui seul de raconter son histoire.

— Mais il n'en dira que la moitié.

— Il suffira qu'il en raconte un quart.

Un jour ou deux se passèrent sans qu'on eût de nouvelles du capitaine Tilney. Son frère et sa sœur ne savaient plus que penser. Ils interprétaient parfois son silence comme une conséquence naturelle de l'engagement qu'on le soupçonnait d'avoir pris, et le jugeaient d'autres fois incompatible avec ce même engagement. Quant au général, bien qu'il fût très offensé par la négligence de son fils, il ne s'inquiétait pas le moins du monde à son sujet, et ne se souciait que de rendre le plus agréable possible le séjour de Miss Morland à l'abbaye. Il exprimait souvent les craintes qu'il éprouvait sur ce point. Il redoutait que la monotonie d'une société et d'activités toujours les mêmes ne la dégoûtât de Northanger et regrettait que les dames Fraser ne fussent pas dans le pays. Il parlait parfois de donner un grand dîner, et entreprit même une fois ou deux de faire le compte des jeunes gens susceptibles de danser dans le voisinage. Mais c'était une saison tellement morte ! Point d'oiseaux, point de chasse, et les dames Fraser qui n'étaient pas là ! Il finit donc, un matin, par dire à Henry qu'on viendrait le surprendre à Woodston la prochaine fois qu'il irait, et qu'on mangerait le mouton avec lui. Henry était très honoré, enchanté, et Catherine était tout à fait ravie.

— Et quand pensez-vous, Monsieur, m'honorer de votre visite ? Je dois être à Woodston lundi pour assister à l'assemblée de la paroisse, et je serai certainement obligé d'y passer deux ou trois jours.

— Fort bien, fort bien, nous viendrons vous surprendre un de ces jours, il est inutile de préciser quand exactement. Nous nous contenterons de ce que vous aurez chez vous. Je crois pouvoir répondre de l'indulgence de ces jeunes filles pour la table d'un célibataire. Voyons... Lundi, vous aurez une journée chargée... nous ne viendrons donc pas lundi. Mardi, c'est moi qui aurai une journée chargée. Le matin, j'attends mon régisseur de Brockham qui doit venir me faire son rapport, et ensuite, je ne peux décemment pas manquer le club. Je ne pourrais plus regarder mes amis en face si je n'y allais pas ce jour-là; on sait que je suis dans le pays et on prendrait très mal ma défection. C'est pour moi une règle, Miss Morland, de ne jamais offenser l'un de mes voisins si je puis l'éviter en lui sacrifiant un peu de temps. Ce sont des gens que j'estime beaucoup. Deux fois par an, je leur envoie un demi-chevreuil, et je dîne avec eux toutes les fois que ça m'est possible. Nous disons donc qu'il n'est pas question d'aller à Woodston mardi... Mais je pense, Henry, que vous pouvez vous attendre à nous voir mercredi. Nous arriverons tôt afin de pouvoir jeter un coup d'œil sur les lieux. Il nous faut environ deux heures trois quarts pour aller à Woodston, et comme nous partirons à dix heures, vous pouvez nous attendre mercredi vers une heure moins le quart.

Un bal n'eût pas fait plus de plaisir à Catherine que cette petite excursion, tant elle brûlait du désir de connaître Woodston. Son cœur palpitait encore de joie quand, une heure plus tard, Henry entra, tout botté et vêtu de son grand manteau, dans la pièce où se tenaient Eleanor et Catherine.

— Je viens, Mesdemoiselles, leur dit-il, vous donner une leçon de morale, et vous faire remarquer qu'il faut toujours payer en ce monde la rançon de nos plaisirs et qu'on les achète parfois à perte, sacrifiant un bonheur comptant contre une traite qui risque de ne pas être honorée. J'en suis moi-même un exemple en ce moment : sous prétexte que je puis espérer vous voir mercredi à Woodston, si le mauvais temps ou vingt autres raisons ne s'en mêlent pas, je me vois obligé de partir sur-le-champ, deux jours plus tôt que prévu.

— Partir ! dit Catherine, dont la figure s'allongea. Mais pourquoi donc ?

— Pourquoi ? Comment pouvez-vous me poser cette question ? Je dois partir parce que je n'ai plus une minute à perdre si je veux affoler un peu ma vieille servante et parce qu'il faut que j'aille vous préparer un dîner, bien sûr !

— Oh, ce n'est pas sérieux ?

— Si, et c'est bien triste, car j'aurais préféré rester.

— Mais comment pouvez-vous y songer après tout ce qu'a dit le général ? Il tenait tellement à ce que vous ne vous donniez pas la moindre peine, il disait que nous nous contenterions de ce que vous auriez.

Henry se contenta de sourire.

— Il est inutile de vous inquiéter pour votre sœur ou pour moi, vous devez le savoir, et le général a tellement insisté pour que vous ne fassiez rien d'extraordinaire ! D'ailleurs, même s'il ne vous avait pas dit la moitié de ce qu'il vous a dit, il dîne toujours si bien chez lui qu'il ne souffrirait guère de s'asseoir pour une fois à une table plus ordinaire.

— Je voudrais pouvoir raisonner comme vous, et pour lui, et pour moi. Au revoir, nous sommes demain dimanche, Eleanor, et je ne reviendrai donc pas.

Il partit, et comme Catherine doutait toujours plus facilement de son propre jugement que de celui d'Henry, elle se vit bientôt obligée de reconnaître qu'il avait raison, même si son départ lui déplaisait au plus haut point. Elle réfléchit longuement à l'inexplicable conduite du général. Elle avait déjà compris, sans avoir besoin qu'on l'y aide, qu'il appréciait fort la bonne chère, mais elle n'arrivait pas à admettre qu'il dît une chose et voulût dire exactement le contraire. Comment faire en ce cas pour comprendre les autres ? Qui, sinon Henry, eût pu deviner les vrais désirs de son père ?

De toute façon, il faudrait maintenant se passer d'Henry jusqu'à mercredi ; c'est à cette triste conclusion qu'aboutissaient les réflexions de Catherine. Elle était certaine que la lettre du capitaine Tilney arriverait pendant l'absence d'Henry, et qu'il se mettrait à pleuvoir mercredi. Le passé, le présent, l'avenir lui semblaient également maussades. Son frère si malheureux, et l'immense perte qu'elle avait subie en la personne d'Isabelle... L'humeur d'Eleanor, toujours plus triste en l'absence d'Henry... Que lui resterait-il, à elle, pour l'intéresser ou la divertir ? Elle était lasse des bois et des pépinières, toujours si calmes, si secs. L'abbaye elle-même n'était plus à ses yeux qu'une maison semblable à toutes les autres. Elle n'éveillait plus d'émotion en elle que le triste souvenir de la folie qu'elle avait contribué à nourrir et à parfaire. Quelle évolution dans les idées de Catherine ! Elle qui avait si ardemment désiré se trouver dans une abbaye ! A présent, rien ne charmait mieux son imagination que le simple confort d'un presbytère bien aménagé, quelque chose comme Fullerton, mais en mieux. Fullerton avait ses défauts, mais elle était certaine que Woodston n'en avait pas. Si on pouvait déjà être à mercredi !

Mercredi arriva, ni plus tôt ni plus tard que l'on pouvait raisonnablement s'y attendre. Il arriva donc. Il faisait beau et Catherine exultait. Vers dix heures, la chaise emportait le trio bien loin de l'abbaye. Après une charmante promenade de près de vingt-deux miles, on pénétra dans Woodston, un vaste et populeux village assez agréablement situé. Catherine avait presque honte d'avouer combien le paysage lui plaisait, car le général jugeait bon de s'excuser pour l'absence de relief du pays et la taille du village. Au fond d'elle-même, Catherine préférait pourtant cet endroit à tous ceux qu'elle avait pu voir jusque-là, et elle regardait, admirative, les coquettes maisonnettes et les petites boutiques devant lesquelles on passait. Au bout du village, suffisamment à l'écart, se trouvait le presbytère. C'était une solide maison de pierre de construction récente, avec une belle allée et un portail vert. Lorsqu'ils arrivèrent devant la porte, le général et les deux jeunes filles trouvèrent Henry qui, avec ses compagnons de solitude, un grand terre-neuve et deux ou trois terriers, s'apprêtait à les recevoir.

Lorsqu'elle pénétra dans la maison, Catherine était trop heureuse pour être capable de remarquer ou de dire quoi que ce fût, et il fallut que le général la priât de donner son avis pour qu'elle sortît de son état de demi-inconscience. Regardant alors autour d'elle, elle s'aperçut bien vite que la pièce dans laquelle elle se trouvait était la plus agréable qu'on pût imaginer. Elle était pourtant trop timide pour le dire, et la froideur de ses éloges déçut le général.

— On ne peut pas dire que Woodston soit une belle maison, dit-il, on ne peut pas la comparer avec Fullerton ou Northanger. Ce n'est qu'un simple presbytère, petit et restreint il faut l'avouer, mais il est convenable et tout à fait habitable. Il n'est pas pire, en somme, que la plupart des presbytères. Pour tout dire, je crois même qu'il est en Angleterre peu de presbytères qui soient à moitié aussi agréables. Peut-être a-t-il besoin d'être amélioré cependant, je ne le nie pas. On peut raisonnablement apporter quelques changements... Une fenêtre en saillie, peut-être... bien qu'entre nous je ne déteste rien tant qu'une fenêtre rafistolée.

Catherine n'écouta pas assez attentivement ce discours pour vraiment le comprendre ou en concevoir de la peine. Henry s'efforça de parler d'autre chose, et lorsque la servante arriva avec un plateau chargé de rafraîchissements, le général recouvra toute sa gentillesse et Catherine tout son calme.

La pièce en question était une salle à manger spacieuse, de proportions très harmonieuses. Elle était joliment meublée. Avant d'aller se promener dans le parc, on montra d'abord à Catherine une pièce plus petite que la salle à manger. C'était le domaine du maître de maison, et elle était, pour l'occasion, d'une propreté inhabituelle. Notre héroïne visita ensuite ce qui deviendrait plus tard le salon. Bien qu'elle ne fût pas meublée, cette pièce enchanta Catherine au point que le général lui-même fut satisfait. C'était une pièce ravissante. Les fenêtres donnaient sur le parc et la vue qu'on en avait était charmante bien que l'on n'aperçût que de vertes prairies. Catherine exprima son admiration avec une honnête simplicité :

— Oh, pourquoi n'aménagez-vous pas cette pièce, Mr. Tilney ? C'est la plus jolie pièce que j'aie jamais vue, la plus jolie du monde !

— J'espère, dit le général avec un sourire satisfait, qu'elle sera très bientôt meublée. Elle attend seulement que le bon goût d'une femme s'y exerce.

— Eh bien, si c'était ma maison, je passerais mes journées ici. Oh, quelle adorable chaumière au milieu des arbres... et des pommiers ! C'est vraiment la chaumière la plus adorable que...

— Elle vous plaît... Vous trouvez qu'elle fait joli dans le paysage... Cela suffit. Henry, souvenez-vous d'avertir Robinson. Nous gardons le cottage.

Un tel compliment ramena Catherine au sens des réalités, et la rendit sur-le-champ muette. Le général la pria expressément de choisir la couleur dominante de la tapisserie et des tentures, mais il fut impossible de tirer d'elle quelque chose qui ressemblât à une opinion. Ils sortirent, et un spectacle nouveau ainsi que le bon air l'aidèrent puissamment à oublier la gêne qu'elle éprouvait. Lorsqu'on eut atteint la partie ornementale du parc, qui consistait en une promenade entourée de prairies qu'Henry avait eu la bonne idée de faire tracer six mois plus tôt, Catherine était suffisamment remise de son embarras pour trouver cette allée plus charmante que tous les jardins d'agrément qu'elle avait pu voir auparavant, bien qu'il n'y eût pas là un seul arbuste qui dépassât la hauteur du banc vert que l'on apercevait dans un coin.

Une petite promenade dans les prairies, un tour dans le village, une visite aux écuries pour y examiner de récentes améliorations, une charmante partie avec une portée de chiots tout juste capables de rouler sur eux-mêmes, et il était quatre heures. Catherine ne pensait pas qu'il fût plus de trois heures. On devait dîner à quatre heures et repartir à six heures. Jamais journée n'avait passé plus vite !

Catherine ne put s'empêcher de remarquer que l'abondance du dîner ne semblait nullement étonner le général. Elle s'aperçut même qu'il cherchait sur la table voisine les viandes froides qui ne s'y trouvaient pas. Les observations d'Eleanor et d'Henry étaient fort différentes : ils avaient rarement vu leur père manger d'aussi bon cœur à la table d'autrui, et ils s'étonnaient qu'il fût si peu affecté que le beurre fondu fût huileux.

A six heures, le général ayant pris son café, ils remontèrent en voiture. Le général avait témoigné tant d'égards à Catherine pendant cette visite, les espoirs qu'il nourrissait à son sujet étaient tellement évidents, que Catherine, eût-elle été aussi sûre des intentions d'Henry, eût quitté Woodston sans trop s'inquiéter de la manière ou de la date qui la ramènerait au presbytère.

XXVII

Le lendemain, à sa grande surprise, Catherine reçut d'Isabelle la lettre suivante :

Bath, avril.

« Ma chère Catherine,

« C'est avec le plus grand plaisir que j'ai reçu les deux charmantes lettres que vous m'avez adressées, et je vous prie mille fois de bien vouloir m'excuser de n'y avoir pas répondu plus tôt. J'ai réellement honte de ma paresse, mais, dans cette horrible ville, on ne trouve vraiment le temps de rien faire. J'ai, presque chaque jour depuis que vous avez quitté Bath, pris la plume pour vous écrire, mais j'en ai toujours été empêchée par quelque importun. Je vous en prie, écrivez-moi bien vite, et adressez votre lettre chez moi. Dieu merci, nous quittons en effet cette exécrable ville demain. Je n'y ai eu aucun plaisir depuis que vous êtes partie. La poussière est intolérable et chacun ne pense qu'au départ. Je crois que si je pouvais vous voir, le reste m'importerait peu, car vous m'êtes plus chère que cela ne peut se concevoir. Je suis affreusement malheureuse par la faute de votre frère. Je n'ai pas eu la moindre nouvelle de lui depuis qu'il est parti pour Oxford. Je crains quelque malentendu, mais je suis certaine que vos bons offices remettront les choses en ordre. James est le seul homme que j'aime, ou aie jamais pu aimer, et j'espère que vous saurez l'en convaincre. Les modes du printemps commencent à descendre dans la rue. Les chapeaux sont d'une inconcevable laideur. J'espère que votre séjour à Northanger se passe bien, mais je crains fort que vous ne m'accordiez jamais la moindre pensée. Je ne dirai pas tout ce que je pourrais dire sur ceux qui vous reçoivent car je ne voudrais pas manquer de générosité ou vous monter contre des gens que vous estimez, mais il est bien difficile de savoir à qui l'on peut se fier, et les jeunes gens ne connaissent pas deux jours de suite leurs propres désirs. Je suis heureuse de pouvoir vous dire que le jeune homme que j'abhorre entre tous a enfin quitté Bath. Vous comprendrez aisément, au portrait que j'en fais, que je parle du capitaine Tilney qui, vous vous en souvenez peut-être, avait, avant même votre départ, la fâcheuse manie de me suivre partout et de m'importuner. Cela n'a fait qu'empirer par la suite, il s'est fait l'ombre de moi-même. Bien des jeunes filles s'y seraient laissé prendre car on n'a jamais vu pareilles attentions. Je connaissais cependant trop bien ce sexe volage. Il a enfin rejoint son régiment il y a deux jours, et j'espère qu'il ne me tourmentera plus. C'est l'homme le plus fat que j'aie jamais vu, et il est extraordinairement désagréable. Il n'a pas quitté Charlotte Davis pendant les deux derniers jours. Je l'ai plaint de manifester un tel mauvais goût, mais à part cela sa conduite m'a laissée parfaitement indifférente. C'est dans Bath Street que je l'ai rencontré pour la dernière fois, et j'ai immédiatement fait demi-tour pour me réfugier dans un magasin. Je n'avais vraiment aucune envie de lui parler, et j'aurais même préféré ne pas le voir. Il est ensuite allé à la Pump Room, mais je ne l'aurais pour rien au monde suivi. Quelle différence entre lui et votre frère. Je vous en prie, envoyez-moi vite des nouvelles de James. Il me rend affreusement malheureuse, il semblait aller si mal lorsqu'il est parti, il paraissait avoir attrapé un rhume ou avoir des problèmes... Je voulais lui écrire moi-même mais j'ai perdu son adresse. Et puis, comme je vous l'ai déjà dit, je crains qu'il n'ait mal interprété ma conduite. Je vous supplie de tout lui expliquer et de l'assurer de ma loyauté. S'il a encore le moindre doute, un mot qu'il m'enverra à Putney ou une visite la prochaine fois qu'il viendra à Londres arrangerait tout. Je ne suis pas allée aux Rooms depuis un siècle au moins, non plus qu'au théâtre, sauf hier soir, avec les Hodge, pour voir un divertissement. Les places étaient à moitié prix, les Hodge m'ont traînée là-bas, et je ne voulais pas qu'ils puissent prétendre que je m'enfermais parce que le capitaine Tilney avait quitté Bath... Nous nous sommes retrouvés à côté des Mitchell qui se sont déclarés surpris de me voir au théâtre. Je savais leur dépit. Il y a eu un moment où ils n'étaient même pas polis avec moi, mais à présent ils sont tout amitié. Je n'aurai pourtant pas la sottise de m'y laisser prendre. Vous savez que je ne suis pas tout à fait idiote ! Anne Mitchell s'était risquée à mettre un turban comme le mien, celui que je portais au concert la semaine dernière, mais sur sa tête à elle, il devenait affreux. Ce turban seyait fort à mon visage étrange, je crois — c'est du moins ce que Tilney disait à l'époque. Il prétendait même que tous les regards étaient fixés sur moi... mais c'est le dernier homme que j'irais croire. Je ne porte plus à présent que de la pourpre. Je sais que je suis affreuse dedans, mais cela ne m'importe pas. C'est la couleur préférée de votre cher frère. Ne perdez pas une minute, ma très chère, ma très douce Catherine, pour lui écrire et pour m'écrire.

« Celle qui est toujours, etc. »

Pareil tissu de grossiers artifices ne pouvait tromper personne et pas même Catherine. Les inconséquences de cette lettre, ses contradictions, ses mensonges la frappèrent à la première lecture. Elle avait honte d'Isabelle, honte aussi de l'avoir jamais estimée. Ses protestations d'amitié étaient aussi répugnantes que ses mensonges étaient creux et ses exigences choquantes. Écrire à James en son nom ! Non, James n'entendrait plus jamais sa sœur prononcer le nom d'Isabelle.

Lorsque Henry revint de Woodston, Catherine leur apprit, à lui et à Eleanor, que leur frère était sauvé, et elle les en félicita sincèrement, leur lisant, indignée, les passages les plus marquants de la lettre d'Isabelle. Lorsqu'elle eut achevé sa lecture, elle s'écria :

— C'en est bien fini d'Isabelle et de notre amitié. Elle doit me prendre pour une idiote, ou elle n'aurait pas écrit une lettre pareille. Mais peut-être que cela aura servi à me la faire connaître mieux qu'elle ne me connaît. Je vois où elle veut en venir. C'est une coquette, elle est orgueilleuse, et elle s'aperçoit que ses pièges auront été inutiles. Je ne crois pas qu'elle ait jamais aimé James ou qu'elle m'ait un jour aimée, moi, et je voudrais ne l'avoir jamais rencontrée.

— Ce sera bientôt comme si vous ne l'aviez jamais rencontrée, dit Henry.

— Il y a pourtant une chose que je n'arrive pas à comprendre. Elle avait manifestement des intentions sur le capitaine Tilney et ses plans ont échoué, nous sommes bien d'accord, mais je ne vois pas du tout ce que cherchait le capitaine Tilney pendant tout ce temps. Pourquoi lui témoigner tant d'égards, jusqu'à la faire rompre avec mon frère, pour finalement disparaître ?

— Je n'ai pas grand-chose à dire sur les raisons qui à mon avis ont poussé Frederick à agir de la sorte. Il a sa vanité, aussi bien que Miss Thorpe, mais la grande différence entre eux, c'est qu'il a la tête solide et ne laissera jamais son orgueil lui nuire. Si les *conséquences* de sa conduite ne l'excusent pas un peu à vos yeux, il vaut mieux ne pas trop en rechercher les causes.

— Vous croyez donc qu'il ne s'est jamais soucié de Miss Thorpe ?

— J'en suis absolument persuadé.

— Et c'est par méchanceté gratuite qu'il lui aurait fait croire qu'il était amoureux d'elle ?

Henry hocha la tête en signe d'assentiment.

— Eh bien, dans ce cas, je vous avouerai que votre frère ne m'est pas du tout sympathique. Bien que toute cette histoire se termine très bien pour nous, il ne m'est pas du tout sympathique. Étant donné les circonstances, le mal n'est certes pas bien grand, car je ne crois pas qu'Isabelle ait un cœur à perdre. Mais supposez seulement qu'elle soit vraiment tombée amoureuse de lui ?

— Il faudrait d'abord supposer qu'Isabelle eût jamais eu un cœur à perdre... c'est-à-dire qu'elle n'eût pas été la créature qu'elle est. On ne l'aurait pas du tout traitée de la même manière si cela avait été le cas.

— Il est tout à fait normal que vous souteniez votre frère.

— Si vous souteniez un peu plus le vôtre, Miss Morland, la déception de Miss Thorpe vous chagrinerait moins. Mais votre jugement est perverti par un désir inné d'intégrité absolue, et vous en devenez inaccessible aux froids raisonnements de la tendresse familiale ou à tout désir de vengeance.

La rigueur de Catherine céda devant tous les compliments que lui décernait Henry. Frederick ne pouvait avoir commis une faute impardonnable lorsque Henry se montrait si charmant. Elle résolut donc de ne pas répondre à la lettre d'Isabelle et tenta de ne plus y penser.

XXVIII

Quelques jours plus tard, le général se vit obligé d'aller passer une semaine à Londres. Avant de quitter Northanger, il exprima tous ses regrets qu'une obligation pût ainsi le priver, même une heure, de la compagnie de Miss Morland, et recommanda chaudement à ses enfants de faire en son absence tout leur possible pour divertir leur jeune invitée. Lorsque le général fut parti, Catherine eut pour la première fois la preuve tangible qu'une perte, parfois, peut se transformer en profit. Les jeunes gens goûtaient à présent un bonheur de chaque instant. Ils pouvaient librement choisir leurs occupations et rire sans contrainte, l'heure des repas était devenue un moment agréable et plein de gaieté, les trois amis pouvaient aller se promener où et quand ils en avaient envie, étaient totalement libres de leur temps et pouvaient décider eux-mêmes s'ils se sentaient bien ou fatigués. Catherine, à vivre cette existence nouvelle, prit conscience des contraintes que faisait peser sur la maison la présence du général, et se félicita qu'on fût ainsi libéré de toutes ces contraintes. Le bien-être et le bonheur qu'elle goûtait à présent lui faisaient aimer chaque jour un peu plus ces lieux et leurs habitants, et son bonheur eût été parfait si elle n'eût craint d'être obligée de partir bientôt et de ne pas savoir éveiller dans le cœur de ses amis une tendresse égale à la sienne. Elle en était en effet à la quatrième semaine de son séjour à l'abbaye et cette quatrième semaine serait achevée avant que le général ne rentrât. Elle craignait, en restant plus longtemps, de commettre une indiscrétion. Toutes les fois qu'elle y songeait cette pensée l'attristait, et pressée d'en finir avec cette angoissante question, elle résolut bientôt d'en parler à Eleanor sans tarder. Elle parlerait de partir et agirait ensuite en fonction de la réaction que susciterait sa proposition.

Sachant bien que si elle tardait trop à faire cette démarche, il lui serait très difficile d'aborder un sujet aussi déplaisant, elle saisit la première occasion où elle se retrouva seule avec Eleanor. Celle-ci était en train de parler de tout autre chose lorsque Catherine lui dit qu'il lui faudrait bientôt s'en aller. Eleanor parut tout à fait désolée et elle le dit à Catherine. Elle avait espéré goûter beaucoup plus longtemps le plaisir de sa compagnie. Elle s'était laissée aller — n'écoutant peut-être que ses désirs — à croire que son amie avait l'intention de faire un séjour bien plus long. Elle ne pouvait s'empêcher de penser que Mr. et Mrs. Morland auraient la bonté de ne point hâter le retour de leur fille, s'ils savaient combien Miss Tilney se réjouissait de l'avoir auprès d'elle. Catherine s'expliqua : Oh non, quant à cela, Papa et Maman n'étaient pas le moins du monde pressés. Tant que leur fille serait heureuse, ils seraient contents.

Pourquoi, alors, une telle hâte à quitter ses amis, demanda Eleanor.

C'est qu'elle était là depuis déjà longtemps...

— Eh bien, si vous pouvez user d'un mot comme « déjà », je ne me permettrai pas d'insister davantage. Si vous avez le sentiment qu'il y a longtemps...

— Oh non, ce n'est pas du tout mon sentiment. Si cela ne tenait qu'à moi, je pourrais encore rester aussi longtemps.

Il était clair que l'on n'avait pas même envisagé son départ. Une fois ce souci heureusement dissipé, les craintes qu'elle nourrissait dans un autre domaine perdirent aussi de leur force. La gentillesse d'Eleanor, l'empressement qu'elle mettait à la faire rester et l'air ravi d'Henry quand il apprit qu'elle acceptait de prolonger son séjour lui prouvèrent assez l'importance qu'elle avait pour eux, et elle n'eut plus d'autres désirs que ceux dont un esprit humain ne saurait se passer. Elle était presque sûre qu'Henry l'aimait et tout à fait sûre que le général et sa fille la chérissaient tendrement et désiraient qu'elle fît partie des leurs. Forte de cette certitude, elle ne ressentait à présent ses doutes ou ses craintes que comme des titillements agréables.

Henry ne put obéir tout à fait aux ordres de son père qui lui avait intimé de ne pas quitter Northanger et de demeurer constamment au service des jeunes filles pendant son absence. Les obligations de son ministère le forcèrent à quitter ses amies le samedi. Il resterait deux jours à Woodston. Son absence ne revêtait plus l'importance qu'elle pouvait avoir quand le général était là. Elle attrista certes les jeunes filles mais ne ruina pas leur bonheur. Travaillant ensemble et progressant toujours davantage dans leur intimité, les deux amies révélèrent de telles compétences pour la solitude, qu'il était près de onze heures, heure tardive à l'abbaye, quand elles quittèrent la salle à manger le soir du départ d'Henry. Elles étaient juste arrivées sur le palier lorsqu'il leur sembla, autant que l'épaisseur des murs leur permettait d'en juger, qu'un équipage s'arrêtait à la porte. Elles en furent certaines lorsqu'elles entendirent la cloche de la porte d'entrée retentir violemment. Le premier mouvement de surprise passé — « Ciel ! Que se passe-t-il ? » —, Eleanor décréta bientôt que ce devait être son frère aîné qui avait la spécialité de ce genre d'arrivée soudaine, sinon incongrue, et elle se dépêcha de descendre pour aller l'accueillir.

Catherine se retira dans sa chambre, se préparant autant que possible à rencontrer bientôt le capitaine Tilney. Toujours sous l'empire de la mauvaise impression qu'avait produite sur elle la conduite du jeune homme et certaine que c'était un gentleman beaucoup trop élégant pour qu'elle pût lui plaire, elle se consolait du moins en songeant qu'ils ne se rencontreraient pas dans des circonstances susceptibles de rendre leur rencontre positivement pénible. Elle espérait bien qu'il ne parlerait jamais de Miss Thorpe. En fait, il ne devait pas être très fier du rôle qu'il avait joué dans cette affaire, et il y avait fort peu de chances pour qu'il y fît la moindre allusion. Catherine pensait pouvoir rester polie avec lui aussi longtemps qu'on s'abstiendrait de parler de Bath. Elle passa un long moment à réfléchir à tous ces problèmes. Eleanor paraissait très heureuse de revoir son frère et semblait avoir beaucoup de choses à lui dire, puisqu'elle ne revenait toujours pas alors qu'une demi-heure s'était écoulée depuis l'arrivée du jeune homme. Cet argument, s'avouait Catherine, plaidait puissamment en faveur du capitaine Tilney.

Juste à ce moment-là, notre héroïne crut entendre des pas dans la galerie. Elle prêta l'oreille, écoutant si le bruit continuait. Tout était redevenu silencieux. A peine, cependant, s'était-elle persuadée qu'elle avait été le jouet de son imagination ou qu'elle avait commis une erreur, qu'elle tressaillit en percevant une sorte de frôlement derrière la porte. Il semblait que quelqu'un en touchât l'encadrement, et un instant plus tard, en effet, un léger mouvement de la poignée indiqua clairement qu'une main venait de se poser dessus. Catherine tremblait un peu à l'idée que quelqu'un s'approchât en prenant tant de précautions. Décidant néanmoins de ne plus se laisser influencer par des apparences alarmantes et de ne plus écouter sa trompeuse imagination, elle se dirigea tranquillement vers la porte et l'ouvrit. Eleanor, et seulement Eleanor, était là. Cela ne rassura pourtant Catherine qu'un court instant, car Eleanor était pâle et semblait très agitée. Bien qu'elle eût manifestement l'intention d'entrer dans la chambre de son amie, cela semblait nécessiter un gros effort de sa part, et quand elle l'eut fait, elle parut avoir plus de mal encore à parler. Catherine, croyant qu'Eleanor venait de recevoir de mauvaises nouvelles concernant le capitaine, ne pouvait lui exprimer sa sympathie que par des attentions silencieuses. Elle l'obligea à s'asseoir, lui tamponna les tempes avec de l'eau de lavande et l'entoura de mille soins affectueux.

— Ma chère Catherine, il ne faut pas, il ne faut pas...

Ce furent là les premières paroles cohérentes qu'Eleanor put prononcer.

— Je me sens très bien... Oh, votre gentillesse me rend folle... je ne puis la supporter... je vous apporte un tel message !

— Un message ! Pour moi !

— Comment vous dire une chose pareille... Oh, comment vous la dire ?

Catherine eut tout à coup une autre idée. Devenant aussi pâle que son amie, elle s'écria :

— C'est un message qui vient de Woodston !

— Non, vous vous trompez complètement, répondit Eleanor en la regardant avec une immense compassion, non, aucun message n'est venu de Woodston, c'est mon père qui vient d'arriver.

Sa voix tremblait en prononçant ce nom et elle avait baissé les yeux. Le retour soudain du général avait en lui-même de quoi faire défaillir le cœur de Catherine, et pendant quelques minutes elle put presque croire qu'Eleanor n'avait pas de pire nouvelle à lui annoncer. Elle gardait le silence. Eleanor, essayant de se ressaisir et de parler avec fermeté, poursuivit bientôt, les yeux toujours baissés pourtant :

— Vous êtes trop bonne, j'en suis certaine, pour m'en vouloir du rôle qu'on m'oblige à jouer. C'est vraiment malgré moi que je vous apporte ce message. Après la conversation que nous avons eue l'autre jour, après la décision que nous avons prise ensemble... J'étais tellement heureuse, tellement reconnaissante... que vous acceptiez de prolonger votre séjour ici, j'espérais tellement que vous resteriez encore des semaines et des semaines... Oh ! Comment vous dire que votre gentillesse aura été inutile, et qu'il va nous falloir payer le bonheur que nous avons goûté en votre compagnie... en effet... mais les mots ne serviront à rien. Voilà, ma chère Catherine, il va falloir nous séparer. Mon père s'est souvenu d'un engagement qui nous oblige à partir lundi. Nous devons aller passer une quinzaine de jours chez lord Longtown, près de Hereford. Il m'est également impossible d'essayer de vous expliquer cette affaire ou de vous demander de me pardonner.

— Ma chère Eleanor, s'écria Catherine en réprimant

autant que possible son émotion, ne soyez pas si triste. De deux engagements, c'est le premier que l'on a pris qui est prioritaire. Je suis vraiment, vraiment désolée d'être obligée de vous quitter si vite et si brusquement, mais je ne me sens pas offensée, non, pas du tout, je vous l'assure. Vous savez que je puis partir n'importe quand... et j'espère aussi que vous viendrez me voir à Fullerton. Pourrez-vous venir lorsque vous serez revenue de chez ce lord ?

— Cela me sera impossible, Catherine.

— Dans ce cas, venez quand vous le pourrez.

Eleanor ne répondit pas. Catherine, elle, en revint à des problèmes d'un intérêt plus immédiat, et elle ajouta, pensant tout haut :

— Lundi... si vite... Lundi... et vous partez tous... Bon, je pense que... je pourrai être prête. Je n'ai pas besoin de partir avant vous, vous savez. Ne soyez pas triste, Eleanor, je peux très facilement partir lundi. Mon père et ma mère ne seront pas prévenus, mais ce n'est pas grave. Je suppose que le général mettra à mon service un domestique qui m'accompagnera jusqu'à mi-chemin... et ensuite, je serai vite à Salisbury. Je n'aurai plus alors que neuf miles à parcourir avant d'être à la maison.

— Ah, Catherine, si cela devait se passer ainsi, cette histoire me paraîtrait moins intolérable, alors même qu'on ne ferait que vous accorder là la moitié des égards auxquels vous avez droit, mais... Comment vous dire une chose pareille ? Le moment de votre départ est fixé à demain matin. On ne vous laisse même pas le droit de décider de l'heure où vous partirez. La voiture est déjà commandée pour sept heures. Aucun domestique ne vous accompagnera.

Catherine s'assit, le souffle coupé, muette.

— Je pouvais à peine en croire mes oreilles quand je l'ai appris, et tout le déplaisir, tout le ressentiment que vous devez éprouver à cette minute ne saurait égaler celui que... mais ne parlons pas de moi. Oh, si seulement j'avais un moyen d'atténuer... Grand Dieu ! Que vont penser vos parents ! Vous avoir enlevée à la protection d'amis sincères, vous avoir amenée ici, presque deux fois plus loin de Fullerton, et vous renvoyer sans même vous témoigner le minimum d'égards que dicte la plus élémentaire politesse ! Chère, chère Catherine, j'ai l'impression de vous insulter moi aussi rien qu'en vous apportant un message pareil ! J'espère néanmoins que vous me pardonnerez. Vous êtes restée assez longtemps dans cette maison pour vous apercevoir que je ne fais qu'y porter le titre de maîtresse de maison sans avoir le moindre pouvoir réel.

— Aurais-je offensé le général ? balbutia Catherine.

— Hélas ! En tant que sa fille, tout ce que je sais et tout ce dont je puis répondre, c'est que vous ne pouvez lui avoir donné la moindre raison valable d'être offensé. Il est certes fâché, terriblement fâché. Je l'ai même rarement vu dans une telle colère. Il n'a pas un caractère facile, et il vient de se passer quelque chose qui l'a mis dans une rage folle. Quelque déception, quelque contrariété semble à cette heure terriblement le troubler, mais je ne puis croire que vous y soyez vraiment pour quelque chose... Comment serait-ce possible ?

Catherine avait du mal à prononcer le moindre mot, et c'est par amitié pour Eleanor qu'elle s'efforça de parler.

— Je serais certes navrée, dit-elle, de l'avoir le moins du monde offensé ! C'est bien la dernière chose que j'aurais faite volontairement, mais il ne faut pas vous désoler, Eleanor, vous savez bien que l'on doit toujours tenir ses engagements. Je suis navrée que votre père ne se soit pas souvenu plus tôt de cette invitation, car j'aurais pu écrire à mes parents... Mais tout cela n'est pas grave.

— J'espère, j'espère très sincèrement qu'il ne vous

arrivera rien, mais je crois que dans un autre domaine, cette affaire est vraiment grave. Si l'on songe en effet à vous, aux apparences, aux convenances, à votre famille, au monde... Si du moins vos amis, les Allen, étaient encore à Bath, vous auriez la ressource de les rejoindre sans trop de difficultés, quelques heures vous suffiraient, mais là... Un voyage de soixante-dix miles en chaise de poste, à votre âge, toute seule, sans escorte...

— Oh, quant à ce voyage, ne vous inquiétez pas, ce n'est rien, et s'il faut vraiment nous quitter, quelques heures de plus ou de moins, vous savez, ne feront guère de différence. Je serai prête à sept heures, faites-moi appeler à temps.

Eleanor comprit que son amie désirait rester seule. Elle pensa qu'il valait mieux pour l'une et pour l'autre que cette conversation ne se prolongeât pas davantage, et elle quitta Catherine en lui disant :

— Je vous verrai demain matin.

Catherine avait le cœur gros et elle avait besoin de pleurer. Lorsque Eleanor était là, elle avait retenu ses larmes autant par amitié que par orgueil, mais dès qu'elle fut partie, elle donna libre cours à ses pleurs. Se voir chassée de Northanger, et de cette manière !... sans que le général eût la moindre raison d'agir de la sorte, sans que l'on pût trouver la moindre excuse à la brutalité, à la grossièreté, à l'insolence même de sa conduite !... Et Henry qui n'était pas là... Elle ne pourrait même pas lui dire au revoir. Il lui fallait abandonner, au moins momentanément, tous les espoirs et tous les rêves qu'elle avait pu nourrir à son endroit. Pour combien de temps ? Qui pouvait dire quand ils se reverraient ?... Et c'était le général Tilney, un homme si courtois, si bien élevé et autrefois si entiché d'elle, qui se conduisait de la sorte ! Tout cela était aussi incompréhensible qu'humiliant et cruel ! Pourquoi avait-il fait cela, comment cette histoire finirait-elle ? C'étaient là des considérations qui laissaient

Catherine aussi perplexe qu'angoissée. On la traitait d'une manière si grossière, si impolie ! La renvoyer précipitamment, sans même lui demander son avis, sans même lui laisser l'apparence du choix, quant à l'heure de son départ ou sa façon de voyager... choisir entre deux jours le plus proche, et de ce jour, l'heure la plus matinale possible, comme s'il voulait qu'elle fût déjà partie lorsqu'il se lèverait afin d'éviter même de la revoir... Que signifiait tout cela, sinon que le général cherchait manifestement à offenser son invitée ? Il fallait que d'une façon ou d'une autre elle l'eût elle-même offensé. Eleanor n'avait pas voulu le lui dire pour ne pas lui faire de la peine, mais Catherine n'arrivait pas à croire qu'une quelconque offense ou contrariété pût éveiller chez un homme un tel ressentiment à l'égard d'une personne, sans que ladite personne n'eût joué, ou au moins ne fût soupçonnée d'avoir joué, un rôle dans l'affaire.

Cette nuit parut très longue à Catherine. Il était hors de question qu'elle dormît ou goûtât un repos qui méritât le nom de sommeil. Cette chambre dans laquelle, à son arrivée, elle s'était tellement tourmentée par la faute d'une imagination déréglée, se retrouvait encore le théâtre de sa détresse et de son demi-sommeil agité. Elle avait cependant à présent des raisons bien différentes de s'inquiéter. Les causes de son angoisse étaient malheureusement bien plus réelles et bien plus graves qu'alors. C'est la réalité qui motivait à présent son anxiété, et l'avenir probable ses craintes. Toute à la douleur légitime que lui causaient ses malheurs du moment, elle restait maintenant très froide devant l'isolement de sa chambre, son obscurité, et l'antiquité de la demeure où elle se trouvait. Le vent soufflait violemment ce soir-là, et des bruits étranges et soudains résonnaient souvent par toute la maison, mais Catherine, qui de toute la nuit ne put trouver le sommeil, ne conçut, à les entendre, ni curiosité ni terreur.

Eleanor arriva peu après six heures, désireuse d'apporter à son amie toute l'aide possible s'il était besoin. Il ne restait cependant pas grand-chose à faire. Catherine n'avait pas perdu de temps. Elle avait presque achevé sa toilette et ses bagages étaient presque prêts. Elle avait pensé, en voyant Eleanor, que le général lui envoyait peut-être un message conciliatoire. N'était-il pas naturel que cette colère s'évanouît et qu'y succédât le remords ? Elle se demandait seulement dans quelle mesure elle pouvait accepter des excuses après ce qui s'était passé. La réponse à cette question eût été parfaitement inutile pour l'heure, car personne ne la pria d'accepter des excuses. Eleanor n'apportait pas le moindre message. Les deux amies se parlèrent très peu pendant ce tête-à-tête. Elles trouvaient l'une et l'autre qu'il était plus sûr de se taire et n'échangèrent guère que des phrases brèves et banales. Catherine était très occupée à finir sa toilette, et son amie s'efforçait, avec plus de bonne volonté que d'expérience, de fermer la malle. Lorsque les bagages furent prêts, elles quittèrent la chambre. Catherine s'y attarda quelques secondes après son amie, pour jeter un regard d'adieu à ces objets qui lui étaient devenus si familiers et si chers. Les deux jeunes filles descendirent dans la salle du petit déjeuner où le repas était servi. Catherine essaya de manger, autant pour s'éviter la peine d'en être priée que pour rassurer son amie, mais elle n'avait pas d'appétit et elle put à peine avaler quelques bouchées. Elle eut un regain de peine en songeant au contraste entre ce petit déjeuner et celui de la veille, et son dégoût en fut accru pour tout ce qui se trouvait sur la table. Moins de vingt-quatre heures plus tôt, on s'était réuni là pour le même repas, mais les circonstances étaient alors bien différentes ! Avec quelle joie, quel bonheur, quel sentiment de sécurité — certes trompeur —, elle avait alors regardé tous ces objets qui l'entouraient, heureuse du présent, et ne craignant pour l'avenir que cette journée qu'Henry devait passer à Woodston ! Heureux, heureux petit déjeuner, où Henry était là, où Henry, assis près d'elle, la servait ! Son amie demeura longtemps sans venir troubler ces réflexions d'un seul mot. Eleanor était elle aussi profondément absorbée dans ses pensées. La voiture qui arrivait les fit tressaillir et les ramena brutalement à l'instant présent. Catherine rougit à la vue de la chaise de poste. Elle ressentit, à ce moment-là, avec une force particulière l'injure qu'on lui faisait et se laissa envahir par le ressentiment. Eleanor sembla enfin se décider à parler :

— Il faut absolument que vous m'écriviez, Catherine, s'écria-t-elle, il faut absolument que vous me donniez des nouvelles dès que possible. Je n'aurai plus une minute de tranquillité tant que je ne vous saurai pas saine et sauve chez vous. Coûte que coûte et n'importe comment, il faut m'envoyer une lettre, rien qu'une, je vous en supplie ! Soyez assez gentille pour me faire savoir que vous êtes arrivée saine et sauve à Fullerton et que vous avez retrouvé les vôtres ! Je n'en demande pas davantage jusqu'à ce que nous puissions nous écrire normalement. Adressez votre lettre chez lord Longtown, et, je me vois obligée de vous en prier, sous le couvert d'Alice.

— Non, Eleanor, si vous n'êtes pas autorisée à recevoir une lettre de moi, je préfère ne pas vous écrire. Quant à ce que j'arrive chez moi sans encombres, cela ne fait pas le moindre doute.

Eleanor se contenta de répondre :

— Je ne puis m'étonner de vos sentiments et je ne vous importunerai pas davantage. Je compte seulement sur votre gentillesse lorsque nous serons séparées.

Ces paroles, pourtant, et l'air de profonde tristesse avec lequel Eleanor les avait prononcées, suffirent à faire fondre en un clin d'œil l'orgueil de Catherine. Elle dit aussitôt à son amie :

— Oh, Eleanor, en vérité, je veux bien vous écrire.

Il était un autre problème que Miss Tilney était

anxieuse de régler, bien qu'elle fût assez gênée d'aborder ce sujet. Il lui était venu à l'esprit que Catherine, absente depuis si longtemps du domicile parental, n'avait peut-être plus assez d'argent pour pourvoir aux dépenses de son voyage, et lorsqu'elle évoqua cette question en proposant affectueusement à son amie de lui prêter de l'argent, il s'avéra que Catherine n'en avait effectivement plus. Jusque-là, notre héroïne n'avait pas songé à ce problème, mais lorsqu'elle explora sa bourse, elle s'aperçut que sans la gentillesse de son amie elle eût été chassée de cette maison sans même avoir les moyens de rentrer chez elle. Tout à la pensée de la détresse qui eût alors été la sienne, elles n'échangèrent plus que quelques mots pendant le temps qu'elles demeurèrent encore ensemble. Ce temps fut court. On annonça bientôt que la voiture était avancée et Catherine se leva aussitôt. Leur adieu se résuma à un embrassement très long et très tendre, plus éloquent que tous les discours du monde. Comme elles entraient dans le vestibule, Catherine, incapable de quitter cette maison sans évoquer celui dont ni l'une ni l'autre n'avait prononcé le nom, s'arrêta un instant pour dire, d'une voix tremblante qui rendait ses paroles à peine intelligibles, qu'elle laissait son bon souvenir à son ami absent. Après cette allusion au nom du jeune homme, Catherine ne fut plus en mesure de maîtriser son émotion. Se cachant le visage autant que possible avec son mouchoir, elle traversa bien vite le vestibule, s'engouffra dans la chaise de poste, et se vit en un instant emportée loin de cette maison.

XXIX

Catherine était trop malheureuse pour avoir peur. Le voyage en lui-même ne l'inquiétait pas le moins du monde, et elle l'entreprit donc sans en appréhender la longueur ni craindre la solitude qui serait tout ce temps la sienne. Pelotonnée dans un coin de la voiture, en proie à une violente crise de larmes, elle dépassa de plusieurs miles les murs de l'abbaye avant de lever la tête. On n'apercevait déjà presque plus rien du parc quand elle fut capable de regarder par là. La route que l'on empruntait maintenant était malheureusement celle où, dix jours plus tôt à peine, elle était passée, radieuse, pour aller à Woodston et en revenir. Durant quatorze miles, son amertume s'accrut encore au spectacle de ce paysage qu'elle avait vu, la première fois, avec des sentiments si différents... Chaque mile qui la rapprochait de Woodston la faisait souffrir un peu plus, et lorsque, à cinq miles du village, elle dépassa la route qui y menait et pensa à Henry qui était là, tout près, et ignorait pourtant tout de ce qui se passait, son chagrin et son trouble atteignirent un point extrême.

La journée qu'elle avait passée à Woodston avait été l'une des plus heureuses de sa vie. C'était là, c'était ce jour-là, que le général avait parlé d'elle et d'Henry en des termes tels, s'était exprimé et comporté d'une manière telle, que Catherine avait eu la certitude absolue qu'il désirait les voir mariés. Oui, dix jours à peine plus tôt, elle était transportée de joie devant l'estime qu'il lui portait manifestement. Elle avait même été gênée par des allusions trop claires ! Et à présent... Qu'avait-elle fait, ou qu'avait-elle omis de faire pour mériter un tel traitement ?

Il était presque impossible qu'il connût la seule faute qu'elle eût à se reprocher à son égard. Henry était la seule personne à avoir percé les affreux soupçons qu'elle avait si sottement nourris, et elle était certaine que son secret était en sûreté avec lui. Henry ne pouvait pas l'avoir trahie, pas volontairement en tout cas. En vérité, si le général avait appris, par quelque malheureux concours de circonstances, ses injurieux soupçons, l'enquête à laquelle elle s'était livrée, et ses folles élucubrations, son indignation, aussi violente fût-elle, n'avait plus rien d'étonnant. S'il savait qu'elle l'avait pris pour un assassin, on ne pouvait plus s'étonner qu'il fût allé jusqu'à la chasser de chez lui... Mais elle ne pouvait pas admettre que la conduite du général s'expliquât par une aventure qui la torturait à ce point.

Aussi angoissant que fût ce problème, ce n'était cependant pas là le premier souci de notre héroïne. Il y avait une autre question qui la touchait de plus près, un souci plus pressant, plus impérieux : Que penserait Henry, quels seraient ses sentiments et comment réagirait-il lorsqu'il reviendrait à Northanger le lendemain et apprendrait qu'elle était partie ? C'était là un problème qui par son importance et sa gravité primait sur tous les autres, et la jeune fille y revenait sans cesse, y voyant tantôt une raison de désespérer et tantôt une consolation. Elle craignait parfois de la part d'Henry un calme acquiescement, et nourrissait à d'autres moments la plus douce confiance dans les regrets et la colère qu'il ne manquerait pas de manifester. Il n'oserait certes pas parler de toute cette affaire à son père, mais à Eleanor... Que ne dirait-il pas à Eleanor ?

Les heures s'écoulaient à douter, à s'interroger sur des problèmes auxquels Catherine était incapable de réfléchir plus d'un instant, et le voyage passait plus vite que prévu. Les angoisses qui obsédaient la jeune fille et l'empêchaient de voir le paysage qui défilait devant ses yeux l'empêchèrent aussi, une fois qu'elle eut dépassé Woodston, de surveiller le cours de son voyage, et bien que le paysage ne l'intéressât pas le moins du monde, elle ne s'ennuya pas un seul instant. Elle en fut aussi empêchée par une autre raison : elle n'était nullement impatiente d'arriver au terme de son voyage, car un retour à Fullerton dans de telles conditions gâtait presque entièrement le bonheur de retrouver les êtres qu'elle chérissait le plus au monde, et cela même après une aussi longue absence, une absence de onze semaines. Qu'avait-elle à leur dire qui ne l'humiliât elle-même et ne chagrinât sa famille? A confesser sa peine, elle ne ferait que l'accroître. Elle n'éveillerait chez les siens qu'un ressentiment inutile, et les innocents risquaient peut-être de tomber, comme le coupable, sous le coup d'une haine aveugle. Jamais elle ne saurait rendre justice aux mérites d'Henry et d'Eleanor. La conscience qu'elle en avait était trop forte pour qu'elle pût l'exprimer, et si l'on en venait, à cause de leur père, à les détester ou à les juger mal, elle en aurait le cœur brisé.

Sous l'empire de ces sentiments, elle craignait plus qu'elle n'espérait apercevoir la flèche du clocher bien connu qui l'avertirait qu'elle n'était plus qu'à vingt miles de Fullerton. Elle savait, en quittant Northanger, qu'il lui fallait se rendre à Salisbury, mais après la première étape, elle dut s'en remettre à la science des maîtres de poste pour connaître le nom des villes par lesquelles elle devait passer pour atteindre son but, tant était grande son ignorance de la route à suivre. Il ne lui arriva pourtant rien de fâcheux. Sa jeunesse, sa courtoisie, sa libéralité, lui valurent tous les égards qu'une voyageuse comme elle était en droit d'attendre. Ne s'arrêtant que pour changer de chevaux, elle voyagea sans incidents ni problèmes pendant environ onze heures, et pénétra dans Fullerton entre six et sept heures du soir.

Une héroïne qui revient au pays natal au terme de sa carrière dans tout le triomphe d'une réputation recouvrée, auréolée d'une dignité de comtesse, escortée d'une nombreuse suite de nobles relations qui paradent dans mille phaétons, et traînant derrière elle trois servantes qui voyagent en chaise de poste, voici un événement que la plume d'un chroniqueur jouira d'exploiter à plaisir. La moindre des conclusions y gagnera un lustre étonnant, et l'auteur aura sa part de la gloire que distribue si généreusement l'héroïne. Pour moi, ma tâche est bien différente. Je ramène une héroïne solitaire et tombée en disgrâce, et nulle ivresse triomphante ne saurait m'inciter à raconter cette scène en détail. Une héroïne qui rentre en chaise de poste heurte les sensibilités à tel point qu'on ne saurait tenter de rendre noble ou pathétique une scène pareille. Le postillon lui fera donc traverser le village très vite sous le regard des promeneurs du dimanche, et Catherine descendra de voiture le plus rapidement possible.

Quelle que pût être cependant la détresse de Catherine tandis qu'elle se dirigeait vers le presbytère, et quelle que soit l'humiliation qu'éprouve son biographe en relatant ces faits, notre héroïne allait causer à ceux vers qui elle allait une joie immense. Lorsqu'ils aperçurent sa voiture, d'abord, et quand ils l'aperçurent, elle, ensuite. Il est rare de voir une voiture de louage à Fullerton, et toute la famille se mit à la fenêtre dès qu'on eut aperçu celle de Catherine. Lorsque la voiture s'arrêta devant le portail du presbytère, on en conçut une joie qui fit briller tous les yeux et s'emballer les imaginations... c'était là un événement des plus inattendus. Seuls les deux enfants les plus jeunes, un garçon et une fille respectivement âgés de six et quatre ans, ne songeaient pas à s'en étonner, toujours prêts qu'ils étaient à voir descendre de chaque équipage un frère ou une sœur. Heureux celui qui reconnut le premier Catherine ! Heureux celui qui proclama sa découverte ! Mais on ne put jamais déterminer avec certitude si ce bonheur fut l'apanage de George ou celui d'Harriet.

Le père de Catherine, sa mère, Sarah, George et Harriet, tous réunis devant la porte pour accueillir la jeune fille, formaient un tableau à éveiller au cœur de Catherine les sentiments les plus doux. Lorsqu'elle les embrassa en descendant de voiture, elle se sentit soulagée au-delà de toutes ses espérances. Ainsi entourée, caressée, elle arrivait même à se sentir heureuse. Tout s'évanouit un instant dans la joie de l'amour familial, et le plaisir de revoir Catherine ne laissant pas aux Morland le loisir de s'interroger calmement sur son retour, tout le monde se retrouva autour de la table du thé. Mrs. Morland avait avancé l'heure du thé pour que la pauvre voyageuse, dont elle avait bientôt remarqué la pâleur et l'air épuisé, pût se réconforter, et elle n'avait même pas songé à lui poser la moindre question qui nécessitât une réponse positive.

C'est à contrecœur et en hésitant beaucoup que Catherine entreprit donc ce que des auditeurs courtois eussent pu, au bout d'une demi-heure, qualifier d'explications. C'est à peine pourtant si, pendant tout ce temps, les Morland parvinrent à discerner les motifs, ou à comprendre les détails de ce brusque retour de notre héroïne. Ces gens n'étaient certes pas d'une race irritable, ils n'étaient pas particulièrement susceptibles ou vindicatifs, mais là, quand ils surent ce qui s'était passé, ils virent bien qu'on leur avait fait un affront qu'on ne pouvait pas négliger ou pardonner facilement... la première demi-heure du moins. Sans aller forger de romanesques craintes en songeant au long et solitaire voyage de leur fille, Mr. et Mrs. Morland ne pouvaient s'empêcher de penser qu'il eût pu être pour elle fertile en désagréments, et qu'ils n'eussent pour leur part jamais donné leur accord à cette équipée. En obligeant Catherine à rentrer chez ses parents de cette manière, le général n'avait obéi ni aux convenances ni à la gentillesse la plus élémentaire. En un mot, il ne s'était comporté ni en gentleman ni en père. Pourquoi il avait agi de la sorte, ce qui l'avait poussé à se montrer d'abord si hospitalier, et ce qui l'avait incité, après avoir témoigné à leur fille tant d'amitié, à se montrer tellement grossier, leur était aussi mystérieux qu'à Catherine elle-même. Cela ne les troubla cependant pas aussi longtemps qu'elle. Après l'inévitable kyrielle des vaines hypothèses, quand on eut déclaré que c'était une bien étrange affaire et que le général devait lui-même être un homme étrange, ils jugèrent qu'on avait suffisamment sacrifié à l'indignation et à l'étonnement. Sarah se laissa pourtant encore aller aux douceurs du mystère, poussant des exclamations et risquant mille conjectures avec une juvénile ardeur, mais sa mère lui dit finalement :

— Ma chérie, vous vous donnez beaucoup de mal pour rien. Croyez-moi, cette affaire ne mérite pas que l'on s'attarde à en rechercher l'explication.

— J'admets qu'il ait désiré le départ de Catherine lorsqu'il s'est rappelé cet engagement, dit Sarah, mais pourquoi ne pas avoir agi poliment ?

— Je suis désolée pour les jeunes gens, répondit Mrs. Morland, ils ont dû être bien malheureux, mais pour le reste, cela n'a plus d'importance à présent. Catherine est arrivée chez nous saine et sauve, et notre bonheur ne dépend pas de ce général Tilney.

Catherine soupira.

— Bon, poursuivit sa philosophe de mère, je suis contente de n'avoir rien su de ce voyage, sur le coup, mais maintenant que cette épreuve est achevée, il ne faut peut-être pas la regretter. Il est toujours bon que les jeunes gens se trouvent obligés de se débrouiller tout seuls. Vous savez, ma chère Catherine, que vous avez toujours été une petite étourdie, mais là, vous avez dû être obligée de faire un gros effort avec tous ces changements de voiture et le reste... J'espère qu'on ne s'apercevra pas que vous avez oublié quelque chose dans la poche de l'une des voitures.

Catherine l'espérait aussi. Elle s'efforça de s'intéresser aux progrès qu'elle venait de faire, mais elle était complètement abattue. Elle n'eut bientôt d'autre désir que de se taire et d'être seule, et elle s'empressa d'obéir à sa mère qui lui conseillait d'aller se coucher. Ses parents, qui ne voyaient dans son air souffrant et dans son trouble que les conséquences naturelles de l'humiliation qu'elle avait subie et de la fatigue d'un si long voyage, la quittèrent sans douter un instant que le sommeil réparerait tout cela. Le lendemain matin, quand tout le monde se retrouva, il ne leur sembla pas que Catherine s'était remise comme ils l'espéraient, mais ils continuèrent à ne pas soupçonner le moins du monde que le mal pût être profond. Ils ne songèrent pas une seule fois à un chagrin d'amour, car pour les parents d'une fille de dix-sept ans qui revient de son premier voyage loin d'eux, le cœur de leur enfant est toujours un mystère.

Le déjeuner fini, Catherine voulut tenir la promesse qu'elle avait faite à Miss Tilney. Celle-ci avait eu raison de compter sur les effets qu'auraient le temps et la distance sur les dispositions de son amie, car Catherine se reprochait déjà d'avoir quitté Eleanor trop froidement, de n'avoir jamais assez estimé ses qualités ou sa bonté et de ne pas avoir assez songé à ce qu'elle avait dû souffrir la veille. La force des sentiments qu'elle éprouvait ne lui fut cependant d'aucun secours pour écrire sa lettre. Jamais lettre ne lui avait posé autant de problèmes que celle qu'elle devait envoyer à Miss Tilney. Il fallait qu'elle y respectât à la fois ses sentiments et sa position, qu'elle exprimât sa gratitude sans se perdre en regrets serviles, elle devait rester réservée tout en évitant la froideur, être sincère sans être amère, écrire une lettre dont le contenu ne pût chagriner Eleanor, et dont elle n'eût surtout pas à rougir elle-même si Henry venait à la lire. C'était là une entreprise qu'elle doutait de pouvoir mener à bien. Après avoir beaucoup réfléchi et s'être longuement interrogée, elle décida que le plus sûr était d'écrire une lettre très courte. Elle inséra dans sa missive l'argent qu'Eleanor lui avait avancé, et ne fit guère que l'en remercier chaleureusement. Elle lui exprima aussi les mille bons souhaits d'un cœur très affectionné.

— Cette amitié aura été bien étrange, fit remarquer Mrs. Morland quand cette lettre fut achevée, si vite formée, et si vite rompue ! Je suis navrée qu'il en soit ainsi, car Mrs. Allen a trouvé ces jeunes gens tout à fait charmants. Vous avez manqué de chance, aussi, avec votre Isabelle... Ah, le pauvre James ! Enfin, il faut vivre et apprendre, et j'espère que la prochaine fois vos amis sauront mieux mériter votre amitié.

Catherine rougit et répondit avec chaleur :

— Nulle amie plus qu'Eleanor ne mérite qu'on l'aime.

— S'il en est ainsi, ma chérie, vous vous retrouverez certainement un jour ou l'autre. Ne soyez pas trop triste, je parierais à dix contre un que vous vous reverrez dans quelques années. Et quelle joie ce sera alors !

Mrs. Morland n'avait pas de bonheur dans ses tentatives pour consoler sa fille. Cette perspective de retrouver Eleanor dans quelques années effrayait Catherine. Elle se disait que les événements qui risquaient de se passer d'ici ces retrouvailles les lui rendraient certainement fort désagréables. Jamais elle n'oublierait Henry Tilney, jamais elle ne pourrait penser à lui avec moins de tendresse. Lui pouvait l'oublier, et le rencontrer, dans ce cas... Ses yeux s'emplirent de larmes lorsqu'elle imagina ce changement. Sa mère, s'apercevant que ses consolations faisaient si peu d'effet, proposa, pour réconforter Catherine, qu'on allât voir Mrs. Allen.

Les Allen n'habitaient qu'à un quart de mile du presbytère, et tandis que Catherine et sa mère y allaient à pied, Mrs. Morland exprima rapidement son sentiment sur la déception que James avait subie.

— Nous sommes désolés pour lui, dit-elle, mais d'un autre côté, il ne faut certainement pas regretter que ce mariage n'ait pas eu lieu. On ne pouvait se réjouir de voir James fiancé à une jeune fille dont nous ne savions rien et qui n'avait pas la moindre fortune, et maintenant, après ce qu'elle a fait, nous ne saurions avoir bonne opinion d'elle... Pour l'instant, James souffre beaucoup, mais cela ne durera pas toujours, et je crois que la folie de son premier amour l'aura rendu plus prudent pour toute sa vie.

Ce n'était là qu'un aperçu sommaire de l'affaire et Catherine put supporter de l'écouter. Un discours plus long eût mis sa complaisance en danger, et la jeune fille eût risqué d'y répondre de manière moins raisonnable, car elle se retrouva bientôt absorbée dans une méditation sur les changements intervenus dans ses sentiments depuis la dernière fois qu'elle avait emprunté cette route si familière. Il n'y avait pas trois mois que, folle de joie et d'espoir, elle avait parcouru ce chemin dix fois par jour dans un sens ou dans l'autre. Elle avait alors le cœur léger, libre, elle imaginait des plaisirs inconnus, des bonheurs sans mélange, et elle n'appréhendait pas plus le malheur qu'elle ne le connaissait. Trois mois auparavant, ces mêmes choses l'avaient vue, et à présent, comme elle revenait transformée !

Les Allen l'accueillirent avec toute la gentillesse que leur dictaient spontanément cette visite inattendue et la solide amitié qu'ils portaient à la jeune fille. Ils furent extrêmement surpris et mécontents quand ils apprirent ce que le général avait fait, bien que Mrs. Morland leur fît de l'affaire un récit qui n'avait rien d'exagéré, et n'en appelât nullement à leur indignation.

— Catherine est arrivée hier soir par surprise, dit-elle. Elle a fait le voyage, seule, en chaise de poste, et elle ignorait tout de son retour jusqu'à samedi soir. Le général Tilney, sous l'empire d'on ne sait quel caprice, a paru fatigué de sa présence et l'a presque chassée de chez lui. Son comportement a certes été indigne d'un ami. Ce doit être un homme bien étrange... mais nous sommes tellement heureux d'avoir retrouvé Catherine ! C'est aussi une grande consolation pour nous de savoir que ce n'est pas une pauvre enfant sans défense mais qu'elle peut, au contraire, fort bien se tirer d'affaire toute seule.

Mr. Allen exprima en l'occurrence la colère bien naturelle d'un ami affectionné, et Mrs. Allen jugea son discours trop satisfaisant pour le répéter elle-même aussitôt. Elle fit immédiatement siens l'étonnement de Mr. Allen, les hypothèses qu'il échafaudait et les explications qu'il pouvait donner à cette affaire. Elle se contenta d'ajouter, lorsque les autres se taisaient :

— Ce général me met vraiment hors de moi !

Après que Mr. Allen eut quitté le salon, elle répéta deux fois encore : « Le général me met vraiment hors de moi ! » sans que sa colère tombât ou qu'elle pensât à autre chose. Elle était moins attentive quand elle le répéta pour la troisième fois, et quand elle l'eut dit quatre fois, elle ajouta, aussitôt après :

— Pensez seulement, ma chère, qu'on m'a si bien raccommodé, avant mon départ de Bath, cette effrayante déchirure que j'avais faite dans ma plus jolie dentelle de Malines, qu'on ne la voit presque plus du tout. Il faudra que je vous montre cela un de ces jours. Bath est une ville charmante, après tout, Catherine. Je vous assure que je ne me réjouissais qu'à moitié d'en partir. Mrs. Thorpe nous a été d'un si grand secours, n'est-ce pas ? Vous vous souvenez, nous nous sentions tellement isolées, vous et moi, au début.

— Oui, mais cela n'a pas duré bien longtemps, dit Catherine, les yeux tout brillants à ce souvenir.

— Tout à fait exact, nous avons vite rencontré Mrs. Thorpe, et nous n'avons plus eu besoin de rien. Ma chère, ne trouvez-vous pas que ces gants de soie sont extrêmement solides ? Je les ai étrennés la première fois que nous sommes allées aux Lower Rooms, vous savez, et je les ai beaucoup portés depuis lors. Vous rappelez-vous cette soirée ?

— Si je m'en souviens ! Oh, parfaitement !

— Elle fut très agréable, n'est-ce pas ? Mr. Tilney a pris le thé avec nous, et j'ai toujours apprécié sa compagnie, il est tellement charmant ! Il me semble bien que vous avez dansé avec lui mais je n'en suis pas sûre. Je me souviens que je portais ma robe préférée.

Catherine fut incapable de lui répondre, et après avoir essayé de parler d'autre chose, Mrs. Allen en revint à son :

— Le général me met vraiment hors de moi !

Elle ajouta :

— Il m'avait paru si aimable, si respectable ! Je suis sûre, Mrs. Morland, que vous n'avez jamais rencontré un homme aussi bien élevé. Son appartement était loué le lendemain même de son départ, Catherine. Cela n'a rien d'étonnant, Milsom Street, vous savez...

Sur le chemin du retour, Mrs. Morland essaya de représenter à sa fille tout le bonheur qu'elle avait de posséder des amis comme Mr. et Mrs. Allen, et le peu d'importance qu'elle devait accorder à la négligence ou à la méchanceté de vagues relations comme les Tilney quand elle gardait l'estime et l'affection de ses vieux amis. Ces paroles étaient fort sensées, mais il est des cas où l'esprit humain devient sourd au bon sens. Les sentiments de Catherine allaient contre presque tout ce que disait sa mère. C'était de ces « vagues relations » que tout son bonheur dépendait, et tandis que Mrs. Morland appuyait brillamment ses opinions personnelles de cent exemples bien choisis, Catherine se disait qu'*en ce moment* Henry devait être arrivé à Northanger. *Qu'en ce moment*, il devait avoir appris son départ, et *qu'en ce moment* ils partaient peut-être tous pour Hereford.

XXX

Catherine n'avait jamais été une nature sédentaire, et elle n'avait jamais eu des habitudes très laborieuses.

Quels qu'aient pu être cependant ses défauts en ce domaine, sa mère ne pouvait manquer de s'apercevoir qu'ils avaient considérablement empiré. Catherine était incapable de rester tranquillement assise ou travailler dix minutes d'affilée. Elle faisait et refaisait le tour du jardin et du verger comme si son seul désir eût été de marcher. Elle semblait même préférer errer dans la maison plutôt que rester un moment immobile au salon. Sa tristesse constituait une transformation plus extraordinaire encore. Dans ses errances, sa paresse, elle n'était qu'une sorte de caricature d'elle-même, mais par son silence et sa tristesse, elle niait tout ce qu'elle avait été autrefois.

Mrs. Morland accepta de se taire pendant les deux premiers jours, mais quand une troisième nuit de sommeil n'eut manifestement pas rendu à la jeune fille sa bonne humeur passée, quand Mrs. Morland s'aperçut qu'elle n'était toujours pas décidée à occuper utilement son temps, et qu'elle ne manifestait toujours pas le moindre goût pour les travaux d'aiguilles, elle ne put s'empêcher plus longtemps de le lui reprocher gentiment :

— Ma chère Catherine, je crains que vous ne soyez devenue une grande dame. Je ne sais quand les cravates de ce pauvre Richard seraient terminées s'il ne devait compter que sur vous. Vous rêvez trop à Bath. Il y a un temps pour tout, un temps pour les bals et le théâtre, et un temps pour l'ouvrage. Vous vous êtes bien amusée, et vous devez à présent vous efforcer de vous rendre utile.

Catherine prit sur-le-champ son ouvrage, disant, d'une voix très triste, qu'elle ne pensait pas à Bath... ou pas très souvent.

— C'est donc que vous vous tracassez au sujet du général Tilney, et c'est vraiment absurde. Il y a dix contre un à parier que vous ne le reverrez jamais. Il ne faut pas se tracasser pour des bêtises pareilles.

Après un instant de silence :

— J'espère, ma petite Catherine, que cette maison ne

vous attriste pas sous prétexte qu'elle est moins fastueuse que Northanger. Si c'était le cas, votre séjour là-bas aurait vraiment été une catastrophe. Où que vous vous trouviez, vous devez être satisfaite, mais à la maison encore plus, puisque vous êtes appelée à y passer le plus clair de votre temps. Je n'aime pas du tout que vous parliez aussi souvent du pain français de Northanger, au petit déjeuner.

— Je ne me soucie certes guère du pain, ce que je mange m'est parfaitement indifférent.

— A ce propos, il y a en haut un essai fort intelligent qui traite des jeunes filles qui ont été dégoûtées de leur foyer par des relations trop nobles. Cela s'appelle *le Miroir*, je crois. Je vous le chercherai un de ces jours, car je suis certaine que cette lecture vous ferait le plus grand bien.

Catherine ne répondit pas et, s'efforçant d'agir comme elle le devait, s'appliqua à son ouvrage. Quelques minutes plus tard cependant, elle retomba, sans en avoir elle-même conscience, dans une sorte de langueur et d'apathie, s'agitant sur sa chaise, énervée d'ennui, plus souvent qu'elle ne faisait marcher son aiguille. Mrs. Morland observait les progrès de cette rechute, et lorsqu'elle vit l'air absent et insatisfait de sa fille qu'elle interpréta comme une nouvelle preuve de ce mécontentement auquel elle attribuait sa tristesse, elle sortit du salon en toute hâte pour aller chercher le fameux *Miroir*. Elle ne voulait plus perdre un seul instant avant de s'attaquer à un mal aussi effrayant. Elle mit un certain temps à trouver ce qu'elle cherchait et, d'autres tâches domestiques l'ayant retardée, ne redescendit qu'un quart d'heure plus tard avec le volume dont elle espérait tant. Trop occupée à l'étage, elle n'avait entendu d'autre bruit que celui qu'elle faisait elle-même, et elle ne savait donc pas qu'un visiteur venait d'arriver quelques minutes auparavant. Elle ne l'apprit qu'au moment où, revenant au salon, elle y vit un jeune homme qu'elle ne connaissait pas. Il se leva aussitôt fort respectueusement, et Catherine, très embarrassée, l'ayant présenté à sa mère comme Mr. Tilney, il entreprit, en proie à une émotion sincère, de s'excuser de cette visite. Il savait qu'après ce qui s'était passé, il n'était guère en droit d'attendre un chaleureux accueil à Fullerton, mais il tenait à expliquer son intrusion par l'ardent désir qu'il avait de savoir Miss Morland arrivée saine et sauve chez elle. Il ne s'adressait pas à un juge sévère ou à un cœur rancunier. Mrs. Morland, loin de leur en vouloir, à lui ou à sa sœur, des fautes de leur père, avait toujours été favorablement disposée envers eux, et elle l'accueillit aussitôt, ravie de sa bonne mine, avec des paroles qui témoignaient d'une sincère bienveillance. Elle le remercia d'honorer sa fille de sa visite, l'assura que les amis de ses enfants étaient toujours les bienvenus à Fullerton, et le pria de ne plus parler du passé.

Il était tout disposé à lui obéir sur ce dernier point. Bien qu'il fût en effet très soulagé de cette clémence qu'il n'espérait pas, il se sentait incapable, à ce moment précis, d'évoquer la délicate question du départ de Catherine. Il retourna donc silencieusement vers sa chaise et passa quelques minutes à répondre très poliment aux remarques banales de Mrs. Morland concernant le temps et les routes. De tout ce temps, Catherine, une Catherine anxieuse, agitée, heureuse, fébrile, ne prononça pas un seul mot, mais ses joues en feu, ses yeux étincelants, prouvaient suffisamment à sa mère que cette aimable visite tranquillisait au moins momentanément son cœur, et c'est avec joie qu'elle mit de côté le premier tome du *Miroir*, le réservant pour une autre occasion.

Désireuse de s'assurer l'aide de Mr. Morland, autant pour entretenir la conversation que pour réconforter un hôte que les fautes de son père paraissaient affreusement gêner et qui lui faisait sincèrement pitié, Mrs. Morland avait aussitôt envoyé l'un de ses enfants à la recherche de son mari. Mr. Morland était malheureusement sorti, et Mrs. Morland, privée de tout secours, ne trouva plus rien à dire au bout d'un quart d'heure. Après deux minutes d'un silence total, Henry s'adressa à Catherine pour la première fois depuis l'arrivée de Mrs. Morland et lui demanda avec un empressement soudain si Mr. et Mrs. Allen se trouvaient à Fullerton. Comprenant, malgré sa réponse embrouillée, ce qu'elle voulait dire et eût pu lui dire avec une seule petite syllabe, il exprima aussitôt son désir d'aller présenter ses respects aux Allen et demanda à Catherine, en rougissant violemment, si elle voulait bien avoir la bonté de l'accompagner pour lui montrer le chemin. « Vous pouvez apercevoir leur maison depuis cette fenêtre, Monsieur », lui dit Sarah. Henry s'inclina et Mrs. Morland la fit taire d'un signe de tête. La mère de Catherine soupçonnait en effet que le jeune homme ne devait pas vouloir rendre visite à leurs charmants amis à seule fin de leur présenter ses respects. Il désirait probablement fournir quelques explications à Catherine sur la conduite du général Tilney, et cela lui serait certes plus facile s'il était seul avec elle. Mrs. Morland ne voulait donc surtout pas que l'on empêchât sa fille d'accompagner Mr. Tilney. Les jeunes gens partirent. Mrs. Morland ne s'était guère trompée sur les intentions d'Henry. Il avait quelques explications à donner au sujet de son père, mais son premier souci était de s'expliquer lui-même. Il le fit avant même d'atteindre le parc de Mr. Allen, et si bien que Catherine ne pensa pas pouvoir se lasser un jour d'entendre et de réentendre les paroles qu'il avait prononcées. Elle était maintenant certaine qu'il l'aimait, et il sollicitait en retour ce cœur que peut-être ils savaient l'un et l'autre être déjà tout à lui. Bien qu'Henry fût sincèrement attaché à Catherine, bien qu'il fût conscient et ravi de toutes ses perfections morales et appréciât réellement sa compagnie, il me faut en effet avouer que sa tendresse n'avait pas de plus noble origine que la gratitude, ou, en d'autres termes, qu'il n'avait commencé à l'aimer que parce qu'elle l'aimait. Une telle situation est très nouvelle dans le roman, je le reconnais, et elle porte certes affreusement atteinte à la dignité de l'héroïne. Si elle se révèle tout aussi nouvelle dans la vie quotidienne, on m'accordera du moins une folle imagination.

Ils firent une visite très brève à Mrs. Allen. Henry disait ce qui lui passait par la tête, sans parvenir à être le moins du monde cohérent, et Catherine, perdue dans la contemplation de son indicible bonheur, ouvrait à peine la bouche. Ils s'en allèrent et goûtèrent de nouveau les délices du tête-à-tête. Avant la fin de leur entrevue, Catherine sut dans quelle mesure l'autorité parentale sanctionnait l'actuelle démarche du jeune homme. Lorsque Henry était rentré de Woodston, deux jours plus tôt, son père, manifestement impatient de régler cette affaire, était venu à sa rencontre aux environs de l'abbaye et l'avait informé très vite, en des termes pleins de courroux, du départ de Miss Morland, lui intimant d'autre part l'ordre de ne plus songer à elle.

Tel était le seul consentement qui vint appuyer la demande en mariage d'Henry. Catherine, effrayée, pleine d'angoisse à écouter ce récit, ne pouvait cependant que se réjouir de l'aimable prudence dont avait témoigné Henry en lui demandant sa main avant de lui raconter cette triste affaire, lui évitant ainsi l'obligation morale d'opposer un refus à cette requête. Henry commença ensuite à lui donner des détails et à lui expliquer les raisons qui avaient motivé la conduite de son père, et Catherine fut bientôt rassurée, jusqu'à éprouver même un sentiment de ravissement triomphant. Le général n'avait rien à lui reprocher, rien à lui opposer, sinon qu'elle lui avait involontairement et inconsciemment causé une déception que l'orgueil du général ne pouvait lui pardon-

...e. et qu'un orgueil mieux placé eût été honteux d'avouer. La seule faute de la jeune fille était d'être moins riche qu'il ne l'avait cru. Persuadé, à tort, qu'elle était fort riche et avait de grandes espérances, il s'était efforcé, à Bath, de s'assurer son amitié, l'avait invitée à venir à Northanger, et l'avait, pour finir, choisie pour belle-fille. Lorsqu'il avait découvert son erreur, il avait pensé que la chasser était la meilleure preuve, encore qu'elle fût insuffisante, de son ressentiment et du mépris qu'il éprouvait maintenant pour toute sa famille.

C'est John Thorpe qui, au début, l'avait induit en erreur. Un soir, au théâtre, le général avait remarqué que son fils semblait s'intéresser beaucoup à Miss Morland, et il avait, à tout hasard, demandé à Thorpe s'il savait d'elle autre chose que son seul nom. Thorpe, ravi de pouvoir converser avec un homme aussi important que le général Tilney, s'était montré communicatif, manifestant une grande joie et beaucoup de vanité. A cette époque-là, il s'attendait à ce qu'on lui annonçât d'un jour à l'autre les fiançailles de Morland et d'Isabelle, et avait pour sa part résolu d'épouser Catherine. Sa vanité le poussa donc à représenter la famille Morland comme plus riche encore que son orgueil et son avarice ne le lui avaient fait espérer. Quels que fussent les gens avec qui il avait des relations ou risquait d'en avoir, le sentiment de sa propre importance exigeait qu'ils fussent de grandes familles, et la fortune de ses amis s'accroissait au fur et à mesure qu'il devenait plus intime avec eux. Ainsi, partant d'une première surestimation, il n'avait pas cessé de surenchérir sur les espérances de son ami Morland depuis qu'il l'avait présenté à Isabelle. En multipliant purement et simplement par deux le cours auquel il estimait Morland à ce moment-là, en doublant le montant présumé du bénéfice de Mr. Morland, en triplant sa fortune personnelle, en dotant la famille d'une tante fort riche et en supprimant la moitié des enfants, il avait pu brosser au général un tableau très flatteur de cette famille. Pour Catherine, cependant, objet particulier de la curiosité du général et de ses propres spéculations, il avait encore un petit quelque chose en réserve, et les dix ou quinze mille livres que lui donnerait son père vinrent grossir agréablement la fortune qu'elle hériterait de Mr. Allen. Les relations très intimes que la jeune fille semblait entretenir avec les Allen avaient en effet convaincu Thorpe qu'ils lui feraient un fameux legs, et il n'y avait plus qu'un pas bien facile à franchir pour qu'il fît d'elle l'héritière officielle de Fullerton. Le général avait eu ces renseignements comme point de départ, et jamais il ne lui était venu à l'esprit de les mettre en doute. Les intérêts que Thorpe avait dans cette famille, puisque sa sœur devait épouser un Morland et que lui-même espérait pouvoir épouser Catherine, ce dont il se vantait franchement, paraissaient au général des garanties suffisantes de la sincérité du jeune homme. A ces garanties venaient s'ajouter des faits objectifs, à savoir que les Allen étaient riches et n'avaient pas d'enfants, que Miss Morland était sous leur protection, et qu'ils la traitaient, le général ne tarda pas à en être assuré, avec une tendresse vraiment paternelle. Sa décision fut bientôt prise. Il avait déjà remarqué que son fils manifestait une certaine attirance pour Miss Morland. Très reconnaissant envers Mr. Thorpe pour les informations qu'il lui avait fournies, il avait presque aussitôt résolu de faire tout son possible pour affaiblir l'avantage dont se vantait le jeune homme et pour ruiner ses espoirs les plus chers. A cette époque-là, Catherine ne pouvait être plus ignorante de toutes ces machinations que les enfants du général ne l'étaient eux-mêmes. Henry et Eleanor, ne voyant dans la situation de Catherine rien qui fût de nature à séduire particulièrement leur père, avaient été extrêmement surpris de le voir tout à coup manifester un tel engouement à son endroit. Plus tard, Henry avait compris, à certaines allusions qu'on lui avait faites tout en lui intimant l'ordre presque formel de faire son possible pour se gagner les faveurs de la jeune fille, que son père croyait avantageux un mariage avec elle. Ce n'était cependant qu'à Northanger, lors de l'ultime explication qu'on avait eue, qu'Eleanor et Henry avaient eu une vague idée des faux calculs qui avaient motivé la conduite du général. Que ces espérances fussent vaines, ce dernier l'avait appris de la personne même qui les lui avait mises en tête. Il avait par hasard rencontré Thorpe à Londres, et celui-ci, sous l'empire de sentiments exactement opposés à ceux qui l'animaient la première fois, irrité par le refus de Catherine et plus encore par l'échec d'une récente tentative de réconciliation entre Morland et Isabelle, convaincu qu'ils avaient définitivement rompu et rejetant une amitié qui ne pouvait plus lui être utile, s'était empressé de contredire ce qu'il avait dit autrefois au bénéfice des Morland. Il s'était lui-même laissé complètement abuser, avouait-il, sur la position et la réputation de ces gens. Les rodomontades de son ami l'avaient induit en erreur et l'avaient persuadé que Mr. Morland était un homme fortuné qui jouissait d'une grande renommée. Les transactions des deux ou trois dernières semaines prouvaient malheureusement qu'il n'en était rien. En effet, après s'être fait valoir, à l'époque où l'on avait commencé à parler d'un mariage entre Isabelle et James, en faisant les offres les plus libérales, Mr. Morland avait été obligé, grâce à la perspicacité du narrateur, de se reconnaître incapable d'accorder même aux jeunes gens un revenu décent. C'était, en fait, une famille nécessiteuse. Les Morland avaient un nombre incroyable d'enfants et ils n'étaient nullement respectés dans le voisinage, comme Thorpe avait eu récemment l'occasion de s'en rendre compte. Ils aspiraient à un mode de vie que leur peu de fortune ne leur permettait pas de mener, et cherchaient à se faire valoir par des relations importantes. C'était une race présomptueuse, fanfaronne et intrigante.

Le général, terrifié, avait prononcé le nom des Allen avec un air anxieux. Là aussi, Thorpe avait dû reconnaître son erreur. Les Allen, pensait-il, connaissaient trop bien les Morland, et Thorpe savait maintenant qui serait réellement l'héritier de Fullerton. Le général en avait assez appris. Enragé contre le monde entier, excepté lui-même, il était reparti dès le lendemain pour l'abbaye, et là, on connaît ses exploits.

Je laisse à la sagacité de mes lecteurs le soin de déterminer la part de cette affaire qu'Henry put communiquer à Catherine à ce moment-là. On se demandera ce que le général avait pu lui en dire, ce que le jeune homme en devina de lui-même, et ce que James leur en apprit dans une lettre qu'il écrivit plus tard. J'ai regroupé ces renseignements pour la commodité du lecteur, qu'il fasse lui-même le tri pour la mienne. Catherine en savait de toute manière assez pour comprendre qu'en soupçonnant le général d'avoir assassiné ou enfermé sa femme, elle avait à peine noirci sa nature ou exagéré sa cruauté.

Henry était presque aussi malheureux en relatant, par la force des choses, les bassesses dont s'était rendu coupable son père, qu'il l'avait été lorsqu'il avait dû se les avouer à lui-même. Il rougissait des projets mesquins qu'il était obligé d'exposer à Catherine. La conversation qu'il avait eue avec son père à l'abbaye avait été des moins amicales. Lorsqu'il avait appris comment on avait traité Catherine, lorsqu'il avait percé à jour les desseins de son père et s'était vu intimer l'ordre d'y souscrire immédiatement, Henry avait franchement et brutalement exprimé toute l'indignation qu'il éprouvait. Le général, habitué à toujours faire la loi chez lui, n'était nullement préparé à rencontrer une résistance réelle ou à se heurter à des désirs expressément contraires aux siens. Il supporta donc très mal l'opposition de son fils qui avait pour le soutenir la voix de la raison et les ordres de la conscience. Dans un cas pareil, cependant, la colère du général, bien qu'elle choquât certes Henry, ne pouvait nullement l'intimider. Sûr que sa lutte était juste, il devenait inébranlable. Il se sentait lié à Miss Morland autant par les lois de l'honneur que par celles de la tendresse, et, croyant sien ce cœur qu'on lui avait ordonné de vaincre, n'admettait point qu'un indigne désaveu à un consentement tacitement accordé, qu'un décret que ne dictait qu'une injustifiable colère, pût ébranler sa fidélité ou influencer des décisions bien arrêtées.

Il refusa catégoriquement d'accompagner son père dans le Herefordshire, car cette invitation chez lord Longtown était toute récente et ne visait qu'à faire partir Catherine. Il déclara tout aussi fermement son intention de demander la main de Miss Morland. Le général était fou de colère, et ils se séparèrent ennemis. Henry, en proie à un trouble dont seules de nombreuses heures de solitude pourraient venir à bout, retourna presque aussitôt à Woodston. Dès le lendemain après-midi, il avait entrepris son voyage vers Fullerton.

XXXI

La surprise de Mr. et Mrs. Morland lorsque Mr. Tilney les pria de lui accorder la main de leur fille fut, pendant quelques minutes, considérable. Ils n'avaient jamais soupçonné que Catherine pût être amoureuse d'Henry ou Henry de Catherine. Cependant, comme ils trouvaient tout naturel que l'on aimât leur fille, ils s'habituèrent bientôt à cette idée, et n'éprouvèrent plus qu'un trouble délicieux et une fierté reconnaissante. Ils n'avaient pour leur part aucune objection à formuler. Les manières charmantes du jeune homme et le bon sens dont il témoignait étaient pour eux des recommandations suffisantes. Ils n'avaient jamais entendu dire sur lui le moindre mal et n'avaient par conséquent aucune raison de supposer qu'on pût en dire. La bonne volonté palliant l'expérience, on ne demandait point au jeune homme de prouver ses mérites. Catherine ferait une jeune maîtresse de maison certes bien étourdie, commença Mrs. Morland, mais, ajouta-t-elle en consolation, il n'y avait rien de tel que la pratique.

Il n'y avait, en bref, qu'un seul obstacle à considérer, mais tant qu'il ne serait pas tombé, les Morland ne pouvaient pas sanctionner officiellement les fiançailles de Catherine et d'Henry. Les parents de la jeune fille avaient le caractère doux mais des principes fermes, et tant que le père d'Henry s'opposerait formellement au mariage, ils ne pourraient pas eux-mêmes y donner leur consentement. Que le général vînt solliciter la main de Catherine, ou qu'il approuvât sincèrement cette union, ils n'étaient pas gens assez délicats pour exiger pareil honneur, mais il fallait au moins que le père d'Henry donnât son consentement et que les apparences et la décence fussent sauves. Une fois que le général aurait dit oui — et ils espéraient du fond du cœur que cela ne tarderait guère —, ils n'auraient plus aucune objection à formuler. Le consentement de Mr. Tilney, voilà l'unique condition qu'ils posaient. Ils n'étaient pas plus enclins qu'autorisés à nourrir des vues sur son argent. Le contrat de mariage de ses parents assurait à Henry un héritage considérable, et, pour le présent, ses revenus lui permettaient d'être indépendant et de vivre confortablement. D'un point de vue purement pécuniaire, cette union était donc pour Catherine tout à fait inespérée.

Les jeunes gens ne s'étonnèrent pas de la décision de Mr. et Mrs. Morland. Elle les attristait, ils la déploraient, mais ils ne pouvaient pas en vouloir aux parents de Catherine. Ils se séparèrent, s'efforçant d'espérer que le général, contre toute éventualité, changerait bientôt d'avis, leur permettant de goûter ensemble les joies d'un amour enfin autorisé. Henry retourna vers ce qui était à présent sa seule demeure. Il voulait s'occuper de ses jeunes plants et apporter au presbytère quelques améliorations en prévision de l'arrivée de Catherine dans ces lieux. Il espérait ardemment qu'il ne faudrait pas attendre trop longtemps ce bonheur. Catherine demeura à Fullerton pour y pleurer. Une correspondance clandestine adoucit-elle les tourments de l'absence ? Ne nous interrogeons pas sur ce point, Mr. et Mrs. Morland ne le firent jamais. Ils avaient eu la gentillesse de ne demander aux jeunes gens aucune promesse à ce sujet, et lorsque Catherine recevait une lettre, ce qui se produisit fréquemment à cette époque-là, ils regardaient toujours ailleurs.

L'angoisse qui, en des circonstances pareilles, dut être le lot de nos héros et de tous ceux qui les aimaient lorsqu'ils songeaient à la manière dont cette affaire finirait, serait, je le crains, extrêmement difficile à communiquer. Le lecteur comprendra en tout cas à la concision révélatrice des pages qu'il lui reste à lire que nous nous hâtons tous ensemble vers la félicité parfaite. On peut seulement se demander ce qui leur permit bientôt de se marier. Quel est l'événement qui put influencer un caractère comme celui du général ? C'est le mariage d'Eleanor avec un homme riche et important qui eut une importance prédominante. Ce mariage eut lieu dans le courant de l'été. Cet accroissement de dignité jeta le général dans un accès de bonne humeur dont il ne se remit pas assez tôt pour que sa fille n'eût, dans l'intervalle, obtenu qu'il pardonnât à Henry et l'autorisât « à se conduire comme un imbécile s'il en avait envie ».

Le mariage d'Eleanor Tilney, qui lui permit de s'en aller vers un foyer de son choix avec l'homme de son choix, et d'échapper ainsi à un Northanger livré au malheur depuis le bannissement d'Henry, est un événement qui, j'en suis persuadée, fera plaisir à tous ses amis. J'éprouve moi-même à cette occasion une joie sincère. Je ne connais personne qui, par ses qualités et sa modestie, mérite plus qu'Eleanor d'être heureuse, et personne non plus qui soit mieux préparée, par ses souffrances quotidiennes, à jouir de son bonheur. La tendresse qu'elle éprouvait pour celui qui deviendrait son époux n'était pas nouvelle. Seule sa condition inférieure avait jusque-là interdit au jeune homme de prétendre à la main de Miss Tilney, et son accession inespérée à un titre et à la fortune avait dissipé tous les problèmes des jeunes gens. Jamais, durant toutes ces heures où elle lui avait tenu compagnie, l'avait servi, et avait manifesté à son endroit une rare patience, le général n'avait aimé sa fille comme à l'instant où, pour la première fois, il l'appela « Votre Seigneurie ». Le mari d'Eleanor était tout à fait digne d'elle. Indépendamment de la tendresse qu'il lui portait, de son titre de pair et de sa fortune, c'était le jeune homme le plus charmant du monde. Il n'est guère utile de définir davantage ses mérites. « Le plus charmant jeune homme du monde », cela parle aussitôt à toutes les imaginations. J'ajouterai donc seulement (consciente que les lois de la composition m'interdisent d'introduire un personnage qui n'a aucun rapport avec mon histoire) que c'était le monsieur dont le domestique négligent avait, lors d'un long séjour de son maître à l'abbaye, oublié la fameuse note de blanchissage qui avait entraîné mon héroïne dans l'une de ses plus affreuses aventures.

Le vicomte et la vicomtesse eurent certes une grande influence sur le sort de leur frère, mais ils furent puissamment aidés dans leur tâche par un événement extérieur. Mr. Morland envoya au général un compte exact de ses biens dès qu'on eut bien voulu l'en prier, et Mr. Tilney s'aperçut que Thorpe ne l'avait pas davantage trompé en surestimant d'abord, par pure vantardise, la fortune des Morland, qu'en la sous-estimant ensuite par malveillance. Il vit bien que les parents de Catherine n'étaient nullement nécessiteux ou pauvres, et apprit que la jeune fille aurait trois mille livres de dot. Tout cela constituait un mieux tellement évident par rapport à ce qu'il avait craint que les blessures qu'avait subies son orgueil en furent singulièrement adoucies. Il se procura également, en secret et très difficilement, des renseignements sur Fullerton, et apprit que Mr. Allen en avait la libre disposition. Cette information ne se révéla pas inutile, loin de là. Les espérances les plus flatteuses devenaient permises à cet homme cupide.

Adouci par d'aussi puissants arguments, le général, peu après le mariage d'Eleanor, autorisa son fils à réintégrer Northanger, et il le chargea d'apporter à Mr. Morland son consentement. Il avait écrit, à cet effet, une lettre des plus courtoises pleine de phrases creuses. L'événement qu'autorisait ce message ne tarda guère. On maria Henry et Catherine, les cloches sonnèrent, et tout le monde sourit. Ce mariage ayant lieu moins de douze mois après la première rencontre des amoureux, il semble qu'ils n'auront pas eu à souffrir affreusement de l'intolérable délai occasionné par la cruauté du général. C'est déjà une belle chance que de connaître le bonheur aux âges respectifs de vingt-six et de dix-huit ans. Je me déclare par ailleurs convaincue que la méchante intervention du général, loin d'être vraiment un obstacle à la félicité d'Henry et de Catherine, lui fut peut-être favorable en les obligeant à mieux se connaître et en fortifiant leur amour, et je laisse à ceux que ces sujets passionnent le soin de décider si ce livre a pour but de recommander la tyrannie paternelle ou de prôner la désobéissance filiale.

NOTE BIOGRAPHIQUE SUR JANE AUSTEN

Sa naissance, sa famille.

Jane Austen est née le 16 décembre 1775 à Steventon Rectory, dans le comté du Hampshire, avant-dernière-née et deuxième fille d'une famille de huit enfants. Son père, George Austen, était clergyman. Sa mère, née Cassandra Leigh, comptait parmi ses ancêtres sir Thomas Leigh, qui fut lord-maire de Londres au temps de la reine Élisabeth. Son grand-père maternel était clergyman ; mais son grand-père paternel n'était que chirurgien.

Les premières années.

Les revenus de la famille Austen étaient modestes mais confortables ; leur maison de deux étages, le Rectory, agréable comme savait déjà l'être une maison de clergyman dans le Hampshire à la fin du XVIIIᵉ siècle : des arbres, de l'herbe, un chemin pour les voitures, une grange même. On sait que la jeune Jane, comme Catherine Morland, l'héroïne de *Northanger Abbey*, aimait à rouler dans l'herbe de haut en bas de la pelouse en pente avec son frère préféré, Henry (son aîné d'un an), ou sa sœur Cassandra. Il n'est pas impossible qu'elle ait également préféré grimper aux arbres, battre la campagne les jours de pluie, à des activités plus convenables pour une petite fille du Hampshire dans une famille de clergyman, comme « soigner un loir, élever un canari... ».

Écoles.

En 1782, Cassandra et Jane (alors âgée de sept ans seulement, mais elle n'avait pas voulu se séparer de sa sœur — elles ne se quittèrent guère de toute leur vie) furent envoyées à l'école, d'abord à Oxford, dans un établissement dirigé par la veuve du principal de Brasenose College, puis à Southampton, enfin à l'Abbey School de Reading, sous la surveillance de la bonne et vieille Mme Latournelle ; les études n'étaient pas trop épuisantes semble-t-il, puisque les demoiselles étaient laissées libres de leur temps après une ou deux heures de travail chaque matin.

Éducation.

De retour au Rectory, les deux sœurs complétèrent leur éducation grâce aux conversations familiales (les frères furent successivement étudiants à Oxford) et surtout à l'aide de la bibliothèque paternelle qui était remarquablement fournie, et à laquelle elles semblent avoir eu accès sans aucune restriction. Jane lut beaucoup : Fielding et Richardson, Smollett et Sterne, les poèmes élégiaques de Cowper et le livre alors célèbre de Gilpin sur le « pittoresque » (la passion des jardins et paysages est une des sources fondamentales du roman anglais) ; quelques classiques, un peu d'histoire, des romans surtout. La famille Austen était grande dévoreuse de romans (sentimentaux ou gothiques — ce sont bientôt les années triomphales de Mrs. Radcliffe) ; les romans paraissaient par centaines et on pouvait se les procurer aisément pour pas cher grâce aux bibliothèques circulantes de prêt qui venaient d'être inventées. On lisait souvent à haute voix après le dîner. Jane, bien entendu, apprit le français (indispensable à l'époque pour un amateur de romans), un peu d'italien, chantait (sans enthousiasme), cousait, brodait, dessinait (bien moins bien que Cassandra), jouait du piano et bien sûr aussi dansait ; toutes occupations indispensables à son sexe et à son rang et destinées à la préparer à son avenir, le mariage. De toutes ces activités, Jane semble avoir préféré la danse (dans sa jeunesse) et la lecture (toujours). Les enfants Austen, avec l'aide de quelques cousins et voisins, avaient également une grande passion pour le théâtre et des représentations fréquentes étaient données dans la grange (en été) ou dans le salon (en hiver).

La passion d'écrire.

Tout le monde, ou presque, écrivait dans la famille Austen : le père, ses sermons ; Mrs. Austen, des vers élégiaques ; les frères, des essais pour les journaux étudiants d'Oxford ; sans oublier les pièces de théâtre où tous mettaient la main. Jane Austen a commencé très tôt à écrire, encouragée sans doute par les nombreux exemples familiaux dont les productions étaient constamment et vivement discutées pendant les longues soirées d'hiver. Elle s'est très tôt orientée vers le récit, et tout particulièrement vers les parodies des romans sentimentaux alors à la mode et qui constituaient le fonds des bibliothèques de prêt donc des lectures romanesques familiales. Les « œuvres de jeunesse » qui ont été conservées, soigneusement copiées de sa main en trois cahiers intitulés Volume I, II et III, contiennent des réussites assez étonnantes, surtout si on pense qu'elles ont été composées entre la douzième et la dix-septième année de l'auteur : ainsi le roman par lettres *Love and Friendship* (*Amour et amitié*) dont la liberté de ton aurait peut-être offusqué la reine Victoria.

Bals.

Aux plaisirs du théâtre, de la lecture, de l'écriture, aux promenades et aux conversations s'ajoutèrent bientôt ceux de la danse, lors de ces bals qui étaient une part importante de la vie sociale de Steventon et des villages proches. C'était d'ailleurs l'occasion à peu près unique qu'avaient les jeunes gens de cette classe de la société de se rencontrer, et par conséquent le lieu par excellence des espérances matrimoniales (on verra le rôle essentiel du bal dans l'économie de *Northanger Abbey* ou d'*Orgueil et préjugés*, par exemple).

Comment était-elle ?

On n'a pas conservé de portrait de Jane Austen à cette époque (pas plus qu'à une autre, puisqu'on n'a qu'un dessin d'elle, dû à Cassandra) et les descriptions sont plutôt rares. Il faut pratiquement se contenter d'une seule phrase (d'un ami de la famille, sir Egerton Brydges) : « Elle était assez belle, petite et élégante, avec des joues peut-être un peu trop pleines. » C'est peu.

Les lettres à Cassandra.

La source la plus importante de renseignements sur Jane Austen est le recueil des lettres écrites par elle à sa sœur Cassandra, qui fut sans aucun doute la personne la plus proche d'elle pendant toute sa vie. Bien entendu, elles ne nous renseignent que sur les périodes où les deux sœurs se trouvaient séparées, ce qui ne se produisit pas si souvent ni très longtemps. En outre, au grand désespoir des biographes, Cassandra, qui lui survécut, a soigneusement et sans hésitation expurgé les lettres qu'elle n'a pas détruites de tout ce qui pourrait nous éclairer sur la vie privée et sentimentale de sa sœur. La perte pour nous est grande, pour notre curiosité, mais la réticence est trop évidemment en accord avec la philosophie générale de l'existence de la romancière pour que nous puissions sans mauvaise foi en faire reproche à Miss Austen (Cassandra). Les lettres conservées sont une mine d'observations vives, drôles et méchantes sur le monde et les gens qui l'entourent. Et leur acidité n'y est pas, comme dans la prose narrative, adoucie par la généralisation. Un exemple : « Mrs. Hall, de Sherbourne, a mis au monde hier prématurément un enfant mort-né, à la suite, dit-on, d'une grande frayeur. Je suppose qu'elle a dû, sans le faire exprès, regarder brusquement son mari. »

Le temps passe.

Cependant, les enfants Austen grandissent et la famille commence à se disperser. Les garçons s'installent, les plus jeunes entrent dans la Navy (c'est l'époque, grave pour l'Angleterre, des guerres de la Révolution française et des ambitions napoléoniennes : en 1796, le bateau de Charles Austen, la *Licorne*, capturera deux navires français). Mais Cassandra et Jane auront, elles, ce triste et fréquent destin du xixe siècle anglais : elles resteront vieilles filles. Cassandra à cause de la mort prématurée à Saint-Domingue de son fiancé, Thomas Fowle ; quant à Jane, sa vie sentimentale nous reste à jamais impénétrable.

Les premiers romans (1795-1800).

En 1795, Jane Austen commence un roman par lettres intitulé *Elinor and Marianne*, première version de ce qui allait plus tard devenir *Sense and Sensibility* (*Raison et sentiments*). Aussitôt terminé et lu à haute voix devant le cercle familial, il est suivi d'un second, dont le titre est alors *First Impressions*, « Premières impressions », qui deviendra, lui, *Pride and Prejudice* (*Orgueil et préjugés*). Enfin, en 1798, elle écrit *Susan* qui sera *Northanger Abbey*. Ces trois romans, sous leur forme initiale, ont donc été écrits entre sa vingtième et sa vingt-cinquième année. Cette première grande période créatrice, brusquement interrompue en 1800 (elle sera suivie de dix ans de presque silence), donne, malgré les révisions importantes que les trois romans subiront ultérieurement, tout son éclat d'enthousiasme, de jeunesse et peut-être de bonheur à la prose telle que nous pouvons la lire aujourd'hui. Ces premiers essais très sérieux de Jane Austen ne semblent pas être sortis du cercle familial, mais on sait qu'en 1797 George Austen tenta sans succès d'intéresser un éditeur au manuscrit de *First Impressions*.

Bath.

En 1800, Mr. Austen (qui a alors presque soixante-dix ans) décide brusquement de se retirer et d'abandonner Steventon pour la vie urbaine et élégante de Bath. Cette trahison soudaine du pastoral Hampshire n'eut guère la faveur de Jane et la légende veut qu'en apprenant la nouvelle, le 30 novembre 1800, au retour d'une promenade matinale, elle se soit évanouie et, comme l'héroïne de *Persuasion*, Anne Elliott, elle « persista avec détermination, quoique silencieusement, dans son aversion pour Bath ». Aujourd'hui, pour l'amateur fanatique des romans de Jane Austen, pour celui qui appartient à la famille des « janeites » inconditionnels, un pèlerinage à Bath, qui joue un rôle si important dans tant de pages de ses récits, est une visite aussi heureuse qu'obligée ; mais il ne doit pas perdre de vue que son héroïne n'aima jamais vraiment y vivre. En 1803, probablement sur l'intervention d'Henry, le manuscrit de *Susan* (le futur *Northanger Abbey*) fut vendu pour la somme de dix livres sterling à un éditeur du nom de Crosby qui d'ailleurs s'empressa de l'oublier. C'est peut-être sous l'impulsion de cette espérance momentanée que Jane entreprit un nouveau roman, *The Watsons*, son seul effort sans doute des années de Bath, mais abandonné hélas en 1805, après quelques chapitres. Ce que nous ne pouvons que regretter.

La mort du père.

Le 21 janvier 1805, la mort de Mr. Austen vint plonger brusquement les femmes de la famille dans une situation matérielle qui, sans être jamais véritablement difficile, se révéla néanmoins à peine suffisante pour leur permettre de maintenir leur mode de vie « décent » habituel. Mrs. Austen, Jane et Cassandra se trouvèrent en outre en partie sous la dépendance financière des frères Austen, c'est-à-dire à la fois de leur générosité variable et de leur fortune fluctuante ; situation qui, pour n'être pas rare à l'époque, n'en est pas moins inconfortable. Toute idée de mariage abandonnée par les deux sœurs, en même temps que les distractions frivoles mais délicieuses de leur jeunesse, elles se résignèrent à la vie plutôt terne des demoiselles célibataires, avec les obligations de visites, de charité et de piété, les distractions de la lecture et des commentaires sur le monde ; s'occupant tour à tour des innombrables enfants Austen, neveux et nièces, les éduquant, les distrayant, les conseillant ou les réprimandant selon les âges, les humeurs ou les circonstances. C'est de cette époque que date l'image, pieusement conservée dans la mémoire familiale, de *dear aunt Jane*, la « chère tante Jeanne » de la légende austennienne, qui exaspérait si fort Henry James.

Chawton.

Cependant, en 1808, les trois femmes quittent Bath (sans regret au moins en ce qui concerne Jane) et, après des séjours à Clifton puis à Southampton, s'installent, pour ce qui devait être les dernières années de la vie de Jane Austen, dans un petit cottage du village de Chawton, proche d'Alton, sur la route de Winchester. C'est là que l'essentiel de l'œuvre telle que nous la connaissons a été écrit.

Les premiers succès.

En 1809, Jane Austen tente vainement de ressusciter l'intérêt de l'éditeur Crosby pour le manuscrit autrefois acheté par lui, *Susan*. Crosby se borne à en proposer le rachat ; ce qui est fait (la transaction se déroule par un intermédiaire discret, car Jane tient à conserver l'anonymat). Cependant, en 1811, *Sense and Sensibility*, forme définitive de l'*Elinor and Marianne* de 1795, est accepté par un éditeur londonien, Thomas Egerton. Elle corrige les épreuves en avril à Londres, au 64 de Sloane Street, lors d'une visite dans la famille de son frère préféré Henry. Le livre paraît en novembre et est vendu 15 shillings. Ce fut un succès d'estime. La première édition, un peu moins de mille exemplaires, fut épuisée en vingt mois et Jane reçut 140 livres, somme inespérée et bienvenue pour quelqu'un qui devait se contenter d'un budget très modeste et n'avait pratiquement aucun argent à elle pour son habillement et ses dépenses personnelles. *Sense and Sensibility* parut anonymement et, dans la famille même, seule Cassandra paraît avoir été au courant. Jane entreprit alors la révision de *First Impressions* transformé en *Pride and Prejudice*, et, simultanément (?) la composition d'un nouveau roman, le premier de sa maturité, *Mansfield Park*. *Pride and Prejudice*, vendu 110 livres à Egerton en novembre 1812, parut, le 29 juin 1813, à 18 shillings ; le premier tirage était de 1 500 exemplaires environ. Sur la page de titre on lisait : *Pride and Prejudice. A novel. In three volumes. By the author of « Sense and Sensibility ».* Le succès cette fois fut nettement plus grand. La première édition fut épuisée en juillet, une deuxième sortit en novembre en même temps qu'une deuxième édition de *Sense and Sensibility* et Jane pouvait écrire fièrement à Henry « qu'elle venait de mettre 250 livres à la banque à (son) nom et que cela (lui) en faisait désirer davantage ». Miss Annabella Milbanke, la future Mrs. Lady Byron, écrivait pendant l'été à sa mère, en lui recommandant la lecture de *Pride and Prejudice*, que « ce n'était pas un livre à vous arracher des larmes ; mais l'intérêt en est cependant très vif, particulièrement à cause de Mr. Darcy ». Un an plus tard c'est *Mansfield Park* et de nouveau 1 500 exemplaires vendus en six mois.

Emma.

Pour son cinquième roman (et le deuxième entièrement écrit à Chawton), *Emma* (premier tirage de 2 000 exemplaires), respectueusement dédié au prince régent, Jane, sans doute désireuse d'améliorer encore les revenus inespérés que lui procurait maintenant la littérature (et peut-être aussi dans l'espoir de venir en aide de manière plus efficace à son frère Henry dont les affaires n'étaient guère brillantes), changea d'éditeur et s'adressa à un Mr. Murray (« c'est un bandit mais si poli », écrit-elle) ; mais comme c'est Henry qui se chargea des négociations, il ne semble pas qu'elle y ait gagné beaucoup. Pour *Emma*, qui reçut encore une fois du public un excellent accueil, Jane Austen eut sa première critique un peu sérieuse (elle devait attendre bien longtemps une étude critique digne d'elle) due rien moins qu'à la plume auguste de Sir Walter Scott (qui restera jusqu'à sa mort son admirateur fervent). Elle en fut extrêmement flattée, regrettant seulement que dans son rapide examen de ses premiers romans il n'ait pas mentionné *Mansfield Park*. Cependant, l'anonymat de Jane n'avait pas résisté au succès de *Pride and Prejudice* ni à l'innocente vanité fraternelle d'Henry ; mais Jane, qui détestait les rapports mondains, eut vite fait de décourager les curiosités des snobs et ne modifia en rien son mode de vie antérieur. Le prince régent fut très content de la dédicace de cet auteur brusquement si favorablement commenté dans les salons et, par l'intermédiaire de son chapelain privé, le révérend Clarke, fit sonder l'auteur d'*Emma* sur la possibilité de la voir entreprendre la composition d'un roman historique, exaltant l'auguste maison de Cobourg, dont le dernier héritier, le prince Léopold, était fiancé à la princesse Charlotte, fille du régent. La réplique de Jane est célèbre : « Je n'envisage pas plus d'écrire un roman historique qu'un poème épique. Je ne saurais sérieusement entreprendre une telle tâche, sauf peut-être au péril de ma vie ; et si par hasard je pouvais m'y résoudre sans me moquer de moi-même et du monde, je mériterais d'être pendue avant la fin du premier chapitre. »

Fin de vie.

Le dernier roman de Jane, *Persuasion*, fut commencé le 8 août 1815, parallèlement à la révision de *Susan*, qui devint *Northanger Abbey*. Elle ne devait pas les voir publiés de son vivant ; avant même l'achèvement de *Persuasion*, elle était déjà sérieusement malade, probablement, si l'on se fie au diagnostic récent de Zachary Cope dans le *British Medical Journal* du 18 juillet 1964, de la maladie d'Addison, alors non identifiée. Au début de 1817, pour être plus près de son médecin, le docteur Lyford, elle vint s'installer à Winchester, dans une maison de College Street, proche de la cathédrale, et c'est là qu'elle mourut, laissant inachevé un dernier roman, *Sanditon*, regret éternel des « janeites », début peut-être irrémédiablement arrêté d'une « nouvelle manière » ; on était le 18 juillet 1817, et Jane Austen avait quarante et un ans. Elle est enterrée dans la cathédrale de Winchester et l'inscription funéraire gravée par la famille sur une dalle souligne les qualités estimables de son caractère mais ne fait pas la moindre allusion à sa prose.

Jacques ROUBAUD
1978

Cet ouvrage a été réalisé par la
SOCIÉTÉ NOUVELLE FIRMIN-DIDOT
Mesnil-sur-l'Estrée
pour le compte des Éditions U.G.E. 10/18
en juillet 1997

Imprimé en France
Dépôt légal : février 1996
N° d'édition : 2635 - N° d'impression : 39195
Nouveau tirage : juillet 1997